KU-112-283

PIĘĆ
KRÓLESTW
ŁUPIEŻCY NIEBIOS

Zamki na niebie stoją samotne, zdewastowane.

A Dustland Fairytale
The Killers (słowa: Brandon Flowers)

KSIĘGA I

Brandon Mull

Tłumaczenie: Rafał Lisowski

Tytuł oryginału: *Five Kingdoms. Sky Raiders*

Redakcja: Anna Kubalska
Korekta: Katarzyna Sarna, Marta Jamrógiewicz, Rafał Sarna
Projekt okładki: © Jessica Handelman
Ilustracja na okładce: © 2014 by Owen Richardson
Zdjęcie autora: Laura Hanifin; © 2014 by Simon & Schuster, Inc.
Koordynacja produkcji: Jolanta Powierża
Wydawca prowadzący: Natalia Sikora

Wydanie pierwsze, Warszawa 2014
Egmont Polska Sp. z o.o.
ul. Dzielna 60, 01-029 Warszawa
tel. +48 22 838 41 00

www.egmont.pl/ksiazki

ISBN 978-83-281-0390-0

Skład i łamanie: KATKA, Warszawa
Druk i oprawa: COLONEL, Kraków

Dla Liz,
która chciała zamków na niebie

Rozdział

1

HALLOWEEN

Przebijając się przez tłum na korytarzu, Cole ominął wojownika ninja, wiedźmę, pirata i gnijącą pannę młodą. Przystanął, kiedy pomachał do niego smutny klaun w prochowcu i filcowym kapeluszu.

– Dalton?

Przyjaciel Cole'a potwierdził skinieniem głowy i się uśmiechnął. Dziwnie to wyglądało, bo na twarzy miał namalowane usta wygięte w smutną podkówkę.

– Ciekaw byłem, czy mnie poznasz.

– Nie było łatwo – odparł Cole.

Odetchnął z ulgą, gdy zobaczył, że jego najlepszy kumpel też przyszedł w wymyślnym przebraniu. Bał się, że sam trochę przesadził ze strojem. Stali teraz obaj na środku korytarza. Po obu stronach mijały ich dzieci – niektóre były przebrane na Halloween, inne nie.

– Jesteś gotowy na zbieranie cukierków? – zapytał Dalton.

Cole się zawahał. Zdali już do szóstej klasy, więc trochę się martwił, że są za duzi na to, by chodzić od drzwi do drzwi. Nie chciał wyglądać jak przedszkolak.

– Słyszałeś o nawiedzonym domu przy Wilson Avenue?

– O tym, w którym urządzili uliczkę strachów? – upewnił się Dalton. – Podobno są tam żywe szczury i węże.

Cole przytaknął skinieniem głowy.

– Słyszałem, że gość, który wprowadził się do tego domu, jest specem od efektów specjalnych. Chyba pracował przy dużych produkcjach. Może to tylko plotki, ale podobno jest tam super. Trzeba to sprawdzić.

– Jasne, ja też jestem ciekaw – zgodził się Dalton. – Ale nie chcę, żeby ominęło mnie zbieranie cukierków.

Cole zastanowił się przez chwilę. Rzeczywiście w zeszłym roku widział, że po okolicy chodziło paru szóstoklasistów. Niektórzy wyglądali nawet na jeszcze starszych. Poza tym czy to ma jakieś znaczenie, co pomyślą inni? Skoro ludzie rozdają cukierki za darmo, to czemu z tego nie skorzystać. Obaj i tak byli już przebrani.

– Dobra. Możemy ruszyć wcześniej.

– Pasuje.

Zabrzmiał pierwszy dzwonek. Za chwilę miała zacząć się lekcja.

– Widzimy się potem – pożegnał się Cole.

– Na razie.

Cole wszedł do klasy i zauważył, że Jenna Hunt już siedzi w ławce. Starał się o niej nie myśleć. Lubił ją, ale nie w ten sposób. Jasne, dawniej ożywiał się i denerwował, gdy tylko pojawiała się w pobliżu, ale teraz była po prostu jego koleżanką.

A przynajmniej właśnie to sobie powtarzał, kiedy starał się usiąść na swoim miejscu w sąsiedniej ławce. Był przebrany za stracha na wróble, na którym ktoś ćwiczył strzelanie z łuku. Pierzaste strzały sterczące z klatki piersiowej nie ułatwiały mu zadania.

Czy kiedyś podkochiwał się w Jennie? Może kiedy był młodszy. W drugiej klasie dziewczyny przechodziły taki okres, że na przerwach uganiały się za chłopakami i próbowały ich całować. To było obrzydliwe. Coś jak berek, tylko że można dostać dziewczyńskich bakterii. Nauczyciele byli temu przeciwni. Cole także – no, chyba że chodziło o Jennę. Kiedy to ona go goniła, w głębi duszy potajemnie chciał dać się złapać.

To nie jego wina, że w trzeciej, czwartej i piątej klasie wciąż zwracał na nią uwagę. Była za ładna, żeby jej nie dostrzegać. Nie on jeden tak uważał. Pozowała nawet do jakichś katalogów. Jej ciemne włosy kręciły się wprost idealnie, a gęste rzęsy sprawiały wrażenie, jakby były pomalowane, chociaż wcale nie używała tuszu.

Czasami snuł marzenia o tym, że Jennę zaczepiają jakieś starsze głupki. W swoich fantazjach ratował ją dzięki męstwu i ciosom karate rodem z filmu akcji, by potem znosić jej łzawe podziękowania.

Ale wraz z początkiem szóstej klasy wszystko się zmieniło. Nie tylko trafiła do jego klasy, ale zupełnym przypadkiem dostała miejsce tuż przed nim. Pracowali więc razem podczas ćwiczeń grupowych. W końcu nauczył się odprężać w jej towarzystwie. Zaczęli normalnie rozmawiać i żartować. Jenna okazała się fajniejsza, niż myślał. Naprawdę się zaprzyjaźnili. Więc nie było powodu, dla którego serce miałoby mu walić tylko dlatego, że przebrała się za Kleopatrę.

Na ławce Cole'a leżał oceniony sprawdzian. O sukcesie informowała liczba 96 zakreślona czerwonym długopisem. Na pustych ławkach czekały testy innych uczniów. Chłopiec próbował nie podglądać wyników kolegów, ale zauważył, że sąsiedzi dostali 72 i 88 procent.

Jenna odwróciła się i spojrzała na niego. Na głowie miała perukę z prostych czarnych włosów z równiutko obciętą grzywką. Jej oczy podkreślał mocny makijaż. Złota opaska z wężem służyła za koronę.

– Za co się przebrałeś? – zapytała. – Za martwego stracha na wróble?

– Blisko – odparł Cole. – Za stracha na wróble, na którym ktoś ćwiczył strzelanie z łuku.

– To prawdziwe strzały?

– Tak, ale odłamałem groty. Gdybym przyniósł do szkoły ostre strzały, to nawet w Halloween odesłaliby mnie do domu.

– Znowu błysnąłeś na teście. Myślałam, że strachy na wróble nie mają rozumu.

– Wczoraj nie byłem strachem na wróble. Podoba mi się twój kostium.

– Wiesz, za kogo się przebrałam?

Cole skrzywił się, jakby naprawdę go zagięła.

– Za ducha?

Jenna przewróciła oczami.

– Ale wiesz, prawda?

Skinął głową.

– Za jedną z najsłynniejszych kobiet wszech czasów: królową Elżbietę.

– Nie ten kraj.

– Żartuję. Za Kleopatrę.

– Znowu pudło. Mógłbyś się bardziej wysilić.

– Serio? Bo byłem pewien.

– Jestem siostrą bliźniaczką Kleopatry.

– No to mnie załatwiłaś.

– Może powinnam się przebrać za Dorotkę podziurawioną strzałami. Wtedy byśmy do siebie pasowali.

– Udawalibyśmy bohaterów smutnej wersji zakończenia *Czarnoksiężnika z krainy Oz.*

– W której czarnoksiężnik okazuje się Robin Hoodem.

W ławce obok Jenny usiadła Laini Palmer przebrana za Statuę Wolności. Jenna odwróciła się do niej i zaczęły rozmawiać.

Cole zerknął na zegar. Do rozpoczęcia lekcji zostało jeszcze parę minut. Jenna miała zwyczaj przychodzić do klasy zaraz po pierwszym dzwonku i jemu jakoś też weszło to w nawyk. W klasie pojawiali się kolejni uczniowie: zombi, wróżka-wampir, rockman, żołnierz. Kevin Murdock nie miał przebrania. Sheila Jones też nie.

Kiedy Jenna skończyła gadać z Laini, Cole stuknął ją w ramię.

– Słyszałaś o tym nowym nawiedzonym domu?

– Przy Wilson Avenue? Wszyscy o nim mówią. Dekoracje halloweenowe jeszcze nigdy mnie nie przeraziły. Zawsze wiem, że to ściema.

– Podobno facet, który się tam wprowadził, robił efekty specjalne w Hollywood. Słyszałem, że niektóre rzeczy w tej jego uliczce strachów wyglądają jak prawdziwe. Ma żywe nietoperze, tarantule i amputowane kończyny ze szpitala.

– To rzeczywiście może być straszne – przyznała Jenna. – Musiałabym się przekonać na własne oczy.

– Podobno wstęp jest za darmo. Idziesz zbierać cukierki?

– Tak, z Lacie i Sarah. A ty?

– Mam iść z Daltonem. – Cole'owi ulżyło, że ona też będzie polować na słodkości.

– Znasz adres? – zapytała Jenna.

– Nawiedzonego domu? Zapisałem go sobie.

– Musimy go obejrzeć. Spotkamy się koło siódmej?

Cole starał się zachować obojętną minę.

– Gdzie?

– Kojarzysz dom tego starego faceta na rogu? Z wielkim masztem w ogródku?

– Jasne. – Każdy, kto był stąd, go kojarzył. Dom był parterowy, natomiast sam maszt to istny drapacz chmur. Facet chyba był weteranem. Co rano wciągał flagę, a wieczorem ją opuszczał. – To tam się widzimy?

– Przynieś adres.

Cole wyjął zeszyt z plecaka. Zaczął w nim szukać pracy domowej, ale myślami był gdzie indziej. Do tej pory nie spotykał się z Jenną po lekcjach, ale przecież nie umówili się na randkę. Po prostu z grupką kolegów pójdą zobaczyć, czy uliczka strachów jest naprawdę straszna.

Wkrótce pan Brock zaczął lekcję. Był przebrany za kowboja, miał skórzane spodnie, wielki kapelusz i odznakę szeryfa. W takim stroju nie dało się go traktować poważnie.

Cole szedł ulicą obok Daltona. Jedną nogę miał na krawężniku, a drugą w rynsztoku. Wciąż był ubrany w najeżony strzałami kostium stracha na wróble. Wystająca zza kołnierza słoma drapała go w brodę. Dalton nadal był smutnym klaunem.

– Jenna chciała się spotkać pod masztem? – upewnił się Dalton.

– Gdzieś koło domu, bo przecież nie na trawniku – odparł Cole.

Dalton podciągnął rękaw płaszcza i spojrzał na zegarek.

– Będziemy za wcześnie.

– Tylko trochę.

– Denerwujesz się?

Cole rzucił mu rozdrażnione spojrzenie.

– Nie boję się nawiedzonych domów.

– Nie o to mi chodzi. Przecież zawsze ci się podobała...

– Coś ty, daj spokój – przerwał mu Cole. – Bądź poważny. To nie tak. Po prostu się przyjaźnimy.

Dalton wymownie poruszył brwiami.

– Moi rodzice też na początku się przyjaźnili.

– Fuj, przestań! – Cole nie mógł dopuścić do tego, by Dalton powiedział albo zrobił coś, co zdradziłoby Jennie, że ona mu się podoba. – Niepotrzebnie w ogóle ci o tym mówiłem. To było sto lat temu. Umówiliśmy się dla zabawy.

Dalton popatrzył przed siebie.

– Spora grupa.

Rzeczywiście. Jenna czekała z siedmiorgiem innych osób, w tym z trzema chłopakami. Wciąż była przebrana za Kleopatrę.

– Już są. Możemy iść – oznajmiła.

– Mam adres – poinformował Cole.

– Wiem, gdzie to jest – powiedział Blake. – Dzisiaj tamtędy przechodziłem.

– Jak tam jest? – zapytał Dalton.

– Nie byłem w środku. Po prostu mieszkam niedaleko.

Cole znał Blake'a ze szkoły. To był jeden z tych gości, którzy lubią rządzić i dużo mówią. Na przerwach zawsze chciał stać na bramce, chociaż wcale nie był w tym jakoś szczególnie dobry.

Kiedy ruszyli, Blake zajął miejsce na przedzie. Cole dogonił Jennę.

– To jak masz na imię? – spytał.

– Co? – odparła. – Kleopatra?

– Nie, przecież jesteś jej bliźniaczką.

– Fakt. Może zgadniesz?

– Irma?

– Niezbyt egipskie imię.

– Tutanchamonka?

– Dobre, może być. – Jenna zaśmiała się, a potem odeszła do Sarah i zaczęły rozmawiać.

Cole zwolnił, żeby Dalton mógł się z nim zrównać.

– Myślisz, że uliczka strachów naprawdę będzie przerażająca?

– Mam nadzieję – odparł Cole. – Już sobie narobiłem apetytu.

Blake narzucił niezłe tempo. Szybkim krokiem minęli gromadkę dzieci w plastikowych maskach superbohaterów. Dekoracje większości domów wyglądały na przygotowane od niechcenia. Na niektórych budynkach nie było ich w ogóle. Przed kilkoma stały misternie wycięte dynie, do których na pewno użyto szablonów.

Dalton trącił Cole'a łokciem i wskazał mu drzwi jednego z domów. Korpulentna czarownica rozdawała dzieciom duże twixy.

– Spoko – odparł Cole, potrząsając poszewką na poduszkę. – I tak już sporo zebraliśmy.

– Ale takich dużych mało – zauważył Dalton.

– Miniaturowe twixy wcale nie są gorsze – stwierdził Cole, chociaż wcale nie był pewien, czy w ogóle od kogoś dostali twixy.

– Podobno są tam prawdziwe trupy – opowiadał Blake. – Ciała przekazane w celach naukowych, ukradzione i przerobione na dekoracje.

– Myślicie, że to prawda? – zastanawiał się Dalton.

– Wątpię – odrzekł Cole. – Facet trafiłby do więzienia.

– A co ty o tym wiesz? – zakwestionował jego słowa Blake. – Kradłeś kiedyś trupy?

– Nie – odparł Cole. – Twojej matki nie było na to stać.

Wszyscy parsknęli śmiechem, a Blake nie wiedział, co odpowiedzieć. Cole słynął z ciętych ripost. To był jego najlepszy mechanizm obronny, bo dzięki temu inni zwykle się go nie czepiali.

Kiedy szli dalej ulicą, Cole szukał jakiegoś pretekstu, żeby podejść do Jenny. Niestety teraz po jednej stronie miała Lacie, a po drugiej Sarah. Cole gadał z Jenną wystarczająco często, żeby czuć się przy niej swobodnie, ale z tymi dziewczynami to już była inna historia. Nie miał tyle odwagi, żeby wciąć się w ich rozmowę. Każdy tekst, jaki przychodził mu do głowy, wydawał się wymuszony i nieporadny. Przynajmniej Dalton mógł zobaczyć, że Cole i Jenna naprawdę tylko się kolegują.

Cole pilnował drogi. W głębi duszy miał nadzieję, że Blake coś pomyli, ale niestety prowadził bezbłędnie. Kiedy w końcu zobaczyli nawiedzony dom, pokazał go wszystkim tak, jakby to on robił dekoracje.

Z zewnątrz budynek wyglądał porządnie. Znacznie lepiej niż większość domów. Na dachu siedziało parę sztucznych kruków. Z rynien zwisały kotary pajęczyn. Jedna z dyniowych głów wymiotowała na chodnik nasionami i miąższem. W ogródku było sporo kartonowych nagrobków, a tu i ówdzie z trawy sterczała plastikowa ręka czy noga.

– Całkiem nieźle – przyznał Dalton.

– No, nie wiem – odparł Cole. – Po tym całym szumie spodziewałem się granitowych grobowców z prawdziwymi ludzkimi szkieletami. I może paru holograficznych duchów.

– Pewnie wszystko, co najlepsze, jest w środku.

– Zobaczymy. – Cole zamilkł i przyglądał się szczegółom dekoracji.

Dlaczego czuł się taki rozczarowany? Dlaczego w ogóle przejmował się dekoracjami? Ponieważ namówił Jennę, żeby tutaj przyszła. Gdyby nawiedzony dom okazał się super, może na Cole'a spłynęłoby odrobinę splendoru. Ale jeśli byłoby do bani, wyszłoby na to, że Jenna niepotrzebnie zawracała sobie głowę. Czy rzeczywiście o to chodziło? A może był zły, bo prawie z nią nie pogadał?

Blake pierwszy ruszył do drzwi. Zapukał, a pozostała dziewiątka zgromadziła się na werandzie. Otworzył im długowłosy facet z krótką brodą. W głowę miał wbity tasak, a z rany lała się krew.

– To naprawdę musi być spec od efektów – mruknął pod nosem Dalton.

– Sam nie wiem – odparł Cole. – Fakt, krwawe to, ale nie na maksa.

Śmiertelnie ranny mężczyzna odsunął się z przejścia, żeby wpuścić gości do środka. Wewnątrz bez przerwy migotał stroboskop, nad ziemią snuła się mgła z suchego lodu, a ścianę pokrywała folia aluminiowa odbijająca pulsujące światło. W korytarzu rozwieszono pajęczyny, rozstawiono czaszki i kandelabry. Ruszył ku nim rycerz w pełnej zbroi, unosząc nad głową olbrzymi miecz. W błyskach stroboskopu jego ruchy były rwane. Kilka dziewczyn wrzasnęło.

Rycerz opuścił miecz. Chcąc wykorzystać ten moment dla osiągnięcia maksymalnego efektu, poruszał się jeszcze trochę, głównie na boki, ale przestał być taki straszny, bo nie przeprowadził ataku do końca. Chyba zrozumiał, że nie jest już groźny, więc zaczął tańczyć jak robot. Kilkoro dzieci się roześmiało.

Cole skrzywił się jeszcze bardziej rozczarowany.

– No i niby czym się tak wszyscy podniecali? – odezwał się do Daltona.

– A czego się spodziewałeś?

Cole wzruszył ramionami.

– Wściekłych wilków walczących na śmierć i życie.

– Nie jest źle – pocieszył go Dalton.

– Za dużo było szumu. Miałem wielkie oczekiwania. – Gdy się odwrócił, obok niego stała Jenna. – Bardzo się boisz? – zapytał.

– Niezbyt – odparła, rozglądając się wkoło. – Nie widzę żadnych kończyn. Ale i tak nieźle to urządzili.

Niezgrabny rycerz wracał już do swojej kryjówki. Facet z tasakiem rozdawał słodycze – miniaturowe, ale każde dziecko dostało po kilka sztuk.

Na korytarzu pojawił się chudy starszy chłopak ze zmierzwioną fryzurą. Mógł być tuż po dwudziestce. Ubrany był w dżinsy i pomarańczową koszulkę z wielkim czarnym napisem: „Buu!". Poza tym nie miał przebrania.

– Dostatecznie się wystraszyliście? – zapytał nonszalancko.

Kilka dziewcząt przytaknęło. Większość osób milczała. Cole uznał, że byłby niegrzeczny, gdyby powiedział prawdę.

Gość w koszulce z napisem „Buu!" założył chude ręce na piersi.

– Część z was nie wygląda na szczególnie przerażonych. Chcecie zobaczyć coś naprawdę strasznego?

Brzmiał serio, ale równie dobrze mógł to być wstęp do kiepskiego żartu.

– Jasne – odezwał się Cole.

Poparła go Jenna i kilka innych osób.

Buu spojrzał na nich jak generał niezadowolony z nowych rekrutów.

– No dobra, skoro tak mówicie. Ale ostrzegam: jeśli już teraz coś was przestraszyło, to nie idźcie dalej.

Dwie dziewczyny zaczęły kręcić głowami i wycofały się w stronę drzwi. Jedna z nich oparła głowę na piersi Stuarta Fulsoma. Stu wyszedł razem z nimi.

– Popatrz na Stu – mruknął Cole do Daltona. – Myśli, że wielki z niego uwodziciel.

– Po co te dziewczyny w ogóle tu przyszły, skoro nie chciały się bać? – jęknął Dalton.

Cole wzruszył ramionami. Czy gdyby Jenna chciała zrezygnować, wyszedłby razem z nią? Może gdyby drżąca ze strachu oparła głowę na jego piersi…

Pozostała siódemka poszła za Buu. Zaprowadził ich przez zwyczajną kuchnię do białych drzwi z typową mosiężną gałką.

– To tu, w piwnicy. Ja nie idę. Jesteście pewni, że tego chcecie? Tam jest naprawdę strasznie.

Blake otworzył drzwi i ruszył na dół. Cole i Dalton wymienili spojrzenia. Skoro doszli aż tutaj, nie było mowy, żeby teraz wymiękli. Również nikt inny nie stchórzył.

Rozdział 2

ULICZKA STRACHU

Cole zszedł za Jenną do ciemnej piwnicy. Tuż za ostatnim stopniem skrzypiących schodów zaczynały się czarne kotary. Otaczały ich ze wszystkich stron, sięgały od sufitu aż po podłogę i przesłaniały większość pomieszczenia. Jedynym źródłem światła była stara latarnia stojąca na niewysokim stołku. Brudna i pordzewiała, wyglądała jak pamiątka z Dzikiego Zachodu.

Dalton pociągnął Cole'a za rękaw. Na twarz chłopca padały ostre cienie, które sprawiały, że makijaż smutnego klauna stał się upiorny. Na jego policzku lśniła namalowana łezka. W blasku latarni brokat ledwo połyskiwał.

– Gość zamknął drzwi na klucz – szepnął Dalton. To on schodził ostatni po schodach.

– Co?

– Ten w koszulce z napisem „Buu!". Usłyszałem zgrzyt, więc sprawdziłem. Jesteśmy tu zamknięci.

Cole westchnął i spojrzał w górę.

– Pewnie tylko po to, żeby zwiększyć napięcie.

– Nie podoba mi się to – nie ustępował Dalton.

Cole przyjaźnił się z Daltonem, odkąd w pierwszej klasie przeprowadził się z Boise do Mesy w Arizonie. Lubili te same książki i gry komputerowe. Obaj grali w piłkę nożną i jeździli na rowerach. Ale Dalton łatwo się denerwował.

Cole pamiętał, jak kiedyś byli w kinie i Dalton przed seansem zostawił bilet w łazience. Potem cały czas się gorączkował, że go przyłapią i oskarżą o wejście na gapę. W końcu poszedł do kogoś z obsługi, żeby się przyznać. Oczywiście facet kazał mu się nie przejmować.

– To tylko dla efektu – uspokajał przyjaciela Cole. – Żeby było straszniej.

Dalton pokręcił głową.

– On to zrobił po cichu. Ledwo usłyszałem. Co to za efekt, którego nikt nie słyszy?

– Usłyszałeś. Sprawdziłeś. Przestraszyłeś się. Najwyraźniej to eksperci.

– Albo psychopaci.

Pozostała piątka kręciła się u stóp schodów. Blake przykucnął, żeby obejrzeć latarnię. Potem odszedł od źródła światła i pociągnął za jedną z czarnych kotar.

– Tędy.

Za odsuniętą zasłoną ukazał się rosły mężczyzna. Blask latarni odbijał się od jego niemal łysej głowy z wianuszkiem szczeciniastych włosów na skroniach. Pod szerokim, płaskim nosem wyrastały sumiaste, podkręcone wąsy, a z płatka jednego ucha sterczała cienka kostka. Miał na sobie ogrodniczki, chyba domowej roboty, pozszywane ze sztywnego materiału. Jego tęgie nagie ramiona porastały kręcone włosy.

Większość dzieci cofnęła się albo wręcz odskoczyła. Lacie wrzasnęła. Potężny nieznajomy skwitował tę reakcję szerokim uśmiechem. Dwa jego zęby wyglądały na zrobione z szarego, matowego metalu.

– Czy jesteście gotowi na to, żeby się bać? – zapytał z błyskiem w oku, zacierając mięsiste łapy. Miał delikatny południowy zaśpiew.

Cole zerknął na Daltona. Może jego przyjaciel miał rację. Nie podobało mu się, że zamknięto go z tym dziwakiem.

– Kim pan jest? – zapytała Jenna.

– Ja? – Mężczyzna przyjrzał się jej przez zmrużone powieki. – Przyszliście tu, żeby się bać, prawda?

– Tak – odparł Blake.

Nieznajomy wyszczerzył zęby.

– Już ja dopilnuję, żebyście się nie rozczarowali. Oprowadzę was, ale bądźcie grzeczni. Niczego nie wolno dotykać.

Dalton stanął bliżej Cole'a. Jenna i Chelsea złapały się za ręce.

– Mówią na mnie Baleron – powiedział mężczyzna i podniósł latarnię. Cuchnął kurzem i potem. – Dziś pokażę wam koszmary, jakich jeszcze nie widzieliście. Na pewno chcecie iść dalej?

– Drzwi są zamknięte na klucz – powiedział cicho Dalton, ruchem głowy wskazując schody.

Baleron wbił w niego wzrok.

– W takim razie lepiej trzymajcie się blisko mnie.

Przytrzymał kurtynę. Blake ruszył przodem. Cole i Dalton szli jako ostatni. Obaj chłopcy należeli do najniższych w klasie. Ledwo sięgali Baleronowi do piersi. Kiedy przeszli, mężczyzna puścił zasłonę.

Następną przestrzeń odgradzały kolejne ciemne kotary. Na ziemi leżały kości, niektóre pożółkłe, inne spękane lub ukruszone. Kości ludzkie mieszały się tu z dziwnymi zwierzęcymi. Z boku leżała czaszka wielkości wózka z supermarketu. Miała dwa grube, ułamane kły. Nie mogła być autentyczna. Nie pasowała do żadnego zwierzęcia, które Cole sobie przypominał, nawet prehistorycznego. Ale wyglądała równie prawdziwie jak reszta kości, więc pewnie i one były sztuczne.

Blake podniósł coś, co przypominało ludzką kość ramieniową.

– Bardzo autentyczne – powiedział.

– Równie autentyczne jak ty sam – odparł Baleron.

– Uciekajcie! – dobiegł ich krzyk dziecka zza zasłony po lewej. – Już prawie za późno. Zmykajcie! To nie jest…

Głos gwałtownie zamilkł.

Baleron uśmiechnął się szeroko.

– Nie mieliście tego usłyszeć. Proszę, nie zwracajcie na to uwagi.

Dalton rzucił Cole'owi zaniepokojone spojrzenie. Cole musiał przyznać, że ostrzeżenie to był naprawdę niezły akcent. Okrzyk zabrzmiał bardzo prawdziwie. A Baleron robił zatrważające wrażenie. Coś z nim było nie tak – wielki, trochę straszny, niezbyt bystry, może nie do końca normalny. Idealny przewodnik upiornej wycieczki. Czy to zawodowy aktor?

Rozchyliły się zasłony po przeciwnej stronie i wyłoniła się zza nich niska, smagła kobieta. Była krępa, a nad kącikami jej ust rósł rzadki czarny wąsik. Jej zmierzwione czarne włosy rozjaśniały siwe kosmyki. Wyglądało na to, że jest ubrana w grube warstwy szmat.

– Ostatnia grupa – oznajmiła, patrząc na Balerona. – Ansel chce już iść.

– Ansel to nasz szef – powiedział mężczyzna.

Kobieta skupiła uwagę na przybyszach.

– Przyszliście się bać? Co wy wiecie o strachu? Co wy wiecie o trudach życia? Pochodzicie z miękkiego, tłustego świata pełnego miękkich, tłustych społeczności, w których rodzą się miękkie, tłuste dzieci. Co to za świat, który urządza święta ku czci posępności? Świat, który nie zna jej na co dzień. Świat, w którym posępność stała się atrakcją.

– O rany, teraz będzie lekcja? – westchnął Blake z rozpaczą.

Kobieta się uśmiechnęła.

– I to jeszcze jaka. Przyszedłeś tu po emocje, chłopcze, i emocji się doczekasz.

– Mam nadzieję. Bo te kości są równie straszne jak wystawa w muzeum.

– Gdybyś miał choć trochę oleju w głowie, kości wielce by cię wystraszyły. Te kości to ostrzeżenie. Te kości to trofeum. Przyszliście poczuć strach, więc należy was nagrodzić. Strach bywa względny. Czego jeden się boi, tego nie boi się ktoś inny. Weźmy na przykład takiego karalucha tropiciela.

Uniosła plamistego karakana wielkości kostki mydła. Wił się i syczał, poruszając odnóżami. Dwa długie czułki kołysały się i drgały. Kiedy go trzymała, pochylił głowę i kilka razy uderzył ją w kciuk.

– Widzicie, jak mnie gryzie? Na prerii albo nabierasz odporności na jad, albo giniesz. Czy ktoś chce go potrzymać? – Nikt się nie zgłosił. Kobieta wzruszyła ramionami. – Może wy boicie się tego stworzenia. Pewnie nawet słusznie, bo od jego jadu paliłaby was skóra i zaczęła ropieć. Może nawet by was zabił. Ale dla mnie to zwykła przekąska. – Włożyła sobie karalucha do ust i zaczęła żuć. Cole usłyszał chrupanie. Z kącika ust kobiety pociekł czarny sok. Otarła go wierzchem dłoni, pozostawiając ledwie widoczną, rozmazaną plamę.

Cole zerknął na Daltona, który zrobił taką minę, jakby go mdliło. Lacie i Sarah odwróciły się, mamrocząc coś do siebie histerycznie. Kobieta wpatrywała się w Blake'a.

– I co, już się boisz? – spytała.

– Trochę – przyznał chłopiec. – Ale to było bardziej obleśne niż straszne.

Kobieta lekko się uśmiechnęła.

– Nie masz pojęcia, co jest za tymi kotarami. Wszyscy jesteście w bardzo trudnym położeniu. Czy przestraszy was wiadomość, że wasz czas na tym świecie dobiegł końca? Że już nigdy nie zobaczycie bliskich? Że kiedy zeszliście po tych schodach, wszystkie wasze plany i oczekiwania związane z waszym życiem przestały mieć znaczenie?

– To nie jest śmieszne – powiedziała Jenna. – Wiem, że mamy Halloween, ale nie wolno tak żartować.

Cole też tak uważał. Takimi groźbami kobieta przekroczyła granicę, której przekraczać nie należy. Drzwi zamknięte na klucz, upiorny Baleron, wykrzyczane ostrzeżenie, zjedzenie karalucha – wszystko to łączyło się w całość, która wcale mu się nie podobała. Może rzeczywiście wpakowali się w kłopoty. Jeśli to tylko sztuczka, to świetnie działała.

Kobieta pokiwała głową.

– Zaczynasz rozumieć. Tutaj nic nie jest śmieszne. Teraz należycie do nas. Chcecie się bać!? – Podniosła głos. – Pora się zbierać! Ściągajcie zasłony! Bierzemy tych maruderów i w drogę!

Czarne kotary zaczęły opadać, czy to zerwane, czy ciśnięte na bok. Ukazali się za nimi różni ludzie. Umięśniony rudzielec w skórzanej kamizelce i spodniach z koźlej skóry ściskał w rękach krótki metalowy pręt. Blady chudy mężczyzna o białych włosach obnażył zęby spiłowane w przerażające trójkąty. Niski Azjata w długich szatach i mocno zawiązanym turbanie trzymał sieć oraz drewniany drąg, a osoba z głową wilka i złotawą sierścią prostowała palce zakończone pazurami. Jeśli to był kostium, to najlepszy, jaki Cole w życiu widział.

Pojawili się jeszcze inni ludzie, ale chłopiec nie zwracał już uwagi na tę bandę złoczyńców, bo jego wzrok padł na klatki. Za kotarami po obu stronach pomieszczenia stały klatki pełne dzieci w kostiumach halloweenowych. Dzieci siedziały przybite, przygnębione.

W głębi duszy Cole wciąż miał nadzieję, że ktoś zrobił im bardzo wymyślny kawał. Jeśli to tylko element uliczki strachu, to trzeba przyznać, że jej twórcy odnieśli pełen sukces: Cole był pewien, że wraz z kolegami naprawdę znajduje się w niebezpieczeństwie; że idący ku nim ludzie to nie przebrani aktorzy, ale prawdziwi kryminaliści. Więźniami w klatkach rzeczywiście były okoliczne dzieci. Rozpoznawał kilka osób.

Tamci ruszyli naprzód. Rudowłosy chwycił Blake'a za kark i powalił na ziemię. Baleron wyciągnął ręce po Jennę.

Więcej Cole'owi nie było trzeba. Skoro ci goście biorą się do rękoczynów, to znaczy, że nie ma udawania. Wystartował w stronę Balerona i zamachnął się torbą z cukierkami. Trafił w latarnię z taką siłą, jakby chciał ją wystrzelić w kosmos. Błysnęło, rozprysło się szkło i pomieszczenie pogrążyło się w ciemności.

Ktoś wpadł na Cole'a z impetem i chłopak się przewrócił. Nic nie widział. Ludzie krzyczeli. Wstał i po omacku zatoczył się w kierunku, gdzie chyba były schody. Musiała stąd uciec chociaż jedna osoba. Jeśli ci ludzie to porywacze, należało powiadomić policję, zanim sytuacja jeszcze bardziej się pogorszy.

Cole zaplątał się w zasłony. Szarpnął rozpaczliwie i zerwał je, ale wcale się nie uwolnił, bo wylądowały mu na głowie. Próbował iść naprzód, ale wpadł na ścianę i wywalił się na podłogę.

Zaraz potem zapaliło się światło. Instynktownie znieruchomiał. Był schowany pod kotarami. Słyszał, że ktoś wykrzykuje komendy. Zaświeciło się jeszcze więcej świateł.

Powoli wyjrzał spod zasłony. Pod sufitem świeciły się lampy elektryczne oraz trzy dodatkowe latarnie. Okazało się, że Cole pobiegł zupełnie nie tam, gdzie powinien. Znajdował się teraz w przeciwległej części pomieszczenia, daleko od schodów do kuchni. Jego kolegów właśnie zaganiano do klatek.

Tęga kobieta rozmawiała z jakimś szczupłym mężczyzną w długim, zniszczonym płaszczu i kapeluszu z szerokim rondem na głowie. W żylastej dłoni nieznajomy trzymał sierp.

Baleron wtarabanił się po schodach. Trzy razy walnął tak mocno w drzwi, że aż zadrżały. Otworzył mu ten gość w koszulce z napisem „Buu!".

– Skończyliśmy – powiedział Baleron.

– Dobrze – odparł tamten. – Świetnie. Rozumiem, że jesteście zadowoleni?

– Zrobiłeś swoje – powiedział Baleron, wręczając mu pękaty worek.

Kiedy Buu sięgnął do środka, zabrzmiał charakterystyczny brzęk monet. Cole lekko uniósł kotarę i wyjrzał spod niej. Dostrzegł blask złota, kiedy Buu wyjął z sakwy kilka monet i zważył je w dłoni.

– Potrzebujecie od nas czegoś jeszcze? – zapytał Buu.

Baleron spojrzał na mężczyznę w płaszczu, a ten pokręcił głową.

– Wynieście się jak najdalej stąd. A potem już się nie przejmujcie. I tak nikt nie będzie w stanie pójść za nami. Nikt nie zobaczy więcej tych dzieci. Wkrótce wszyscy o nich zapomną.

Buu uniósł worek w geście pozdrowienia.

– Miło było. Spokojnej podróży. Wesołego Halloween. – Potem zamknął drzwi.

Baleron zszedł po schodach. Razem z rudzielcem podnieśli klapę włazu pośrodku pomieszczenia. Blady facet z dziwnymi zębami podszedł do jednej z klatek z kluczem w dłoni.

Szczupły mężczyzna w kapeluszu z rondem uniósł dłoń, a wtedy wszyscy zamilkli.

– Mądre dzieci – powiedział chrapliwym głosem, niemal szeptem. – Dobrze się spisałyście. Większość z was była cicho, tak jak wam kazano. Pozostali zgodnie z obietnicą ponieśli przykre konsekwencje. Nie chcemy wam zrobić krzywdy. Wszystko odbędzie się spokojnie. Jeśli spróbujecie jakichś numerów, słono za to zapłacicie. Przykładnie was ukarzemy. Teraz to my jesteśmy waszymi panami. Okażcie nam zasłużony szacunek, a potraktujemy was sprawiedliwie. – Ruchem sierpa dał znak blademu, żeby zaczynał.

Klatka się otworzyła. Dzieci wyszły gęsiego. Wszystkie miały na szyjach żelazne obroże, a nogi skute łańcuchami. Cole widział głównie uczniów piątej, szóstej i siódmej klasy. Zupełnych maluchów nie było. Jeden z chłopców, przebrany za pirata, miał zakneblowane usta, a na policzku wielkiego siniaka. Te elementy chyba nie były częścią jego kostiumu.

Dzieci doprowadzono do otwartego włazu. Baleron ruszył pierwszy. Znikał powoli, schodząc po niewidocznej drabince. Zanim całkiem się tam zagłębił, na chwilę przystanął.

– Kiedy skończą się szczeble, po prostu zeskoczcie – powiedział. Potem zniknął.

Pierwsza zatrzymała się nad krawędzią dziewczynka z błyszczącymi rogami i czerwoną peleryną.

– Tam na dół?

– Idź – ponaglił ją blady. – Żywa jesteś więcej warta, ale kości też się nam przydadzą.

Obróciła się. Ze skutymi nogami trudno jej było ruszyć po szczeblach.

Cole powoli opuścił brzeg kotary. Znajdował się w najdalszym kącie pomieszczenia. Wkoło, w niezgrabnych stertach, leżało mnóstwo zasłon. Jeśli nie będzie się ruszał, może tamci go nie zauważą. Chyba że przed odejściem wszystko pozbierają.

Dokąd mógł prowadzić właz? Czyżby pod Mesą biegła rozległa sieć kanałów? Widocznie tak było, przynajmniej w tej okolicy. Może złoczyńcy dojdą do jakiegoś magazynu, gdzie już czekają ciężarówki. Może tajemną trasą wyjadą za granicę. Wszystko było możliwe.

Czasami w dole któreś z dzieci protestowało. Wtedy ludzie na górze warczeli, żeby zeskoczyło. Cole parę razy słyszał echo okrzyków, które złowieszczo się urywały.

Ci przestępcy właśnie porywali dziesiątki ludzi. Zabierali Daltona. Zabierali Jennę. Cole musiał coś zrobić.

Ale należało działać mądrze. Jeśli teraz wyjdzie z ukrycia, to od razu go złapią. Kiedy sobie pójdą, pewnie zdoła wyważyć drzwi i zawiadomić policję. Czy nie będzie już za późno? Czy policjanci dogonią porywaczy w kanałach? Może, jeśli Cole w porę ich zaalarmuje, domyślą się, dokąd udali się tamci. A co z Buu? Czy już sobie poszedł razem z resztą obsługujących uliczkę strachu? A może czeka na Cole'a na górze?

Chłopak żałował, że nie ma komórki. Rodzice uważali, że jest na to jeszcze za młody. Gdyby go teraz zobaczyli, pewnie przemyśleliby tę decyzję.

Leżał z brodą na betonowej podłodze. Pod ciężkimi kotarami zaczął się pocić. Serce waliło mu w piersi.

Znowu wyjrzał na zewnątrz. Dzieci zrozumiały już, co mają robić, więc cała procesja przemieszczała się szybciej.

Cole opuścił zasłonę. Nikt nie patrzył w jego kierunku. Nikt nie mówił, że kogoś brakuje. Jeden z mężczyzn zbierał kości, ale kotarami nikt się nie interesował.

Jak można porwać tyle osób? Przecież to podadzą w wiadomościach w całym kraju! Dzieci było co najmniej czterdzieścioro. Całe miasto zacznie wrzeć! Cały kraj zacznie się domagać wyjaśnień!

Cole uniósł brzeg kotary i patrzył na kilkoro ostatnich dzieci zagłębiających się we włazie. Była wśród nich Jenna. Dalton już zniknął, ale Cole to przeoczył. Brakowało też części mężczyzn.

Człowiek w kapeluszu z szerokim rondem zerknął na staromodny zegarek kieszonkowy.

– Droga zamknie się za niecałe dziesięć minut.

– Doskonale to wyliczyłeś, Anselu – powiedziała kobieta. – To był dobry plan.

– Myślisz, że znaleźliśmy to, czego szukamy? – spytał tamten.

– Po tej stronie tego nie stwierdzimy – odparła. – Ale to spora próbka. Chyba mamy wszystko, czego trzeba. W sumie to będzie nie lada zdobycz.

– Jeszcze za wcześnie, żeby liczyć pieniądze – stwierdził Ansel. – Pojmani niewolnicy to nie to samo co dostarczeni. Na to przedsięwzięcie poszła większość naszych funduszy. Zacznę świętować, dopiero kiedy sprzedamy ładunek.

Mężczyźni wrzucali kości do włazu. Cole nie słyszał, jak lądują. Na koniec rudzielec oraz jakiś długowłosy blondyn z bliznami na twarzy spuścili do dziury tę ogromną czaszkę i zniknęli razem z nią.

Wkrótce na górze zostali tylko Ansel oraz kobieta. Ansel rozejrzał się po pomieszczeniu. Cole'a korciło, żeby opuścić brzeg kotary, ale wiedział, że nagłym ruchem zwróci na siebie uwagę. Nie ruszał się, mając nadzieję, że jego twarz skrywa głęboki cień i nikt go nie zauważy.

– Skończyliśmy? – zapytała kobieta.

Ansel zerknął na zegarek.

– Zostało nieco ponad sześć minut. – Znów omiótł wzrokiem piwnicę. – Nie ma znaczenia, co tu zostawimy. I tak nikt za nami nie pójdzie. Gotowe.

Kobieta weszła do otworu, a on w ślad za nią.

– Zakrywamy właz? – zabrzmiał jej głos.

– Nie ma potrzeby.

Cole czekał. W pomieszczeniu zapadła cisza. Czy naprawdę sobie poszli? Chyba tak. Co się zmieni za sześć minut? Wysadzą tunel? Jakoś go zamkną? Czy naprawdę zamierzają sprzedać te wszystkie dzieci w niewolę?

W przeciwległym kącie piwnicy spod sterty kotar wypełzła jakaś dziewczynka. Była chuda i drobna, miała piegi i falujące kasztanowe włosy, a na sobie przebranie aniołka.

Pogniotły jej się skrzydła i przekrzywiła aureola zrobiona ze sreberka.

Dziewczynka rozejrzała się wkoło. Ostrożnie podeszła do włazu i spojrzała w dół. Potem skierowała się w stronę schodów.

– Hej! – zawołał Cole.

Obróciła się w miejscu i podskoczyła z grymasem przerażenia na twarzy. Cole wyszedł spod kotar. Patrzyła na niego zdziwiona i oszołomiona, jakby tylko się jej przywidział.

– Też się schowałeś? – zapytała go.

– Przypadkiem. Miałem farta.

– A ja przyszłam z dużą grupą – wyjaśniła dziewczynka. – Uciekłam w kąt i schowałam się za kotarami. Nikt tego nie zauważył. Przykryły mnie, kiedy opadły. Potem widziałam, że przyprowadzili jeszcze trzy grupy. Ty byłeś w ostatniej.

– Zgadza się.

– Chciałam was ostrzec, ale było już za późno. Mnie też by złapali.

– Mieliśmy przechlapane, jak tylko zeszliśmy po schodach. Mój kumpel usłyszał zgrzyt zamka w drzwiach, ale to olałem. A teraz... – Gestem wskazał właz.

– Co robimy? – spytała dziewczynka.

Cole wzruszył ramionami.

– Nie wiem. Nie mam telefonu, a ty? – odparł.

Zaprzeczyła.

– Tych na górze chyba odesłali.

Dziewczynka przytaknęła.

Cole spojrzał na otwór w ziemi.

– Mówili, że nikt nie może pójść za nimi.

– Nie wiem dlaczego. Mówili różne rzeczy, które nie mają sensu. Gdzie można sprzedać dzieci w niewolę?

– Pewnie gdzieś za granicą. – Cole podszedł do otwartego włazu i spojrzał w dół. W głąb biegły szczeble i zaraz tonęły w ciemności. – Słuchaj, może pójdziesz po pomoc? Zadzwoń na policję. Ja zejdę na dół i zobaczę, dokąd poszli.

– Złapią cię – ostrzegła dziewczynka, szeroko otwierając oczy. – Są szybcy i silni. Chodź ze mną.

Cole skrzyżował ramiona na piersiach. Może i miała rację. Chociaż pewnie się też bała, więc wolała mieć towarzystwo. Porywacze byli przekonani, że uda im się uciec. Mieli mnóstwo dzieci! Mieli Daltona! Mieli Jennę!

– Będę ostrożny. Zamierzam trzymać się na odległość. Nie podejdę blisko.

Dziewczynka wzruszyła ramionami.

– Rób, jak uważasz.

Cole rozejrzał się po pomieszczeniu. Było tu kilka okien.

– Nie idź schodami – powiedział. – Wyjdź oknem. Jeśli będzie trzeba, zbij szybę i uciekaj.

– Dobry pomysł, bo może tamci jeszcze sobie nie poszli.

– Jak masz na imię?

– Delaney.

– Ja nazywam się Cole Randolph. Powiedz policjantom, dokąd poszedłem. I że muszą się pospieszyć.

Kiwnęła głową, a potem podbiegła do okna. Cole opuścił się w głąb włazu. Metalowe szczeble okazały się ciche, pod warunkiem że lekko stawiał nogi. Oczywiście jeśli ktoś był na dnie, to gdyby spojrzał akurat w górę, pewnie zobaczyłby jego sylwetkę na tle światła lampy wiszącej na suficie. Ale porywacze nie zachowywali się, jakby zamierzali bezczynnie czekać. Poza tym wzięli ze sobą latarnie. Gdyby wciąż znajdowali się w pobliżu, Cole widziałby w dole światło, a nie mrok.

Schodząc, nic nie słyszał. Dokoła wszystko stało się czarne. Podniósł wzrok i spojrzał na krąg światła nad głową.

Nagle nie znalazł kolejnego szczebla. Popatrzył w dół i poszukał go stopą. Nic. Drabinka po prostu się kończyła.

Porywacze kazali dzieciom zeskakiwać z ostatniego szczebla. Wszyscy tędy zeszli, więc skok musiał być stosunkowo bezpieczny. Jak długo będzie leciał? Cole widział pod sobą tylko bezkształtną czerń.

Znowu zerknął w górę na krąg światła. Jeszcze nie było za późno, żeby wrócić. Ale może jeśli pójdzie dalej, zobaczy coś, co pozwoli wszystkich uratować. Na przykład tablicę rejestracyjną ciężarówki albo odnogę tunelu, którą udali się porywacze. Skoro oni mieli lampy, a on nie, to łatwo ich będzie śledzić i nikt go nie zauważy. Musiał spróbować. Nie mógł porzucić najlepszego przyjaciela i najładniejszej dziewczyny, jaką znał.

Próbował sobie nie wyobrażać, jak Jenna go tuli i nazywa swym bohaterem. Ta myśl go zawstydziła, ale jednocześnie utwierdziła w decyzji.

Odchylił się od drabinki i zeskoczył w mrok.

Rozdział

3

RATUNEK

Cole myślał, że wyląduje mniej więcej metr niżej, a tymczasem ciągle spadał przez mrok i nabierał szybkości. Wokół niego świszczało powietrze. Z coraz większym niepokojem próbował się przygotować na mocne zderzenie z podłożem. Intuicja podpowiadała mu, że powinien rozluźnić ciało. Czy pozostali zginęli? Czy dołączy do nich na stosie ciał? A może w dole jest woda? Jeśli tak, to chyba lepiej naprężyć ciało i wejść w nią wyprostowanym.

Nadal przyspieszał. Przycisnął ramiona do klatki piersiowej. Przy takiej prędkości nawet drobne otarcie o ścianę spowodowałoby poważne obrażenia. Czy na dnie mogła znajdować się poduszka powietrzna? Jeśli tak, to powinien wylądować na plecach. Nie mógł uwierzyć, że tak długo spada! Zaraz się zabije! Nawet jeśli na dole jest woda, nikt nie przeżyłby upadku z takiej wysokości.

W górze widział tylko ciemność. To samo, gdy popatrzył w dół. Już nie przyspieszał. Jednak pęd powietrza potwierdzał, że ciągle jest w ruchu. A potem powietrze znieruchomiało, jakby spadał przez nicość.

Na moment Cole dostał tak silnych mdłości, że stracił świadomość pozostałych zmysłów. Miał wrażenie, że coś wywraca mu żołądek na drugą stronę. Zacisnął zęby, żeby nie zwymiotować.

Mdłości minęły równie szybko, jak się pojawiły. Cole'owi kręciło się w głowie. Pod czaszką narastał silny ból.

Dopiero po chwili chłopiec zrozumiał, że już nie spada. Siedział na ziemi. Kiedy wylądował? Dotarło do niego, że chyba ma zamknięte oczy, więc je otworzył.

Znajdował się na spalonej słońcem ziemi, wewnątrz kręgu dwunastu kamiennych słupów. Tu i ówdzie rosły rzadkie krzaki, jak gdyby gleba nie była dość żyzna, żeby utrzymały się w niej bujne chwasty. We wszystkich kierunkach rozciągały się faliste brązowe równiny. Raz bliżej, raz dalej sterczały pojedyncze drzewa, jakby przypadkiem ocalały z lasu spustoszonego przez zarazę. Zaszło słońce i wyludniona preria pogrążyła się w łagodnym półmroku.

Porywacze byli niedaleko. Cole widział ich na tle rozżarzonego horyzontu, gdy ładowali dzieci do klatek ciągniętych przez konie. Na pierwszym planie, między dwoma słupami, stała odwrócona tyłem do niego postać w kapturze, obserwująca te czynności.

Cole nie mógł uwierzyć, że nic mu się nie stało. Po takim upadku powinien z niego zostać tylko pył. Najwyraźniej pozostali również byli cali i zdrowi. Widział muskularnego rudzielca oraz blondyna z bliznami taszczących olbrzymią czaszkę.

Brązowy krajobraz nie wyglądał znajomo. Cole nie kojarzył żadnego podobnego miejsca w okolicach miasta. Nigdy też nie widział takiego kręgu kamiennych słupów. Spojrzał w górę. Zobaczył tylko niebo. Jak to możliwe, że wskoczył do włazu, a wylądował na suchej prerii? A jednak tu był. Stało się coś dziwnego, coś niewytłumaczalnego.

Wstrzymał oddech, a potem przeczołgał się po ziemi i skrył za jednym ze słupów. Z bliska zobaczył, że ich powierzchnia ma strukturę kory i natychmiast zrozumiał, że te słupy to skamieniałe drzewa.

Usiadł plecami do kamienia. Pień był dostatecznie szeroki, żeby się za nim schować. Jeśli tylko nikt nie przejdzie na tę stronę kręgu, Cole pozostanie niezauważony. Ale co potem? Jak się tutaj dostał? Jak wrócić do włazu i piwnicy?

Cole dostrzegł jakiś ruch z boku. W jego polu widzenia pojawiła się postać w szacie z kapturem. Wciąż patrzyła w stronę porywaczy, ale z całą pewnością odezwała się właśnie do niego.

– Ciebie się nie spodziewałem – rozległ się męski, dość głęboki głos.

Mężczyzna wypowiadał słowa wyraźnie, jego ton nie wydawał się ani groźny, ani przyjazny.

– Niech mnie pan nie wyda – poprosił cicho Cole.

– Handlarze mają już swoją zdobycz – rzekł mężczyzna, wciąż na niego nie patrząc. – Mówili, żebym już na nikogo nie czekał. Droga zamknęła się tuż po twoim przybyciu.

– Jaka droga? – zapytał Cole. – Gdzie ja jestem?

– Daleko od domu. – W tych słowach czaiła się nutka współczucia. – Trafiłeś na Obrzeża.

– Obrzeża czego?

– Trudne pytanie. Chyba obrzeża wszystkiego. A z pewnością świata, który znasz. To miejsce na pograniczu.

Mężczyzna nie okazywał wrogości. Nie bał się też porywaczy. W ogóle się nie ukrywał. Cole był nieufny, ale potrzebował informacji.

– Jak mogę stąd wrócić do domu?

– Nie możesz. Obrzeża trudno znaleźć, ale jeszcze trudniej naprawdę je opuścić.

– Kim pan jest?

– Jestem Stróżem Drogi. Pomagam kontrolować dostęp na Obrzeża.

– Nie może pan mnie wysłać do domu? I moich kolegów? Ci goście ich porwali.

– Nie będę w stanie otworzyć tutaj drogi jeszcze przez wiele miesięcy. Nadużyłem swego wpływu na to miejsce. Inni członkowie mojego bractwa zdołaliby to zrobić szybciej. Handlarze niewolników dobrze mi zapłacili za otwarcie przejścia.

– Pan je otworzył dla nich?! – parsknął Cole ze złością.

– Sprowadzanie niewolników spoza granic nie jest przestępstwem – odparł Stróż Drogi. – Już nie. Popiera to najwyższy król Pięciu Królestw.

– A gdybym panu zapłacił? Wie pan, tak jak ci handlarze. Otworzyłby mi pan drogę?

– W tym miejscu jeszcze długo będzie to niemożliwe. Może gdzie indziej. Ale twój problem to coś więcej niż tylko otwarcie drogi. Kiedy już ktoś dotrze na Obrzeża, stale będzie go tu ciągnęło. To znacznie silniejsze w przypadku osób, które się tutaj urodziły, ale od momentu pierwszej wizyty wszystkie drogi zaczynają prowadzić z powrotem do tego świata.

Cole nie wierzył własnym uszom.

– To znaczy, że nawet jeśli wrócę do domu, to i tak znów tu trafię?

– Zapewne w ciągu kilku godzin.

– To nie może się dziać naprawdę.

– Współczuję ci. Na pewno jesteś dość zdezorientowany. Ciesz się, że nie przybyłeś tu jako niewolnik.

– Zabrali moich kolegów. Chciałem im pomóc.

– W niczym im już nie pomożesz. Handlarze wzięli ich do niewoli. Sprzedadzą ich.

Cole bał się zadać następne pytanie. Martwił się, bo zwracając uwagę na to, że jest bezbronny, może zerwać niepisany rozejm, ale musiał wiedzieć, co Stróż Drogi zamierza z nim zrobić.

– Nie wyda mnie pan?

– Nie jestem handlarzem niewolników i już dla nich nie pracuję. Zapłacili mi za otwarcie drogi. Wykonałem swoje zadanie. Droga była otwarta przez ustalony czas. Teraz się zamknęła. Nasza umowa dotyczyła konkretnej usługi i miała charakter czasowy. Ty przyszedłeś tu sam. W tej chwili oni nie mają prawa do twojej osoby. Ja też nie. Ale jeśli cię złapią, a nie będziesz miał znaku, zrobią z ciebie niewolnika.

– Jakiego znaku?

– Niewolnicy noszą znak. Wolni ludzie również, ale inny. Jeśli nie masz żadnego znaku, handlarze mogą cię zniewolić. Nie wszyscy niewolnicy pochodzą spoza granic.

– Czy można zdobyć znak wolnego człowieka? – zapytał Cole.

– Tak.

– Gdzie?

– W wielu miejscach, ale nigdzie w pobliżu. Najbliżej chyba w wiosce Keeva. Należałoby się zgłosić do igłomistrza. Każda nieoznaczona osoba może prosić o wolnoznak. Oczywiście po drodze musiałbyś unikać handlarzy niewolników. Dopóki nie masz wolnoznaku, każdy handlarz przy pierwszej okazji uzna cię za swoją własność.

– Moi koledzy zostaną niewolnikami?

– Jeśli sprowadzili ich handlarze, ich los jest przesądzony.

Cole próbował przetrawić tę informację. Myślał, że wchodzi za przyjaciółmi do kanałów ściekowych. Nie spodziewał się, że trafi na opustoszałą magiczną prerię. Czy naprawdę opuścił znany sobie świat? Czy rzeczywiście był tu uwięziony? A jeśli tak, to czy powinien zostawić przyjaciół i pobiec do wioski po znak, który uchroni go przed zniewoleniem? Jeśli teraz ucieknie, to czy jeszcze kiedyś zobaczy kolegów?

– Pomoże mi pan? – spytał.

– Nie wydam cię. Nie mam powodu cię skrzywdzić. Odpowiedź na kilka pytań nic mnie nie kosztuje. Ale musisz sobie radzić sam. Podróżowanie z nieoznaczoną osobą to niebezpieczna rzecz. Mam na głowie własne sprawy.

– Muszę uratować kolegów – powiedział Cole.

– Nie narażaj się handlarzom – ostrzegł Stróż Drogi. – Już zaczęli znaczyć niewolników. Twoi przyjaciele stali się ich własnością. Gdybyś ich teraz uwolnił, popełniłbyś przestępstwo. Zresztą i tak by ci się nie udało. Handlarze znają swój fach. Jeżeli spróbujesz pomóc kolegom, prędko do nich dołączysz. Poczekaj, aż zapadnie zmrok albo wozy handlarzy odjadą, a potem zaryzykuj drogę przez prerię. Może ci się poszczęści.

– Pomógłby mi pan się dostać do tego miasteczka?

– Do Keevy? Jesteś zdany na siebie, przyjacielu. Jeśli zostanę tu dłużej, zaczną coś podejrzewać. – Trzymając ręce za plecami, wskazał kierunek. – Wioska jest tam. Unikaj ludzi. Marsz będzie trudny, ale lepszy niż życie w niewoli. Powodzenia.

Stróż Drogi powolnym krokiem odszedł z pola widzenia chłopca. Cole nie miał okazji zobaczyć jego twarzy. Nie nawiązali kontaktu wzrokowego. Wiedział tylko, że mężczyzna jest dość wysoki, a skóra jego dłoni ma czekoladową barwę.

Światło stopniowo słabło. Cole słyszał niewyraźny szmer dalekiej rozmowy. Słyszał też konie, a raz po raz jakiś brzęk. Co robić? Czy jeśli zostanie oznaczony jako wolny człowiek, to pewnego dnia będzie mógł odnaleźć i uwolnić przyjaciół? Jak duże są Obrzeża? Czy jeśli straci z oczu handlarzy niewolników, ma szansę jeszcze kiedykolwiek na nich trafić?

Stróż Drogi ostrzegł go przed próbą odbicia kolegów. Ale może był po prostu zbyt ostrożny. Nie wyglądał na gościa, który miał ochotę nadstawiać karku dla innych.

Cole przywarł plecami do skamieniałego pnia, zgiął kolana i objął łydki. Nie miał bladego pojęcia, jak przetrwać na odludziu. Snując się samotnie po prerii, może umrzeć z głodu lub pragnienia, jeszcze zanim w ogóle znajdzie wioskę. Jeśli zdoła uratować Daltona, Jennę, a może i pozostałych, to wyruszą razem. A nawet jeśli mu się nie uda i da się złapać, przynajmniej będzie z przyjaciółmi. I znajdzie jakąś ochronę przed dziką naturą. Może ucieknie później.

Zresztą na razie go nie złapali. Jeżeli będzie ostrożny, to może zdoła wszystkich uratować. Trzeba myśleć pozytywnie.

Światło gasło. Bezksiężycowe niebo zdobiły jasne gwiazdy. Cole nie był astronomem, ale od razu zauważył, że zwarte, wirujące gromady gwiazd układają się w inne konstelacje niż te, które znał. Kiedyś, kiedy biwakowali na pustyni, tata pokazał mu Drogę Mleczną. Teraz gęste pasma gwiazd nad głową Cole'a zdawały się układać w wiele Dróg Mlecznych, zagiętych galaktycznych ramion rozciągniętych na firmamencie. Kilka gwiazd świeciło na niebiesko i czerwono – jaśniej niż wszystkie, które dotąd widział.

Oprócz tego jedynym źródłem światła były ogniska rozpalone pomiędzy wozami. Pod osłoną nocy Cole zakradł się bliżej obozu. W blasku tańczących płomieni widział dzieci w klatkach, wciąż poprzebierane w halloweenowe kostiumy. Dziewczęta oddzielono od chłopców. Niektóre dzieci próbowały spać. Inne, osowiałe, opierały się o kraty. Kilka osób cicho rozmawiało. Cole widział, że Jenna szepcze coś do Sarah. W innej klatce Dalton opierał czoło na złożonych dłoniach.

W piwnicy to Dalton zwrócił uwagę na zamknięte drzwi. Chciał uciekać. Cole nie tylko zlekceważył te obawy, ale też wcześniej sam zaproponował jemu i Jennie wycieczkę do nawiedzonego domu. Skazał przyjaciół na zniewolenie. Musiał ich teraz uratować.

Nie każdy wóz przypominał klatkę. Niektóre wyglądały raczej jak powozy, a kilka wręcz jak domy na kółkach: miały skromne ozdoby i ładne okna po bokach.

Cole czekał. Wokół obozu krążył tylko jeden strażnik. Chodził w mroku poza blaskiem ognisk. Najpierw straż pełnił blondyn z bliznami, a teraz – Baleron. Poza tym patrolem chyba nikt inny nie troszczył się o bezpieczeństwo. Cole patrzył, jak handlarze niewolników jedli i żartowali. Ansela nie zauważył ani razu, ale tamta tęga kobieta kilkakrotnie wchodziła do jednego z ładniejszych wozów. Może właśnie tam z nim rozmawiała. Jeśli nie liczyć szefa, obecni byli wszyscy porywacze oprócz człowieka z głową wilka. Cole dostrzegł też czterech mężczyzn, których wcześniej nie widział. Pewnie cały czas pilnowali obozowiska.

Wreszcie handlarze położyli się spać – niektórzy w wozach, inni pod nimi, jeszcze inni na gołej ziemi. Większość dzieci zasnęła. Ale nie wszystkie. Dalton opierał się o pręty klatki i nieobecnym wzrokiem patrzył w gasnący płomień najbliższego ogniska. Na ten widok Cole'owi napłynęły łzy do oczu. Jego przyjaciel nie zasługiwał na to, żeby wożono go skutego w klatce na kółkach jak cyrkowe zwierzę.

Obóz ucichł. Wartę przejął muskularny rudzielec. Krążył leniwie, wpatrując się w pusty mrok. Pusty z wyjątkiem Cole'a skulonego w zagłębieniu, oby w bezpiecznej odległości.

Chłopiec starał się obmyślić plan. Z miejsca, gdzie się znajdował, nie było to łatwe. Zapewne wszystkie klatki zamknięto. Cole nie widział kluczy. Odkąd zaczął obserwować obóz, do klatek nikt nie wszedł ani nikt z nich nie wyszedł.

Siedząc w swojej kryjówce, nie był w stanie nic zrobić. Musiał albo zaryzykować i podejść bliżej, albo spróbować odnaleźć Keevę. Odwrócił się tyłem do ognisk i spojrzał w ciemność prerii. Nie mógł samotnie odejść w noc, porzucając przyjaciół. To jego wina, że tutaj trafili.

Poczekał, aż strażnik znajdzie się po drugiej stronie obozu, a potem skulony ruszył naprzód. Popędził do klatki Daltona. Na jego widok przyjaciel i paru innych chłopców podniosło głowy. Wcześniej Cole sprawdził, że pod wozem nie śpi żaden z porywaczy. Przyłożył palec do ust, a potem zanurkował pod klatkę i ukrył się w jej cieniu.

– Cole? – szepnął Dalton z niedowierzaniem.

Chłopiec ledwo go usłyszał, lecz i tak się obawiał, że pozdrowienie było zbyt głośne. Jednak musiał odpowiedzieć. Potrzebował informacji. Odczekał chwilę, żeby mieć pewność, że w obozie wciąż panuje spokój. Usiadł i przyłożył usta do szpary w dnie klatki.

– Przyszedłem tutaj sam. Chcę was uwolnić. Klatki są zamknięte?

– Tak – szepnął Dalton przez tę samą szparę. – Klucze ma Baleron. To ten facet, który pierwszy witał nas w piwnicy.

– Pamiętam go – odparł Cole. Baleron znajdował się w jednym z wozów. – Wiem, gdzie śpi. Spróbuję ukraść klucz.

– Oszalałeś?!

– Nie tak głośno.

– Złapią cię. Powinieneś uciekać.

– Nie – włączył się inny chłopiec. – Wyciągnij nas stąd.

– Zamknij się – szepnął nerwowo trzeci.

Chłopcy wreszcie umilkli. Cole usłyszał zbliżające się kroki. Zesztywniał. Usiłował oddychać bezgłośnie. Zobaczył czyjeś buty i nogi.

– Co to za zamieszanie? – zapytał chrapliwym szeptem rudy.

– Nic takiego – odpowiedział któryś z chłopców.

– Próbowali mi zabrać płaszcz – skłamał Dalton.

– Bądźcie cicho albo ja ci go zabiorę – zagroził tamten. – Pora spać.

– Tylko poczekajcie, aż dogoni was mój tata – powiedział jeden z chłopców. – Jest policjantem.

Rudowłosy zaśmiał się sennie.

– Stamtąd nie można dostać się tutaj. Wasi rodzice o was zapomną. Przestańcie hałasować. Nie chcę tu więcej przychodzić.

– Przepraszam – powiedział Dalton.

– Nie przepraszaj, tylko przestań gadać – odparł rudy.

– Przepraszam bardzo – odezwała się cicho dziewczynka z sąsiedniej klatki.

– Mówiłem do was wszystkich – warknął mężczyzna, ledwo zmuszając się do szeptu.

– Ja sobie tylko pomyślałam, że zainteresuje pana ten chłopiec, który chowa się pod wozem.

Cole poczuł się tak, jakby nagle wrzucono go do lodowatej wody.

Buty zaszurały.

– Co takiego?

– Pan Ansel mówił, że jeśli nie powiemy wszystkiego, co wiemy, to zostaniemy ukarani – odrzekła dziewczynka. – Chłopiec pod tamtym wozem planuje ucieczkę.

Rudzielec przykucnął i zobaczył Cole'a.

– No proszę, kogo my tu mamy?

Cole usiłował wydobyć głos z gardła. Nie od razu mu się to udało.

– Ja? Jestem wolnym obywatelem szukającym pracy.

– Wolnym, powiadasz. – Mężczyzna zarechotał. – Widzę twój nadgarstek, kolego. Może chwilowo jesteś wolny. Ale nie na długo.

Rozdział

4

JARZMOZNAK

Cole wiedział, że musi zwiewać, ale sparaliżował go szok. Ucieczka to jego jedyna szansa. Znajdowali się na pustej prerii, nocą. Jeśli pobiegnie wystarczająco szybko i daleko, może porywacze go nie dogonią.

Kiedy rudowłosy mężczyzna sięgnął pod wóz, Cole przetoczył się w drugą stronę. Zerwał się i puścił pędem, minął inne wozy i przeskoczył nad jakąś śpiącą postacią owiniętą w przetarty koc.

– Intruz! – krzyczał rudzielec. – Wstawać! Intruz! Nie pozwólcie mu uciec!

Okrzyki spotęgowały panikę Cole'a. W całym obozowisku ludzie odrzucali derki i dźwigali się na nogi. Pędząc ku otwartej prerii, zobaczył dwóch mężczyzn biegnących równolegle do niego, nieco z przodu. Stopniowo skręcali w jego stronę i byli szybsi. Gdyby dalej poruszał się w tym samym kierunku, dopadliby go, więc gwałtownie zawrócił. Chciał przebiec przez środek obozu i zgubić ich w zamieszaniu.

Odkrył jednak, że z tyłu zbliża się rudowłosy, a z nim paru innych. Z braku lepszego wyjścia skręcił w stronę najbliższego wozu, chwycił za pręty i wspiął się na dach. Rudy wyciągnął rękę i dotknął palcami pięty Cole'a, ale jego samego nie złapał.

Przycupnięty na drewnianym dachu wozu chłopiec nie widział pościgu, ale słyszał, że nieprzyjaciele nadbiegają ze wszystkich stron. Nigdy nie był zbyt dobrym sprinterem, ale za to dobrze się wspinał. Wysokość nigdy mu nie sprawiała problemu. Nieopodal stał kolejny wóz. Cole rozpędził się i przeskoczył na sąsiedni dach. Mało brakowało, a by go nie dosięgnął.

– Ucieka! – zawołał ktoś chrapliwie.

Chłopiec przebiegł przez dach wozu, a potem przeskoczył na kolejny. Wylądował na płask, z policzkiem przyciśniętym do szorstkiego drewna. Kiedy podniósł się na kolana, zobaczył, że dotarł na sam koniec. W pobliżu nie było już więcej wozów, musiałby zawrócić.

– Dalej jest w ruchu! – huknął ktoś. – Na tamtym dachu!

Gdyby Cole został w miejscu, na pewno by go złapali. Rozpędził się i skoczył z dachu jak najdalej. Ziemia była coraz bliżej. Zobaczył w locie mężczyzn nadbiegających z boku. Próbował wylądować na nogach i od razu biec dalej, ale boleśnie wywalił się w piach, a od uderzenia aż zabolały go kości. Gnany adrenaliną zerwał się na nogi tylko po to, żeby od tyłu powaliło go jakieś wielkie cielsko.

Stracił dech w piersiach, przygnieciony przez olbrzymiego mężczyznę cuchnącego skórą i potem. Usiłował się szarpać, ale zrogowaciałe palce mocno go trzymały. W ustach miał ziemię, a kolce jakiegoś chwastu wbijały mu się w skroń. Otoczyli go kolejni ludzie.

Potem zaczęli się nawzajem uciszać. Zbliżyło się światło, a wraz z nim jakieś kroki. Cole wyciągnął szyję i zobaczył

Ansela z latarnią w ręce. Mężczyzna miał na sobie ten swój kapelusz z szerokim rondem, a poza tym podkoszulkę, spodnie na szelkach oraz zakurzone buty. W drugiej dłoni trzymał sierp. Cole zamknął oczy. Wzbierało w nim przerażenie.

Buty zatrzymały się o krok od jego twarzy.

– Co my tu mamy? – rozległ się oschły głos.

Cole otworzył oczy i milczał.

– Znaleźliśmy go pod wozem – oznajmił rudzielec. – Chyba zakradł się do obozu.

Ansel przykucnął i postawił latarnię na ziemi. W jasnym blasku trudno było dojrzeć jego twarz.

– No, strachu na wróble, pora wszystko wyśpiewać. Skąd się tu wziąłeś?

– Tylko tędy przechodziłem – skłamał Cole.

– Jedna dziewczynka powiedziała, że planował ucieczkę – poinformował rudy.

– Sypnęła go? – spytał Ansel.

– Tak jest – potwierdził tamten.

Ansel pokiwał głową.

– Zuch dziewczyna. Może nawet sobie tu poradzi. Zasłużyła na nagrodę. Zostały nam jeszcze ciasteczka? Te lukrowane?

– Kilka – padła odpowiedź.

– Niech dostanie wszystkie – polecił Ansel. – Przez resztę podróży do Pięciu Dróg ma być traktowana po królewsku. Dostawać jedzenie jako pierwsza, i to największe porcje, jechać w pierwszym wozie... Wszystko, co się da, żeby było jej wygodnie.

Cole miał nadzieję, że od tych ciasteczek dziewczyna się pochoruje, ale nic nie powiedział.

Ansel wyprostował się i zaświecił latarnią.

– Podnieść go.

Olbrzymi mężczyzna puścił Cole'a, a następnie z niego zszedł. Jakaś dłoń brutalnie złapała chłopca za kołnierz i dźwignęła na nogi. Ansel przyjrzał mu się spod powiek tak mocno zmrużonych, że wyglądały prawie na zamknięte.

– Chciałeś ukraść moich niewolników, prawda, strachu na wróble?

Cole zerknął na sierp – na okrutnie wygięte ostrze, na ostry szpic. Nie za bardzo wiedział, co ten facet chce usłyszeć.

– Porwaliście moich kolegów.

– Jesteś stamtąd – zrozumiał Ansel. – Z zewnątrz. Przybyłeś z nami. Jak się wymknąłeś?

Cole nie chciał wyjawić, że ich gonił. Pomógł mu Stróż Drogi, więc bał się, że narobi mu kłopotów.

– W zamieszaniu schowałem się za jednym z kamiennych drzew.

Ansel obejrzał się na swoich ludzi.

– Wcale nie cieszy mnie ta wiadomość. Przecież specjalnie rozmieściliśmy strażników, żeby uniknąć takiego niechlujstwa, gdy powitamy was w waszym nowym domu.

– Gdzie jesteśmy?

Ansel się uśmiechnął. Nie był to wesoły uśmiech. Raczej złośliwy grymas na twarzy mordercy, który wie, że policja nigdy nie odnajdzie zwłok ofiary.

– Oto jest pytanie, prawda? Widzisz, nie jesteśmy już w Arizonie. Nie jesteśmy na Ziemi. Żaden ze mnie astronom, ale możliwe, że to w ogóle jest inny wszechświat. Jesteśmy na Obrzeżach. A dokładnie w Rozdrożu między Pięcioma Królestwami.

– I to niby znaczy, że możecie porywać ludzi?

Ansel zerknął na swoich.

– Strach na wróble zadaje dobre pytania. – Latarnia nieco się zachwiała i zaskrzypiała. – Owszem, w Arizonie można by mnie uznać za winnego, bo porwałem twoich przyjaciół. Cały twój kłopot polega tym, że już tam nie jesteśmy. Kiedy dotarliśmy na Obrzeża i oznaczyłem te dzieci, zgodnie z tutejszym prawem stały się moją własnością. A ty, strachu na wróble, próbując ukraść moją własność, no cóż, stałeś się przestępcą.

Cole'owi było niedobrze. Jak można go oskarżać o przestępstwo, skoro usiłował pomóc porwanym kolegom? Wszystko stanęło na głowie.

– Nie znam tutejszych praw – powiedział.

Ansel zaśmiał się, a jego uśmiech był teraz prawie szczery.

– Słuchajcie, chłopaki, dobrze by było, gdyby obowiązywały nas tylko te prawa, które znamy, prawda? Przez całe życie podróżowałbym po świecie i usiłowałbym wiedzieć jak najmniej. – Zmierzył Cole'a od stóp do głów. – Pracujesz sam?

Chłopiec prawie się zaśmiał.

– Lepiej uważajcie. Lada chwila przybędą moje posiłki.

Twarz Ansela nagle się zmieniła i była teraz przerażająco pozbawiona wyrazu.

– To nie była odpowiedź. Spróbujmy jeszcze raz. Pracujesz sam?

Cole potwierdził.

– Tak. Jestem sam. Tylko ja uciekłem.

– Jeśli mnie okłamujesz… to po tobie.

– Nie kłamię. – Chwilę patrzyli na siebie w milczeniu. – Co pan ze mną zrobi?

Uśmiech powrócił, tym razem przebiegły.

– A jak myślisz, strachu na wróble?

Cole przełknął ślinę. Wszyscy patrzyli na niego wyczekująco.

– Zostanę niewolnikiem?

Ansel uniósł wyżej sierp. Wzrokiem pieścił ostrze.

– Zamierzałem obciąć ci dłonie i stopy, żeby dać innym przykład. Handlarze niewolników nie mogą sobie pozwolić na to, żeby ktoś kradł im towar. To szkodzi interesom. Ale... strachu na wróble... trafiłeś na mój dobry nastrój. Jak często się to zdarza, chłopcy? Hę?

Mężczyźni prędko znaleźli sobie rozmaite punkty, w które mogli się wpatrywać.

Ansel zbliżył się do Cole'a.

– Zauważyłeś, że nie odpowiadają? No, to już masz odpowiedź. Ale nieźle się dziś obłowiliśmy. Dawno tak dobrze nie było. Dlatego spełnię twoje życzenie i wezmę cię jako niewolnika. – Podniósł głos i rzucił przez ramię: – Secha, oznacz go! Jutro pójdzie za ostatnim wozem. Bez jedzenia i bez wody. Pozwolimy mu zachować kończyny, ale to jeszcze nie znaczy, że będziemy go rozpieszczać. Koniec przedstawienia. Idźmy spać. Jutro rano rozpoczynamy marsz.

Ansel oddalił się o kilka kroków. Jego buty zachrzęściły na suchej ziemi. Do Cole'a podeszła kobieta, która w piwnicy zjadła karalucha. Miała w ręku własną latarnię, którą teraz uniosła w stronę chłopca.

– To ty nam stłukłeś lampę.

Cole kiwnął głową. Secha rzuciła mu świdrujące spojrzenie, a on odwrócił głowę.

– Popatrz mi w oczy, młody człowieku – powiedziała.

Wykonał polecenie.

Nachyliła się, nie odrywając od niego wzroku. Jej palce dziwnie się wyginały. Potem obejrzała jego dłonie z obu stron.

– Najgorszy z całej gromady – stwierdziła. – Nie nadaje się na formistę. Najwyższy król nie zapłaci za niego nawet miedzianego kółkata.

Ansel pokręcił głową.

– Gdybym wiedział, byłbym dla niego naprawdę surowy.

– Jeszcze możesz zmienić zdanie – rzuciła Secha przez ramię.

– Nie, decyzja zapadła. Wystarczy, że będzie wlókł się za wozem – powiedział i odszedł.

– Ciesz się, że nie ja tu rządzę – powiedziała kobieta do Cole'a. – Nakarmiłabym tobą Spustosza.

– Co to jest Spustosz? – zapytał chłopiec.

Pilnujący go mężczyźni zaśmiali się z jego niewiedzy. Secha zmarszczyła czoło.

– To zależy, kogo spytasz. Różnie powiadają. Ale wszyscy są zgodni, że Spustosz to potwór, jakiego jeszcześmy nie widzieli w Pięciu Królestwach. Ludzie się boją. Znajdujemy się niedaleko Sambrii, gdzie grasuje ta bestia.

– Ma pani rację – odparł Cole. – Rzeczywiście się cieszę, że nie pani tu rządzi.

– Zróbmy ci ten jarzmoznak, żebym mogła już iść spać – powiedziała Secha. – Wyciągnij rękę.

Cole przez moment chciał się opierać. Ale za nim stało dwóch ludzi. Pewnie gdyby się awanturował, wróciłby Ansel z sierpem. Wyprostował lewą rękę.

Secha wyjęła torbę ściąganą sznurkiem i otworzyła usta. Ze środkowego palca jej lewej ręki wyrastał bardzo długi paznokieć. Zanurzyła go w worku.

– Nie ruszaj się – powiedziała do Cole'a, a potem zwróciła się do tamtych. – Pomóżcie mu.

Jeden z mężczyzn złapał go za rękę tuż nad nadgarstkiem. Drugi przytrzymał go od tyłu. Cole zacisnął zęby. Skoro tak mocno go trzymali, to znaczy, że zaboli. Próbował się na to przygotować.

Kiedy paznokieć dotknął jego nadgarstka, Cole odczuwał jednocześnie żar i potworne zimno. Chciał wyszarpnąć rękę, ale krzepki rudzielec trzymał go mocno. Secha poruszała ustami, kreśląc paznokciem prosty kształt. Potem się cofnęła. Jarzmoznak, który narysowała, jaśniał wściekłą czerwienią. Chłopiec wciąż czuł na nadgarstku zimno i gorąco, chociaż już nie tak bardzo jak wtedy, kiedy Secha dotykała jego skóry.

– Postaraj się go nie ruszać, bo będzie się wolniej goić – poradziła Secha. Potem odwróciła się i odeszła.

Ściskając ramię Cole'a jak w imadle, rudowłosy zaprowadził go za jedną z klatek i przykuł do niej łańcuchem. Zatrzasnął mu na nieoznaczonym nadgarstku ciasny żelazny pierścień.

– Nie próbuj nawet pisnąć – zagroził. – Rano uporządkujemy niewolników według wartości. Ci najlepsi pójdą na przód karawany. Ty będziesz lazł za ostatnim wozem. Lepiej się wyśpij. Jutro czeka cię długi dzień.

Rudowłosy odszedł. Cole nie znał dzieci z tej klatki. Udawały, że śpią, ale zauważył, że dwie osoby na niego zerkają.

Położył się na ziemi. Nie miał koca. Grunt był twardy i nierówny. Łańcuch okazał się za krótki, żeby Cole dosięgnął ręką podłoża, więc nadgarstek zawisł mu dziesięć centymetrów nad ziemią. Chłopiec nie widział ani Daltona, ani

Jenny. Ich wozy ginęły w cieniu, a on nie zamierzał ponownie ściągać na siebie uwagi, wołając ich po imieniu.

Noc zrobiła się cicha, słychać było tylko trzask ognisk. Jeszcze pół godziny temu Cole obserwował obóz z daleka. Miał wtedy wiele możliwości działania. Chciałby cofnąć czas i zrobić wszystko od nowa, ale było już za późno. Teraz był niewolnikiem, tak jak cała reszta.

Jakim niewolnikiem zostanie? Czy trafi do kopalni i będzie rozbijać skały kilofem? A może wiosłować na galerze? Pracować na farmie? Walczyć na arenie jako gladiator? Czy każda z tych wersji była możliwa? A może żadna? Domyślał się, że odpowiedź pozna szybciej, niżby chciał. Zamknął oczy i spróbował się odprężyć, ale sen długo nie przychodził.

Rozdział

5

KARAWANA

Następny dzień z każdym krokiem stawał się coraz gorszy. Na Cole'a, przykutego do ostatniego wagonu, wiało pyłem bardziej niż na pozostałych uczestników pochodu. Na dzieci siedzące w klatkach także sypało, ale one przynajmniej mogły odwrócić się plecami. Cole odkrył, że jeśli będzie szedł bardzo blisko wozu, zmruży powieki, spuści głowę, a wolną ręką zakryje usta i nos, to uniknie piachu na tyle, żeby utrzymać się na nogach. Niektóre odcinki drogi były bardziej zapylone niż inne.

Aby dogonić wóz, prawie cały czas musiał iść szybko. Strażnicy na koniach nie pozwalali mu chwytać prętów klatki, ale miał je na wyciągnięcie ręki. Gdyby trzymał się dalej od wozu, łańcuch trochę by go ciągnął, co ułatwiłoby marsz, lecz z kolei każde szarpnięcie mogłoby go przewrócić. Pod górkę wóz jechał wolniej, z górki – nieco szybciej. Teren był mniej więcej równy, bez większych wzniesień czy dolin.

Kiedy wreszcie zatrzymali się na posiłek, Cole był tak głodny i tak bardzo chciało mu się pić, jak chyba nigdy w życiu. W zaschniętych ustach miał taki smak, jakby próbował zjeść prerię.

Wozy ustawiły się w luźny krąg. Podczas gdy inni jedli, on siedział sam. Był wyczerpany i w ogóle już nie czuł nóg. Jak miał iść dalej bez wody i pożywienia? Może właśnie w tym rzecz. Może chodziło o to, żeby tym wleczeniem zakatować go na śmierć.

Większość dzieci z wozu unikała kontaktu wzrokowego z Cole'em. Nikt nie spróbował rzucić mu jedzenia. Nawet im się nie dziwił. Nie chcieli dołączyć do niego na łańcuchu. Z trudem patrzył, jak jedzą i piją. Co prawda dostali tylko chleb i wodę, ale jemu wydawało się, że to istna uczta.

Dalton i Jenna znajdowali się w dwóch najodleglejszych klatkach. Cole powtarzał sobie, że gdyby tylko byli bliżej, na pewno spróbowaliby mu coś podrzucić. Stale patrzyli w jego stronę, więc robił, co mógł, żeby udawać zadowolonego. Zdołał się nawet uśmiechnąć.

Kiedy wozy ruszyły dalej, miał sztywne nogi i dokuczały mu skurcze. Może odpoczynek nie był zbyt dobrym pomysłem. Zaczynał się zastanawiać, czy wytrzyma do końca dnia. Nie patrzył na strażników. Nie przyglądał się dzieciom w klatce. Nie sprawdzał, gdzie jest słońce. Po prostu spuścił głowę i brnął przed siebie.

Popołudnie robiło się coraz cieplejsze. Kostium stracha na wróble nasiąkał potem. Cole już wcześniej pozbył się słomy oraz strzał, ale żałował, że nie ma krótszych rękawów. Przynajmniej kapelusz chronił przed słońcem, osłaniając mu twarz i szyję. W buzi miał całkiem sucho. Język mu spuchł, skleiły się wargi i nie mógł otworzyć ust.

Z nadejściem wieczoru Cole coraz częściej się potykał, a czasem nawet upadał. Jeśli natychmiast się nie podnosił, łańcuch wlókł go dalej. Raz pozwolił się tak ciągnąć przez chwilę, bo miał nadzieję, że odpoczną mu nogi. Od obręczy okropnie rozbolał go nadgarstek, więc szybko zrozumiał, że jeśli nie utrzyma się na nogach, to niedługo cały przód jego ciała zamieni się w jeden wielki strup.

Słońce zachodziło, a jemu boleśnie dudniło w głowie. Czuł się tak, jakby zamiast języka miał zesztywniałą gąbkę. Nogi były jak z waty i zupełnie nie miał siły. Jednak brnął naprzód, ponieważ wiedział, że alternatywa jest jeszcze gorsza.

Gdy tylko wóz się zatrzymał, Cole upadł i zaraz potem stracił przytomność. Ocknął się, kiedy Baleron kropelka po kropelce lał mu do ust wodę z manierki. Była ciepła i miała metaliczny posmak, ale i tak smakowała bosko. Potem dostał trochę jedzenia – kawałki chleba, po których znów mógł się napić wody.

– Dostałeś już nauczkę? – spytał Baleron, gdy Cole spojrzał mu w oczy.

Nie ufając własnemu głosowi, chłopiec skinął głową.

– Chcesz dołączyć do reszty niewolników w klatce?

– Tak, poproszę – wycharczał.

– Szef o ciebie pytał. Powiedziałem, że chyba nie wytrzymasz następnego dnia na nogach.

Cole przytaknął. Baleron chyba miał rację.

– Szef zawsze ostro traktuje złodziei, ale ty tylko próbowałeś. W zasadzie nic nie zrobiłeś. A teraz należysz do niego. Szef dba o swoje zyski. Martwego niewolnika nikt nie kupi. Pewnie załaduje cię do klatki.

– Mam nadzieję – wydukał Cole.

Baleron znów dał mu trochę wody.

– Dzisiaj jeszcze będziesz spał tu, skuty – powiedział. – Spróbuj się zdrzemnąć.

Kiedy odchodził, chłopiec osunął się i zamknął oczy. Ziemia była nierówna, a obóz hałaśliwy, ale zaśnięcie nie stanowiło problemu.

Przed świtem, w chłodnym półmroku, Baleron kluczem otworzył obręcz. Cole delikatnie potarł podrapany i posiniaczony nadgarstek. Podniósł się chwiejnie, nogi miał sztywne i obolałe. Zgodnie z poleceniem wszedł do klatki na ostatnim wozie. Śniadanie składało się z kruchej bułeczki oraz paska suchego, sztywnego mięsa. Cole napił się zapiaszczonej wody z brudnego metalowego kubka, a potem zebrał i zjadł wszystkie okruchy bułki.

Kiedy wóz ruszył, chłopiec zwinął się w kłębek i zasnął, nie zważając na wstrząsy i wibracje na nierównym terenie. Gdy się obudził, horyzont z każdej strony był jaskrawopomarańczowy, zupełnie jakby z różnych stron wschodziło wiele słońc.

– Co się dzieje z niebem? – zapytał.

– Wygląda tak już od paru godzin – odpowiedziała cicho jakaś dziewczynka. Miała na sobie zakrwawiony fartuch chirurgiczny, jakby przyszła z potwornie nieudanej operacji.

– Dokąd nas zabierają?

– Gdzieś, gdzie chcą nas sprzedać. Chyba niektórzy pojadą do króla albo coś w tym stylu. Handlarze ciągle mówili o tym, kto nadaje się na formistę.

– Ćśś! – syknął chłopiec przebrany za komandosa. – Nie wolno nam rozmawiać.

Dziewczynka chirurg miała minę winowajcy. Cole rozejrzał się dokoła, ale nie widział nikogo, kto mógłby ich usłyszeć. Paru mężczyzn jeździło konno tam i z powrotem wzdłuż karawany, ale żaden nie znajdował się teraz w pobliżu. Wóz hałasował, a woźnica raczej nie zwracał uwagi na dzieci. Mimo wszystko Cole rozumiał, że komandos nie chciał pogorszyć już i tak paskudnej sytuacji. Wczoraj cała ósemka dzieci w tej klatce oglądała go, gdy wlókł się za wozem. Nikt nie chciał przechodzić tego samego.

Cole usiadł wygodniej, a potem przez kraty spojrzał na niebo. Wczoraj świeciło normalne słońce, więc co to za dziwne światło? Dziewczynka chirurg musiała się pomylić. Niebo nie mogło tak wyglądać od wielu godzin.

Wóz jechał jednak dalej, a ono wcale się nie zmieniało, jakby z każdej strony słońce miało wzejść albo przed chwilą zaszło. Pozostałe dzieci nie podnosiły głów. Nikt do nikogo nie szeptał. Cole, oparty o pręty plecami, by zasłonić się do tumanów pyłu, rozmyślał o domu. Mama i tata na pewno odchodzili od zmysłów. Pewnie nawet jego siostra Chelsea się martwiła.

A przecież nie on jeden zaginął. Wszyscy rodzice musieli teraz świrować. Informacja o zaginięciu bez śladu tylu dzieci na pewno trafi do mediów. Cole nigdy w życiu nie słyszał o głośniejszej aferze.

Rudowłosy strażnik mówił, że rodzice o nich zapomną. Może w tym dziwnym miejscu ludzie bez problemu godzili się ze zniknięciem swoich dzieci. Najwyraźniej zupełnie nie wiedział, jak to wygląda w Ameryce.

Cole miał nadzieję, że dziewczynka przebrana za aniołka dotarła na policję. Ale nawet jeśli jej się to udało, to przecież choćby i najlepszy oficer śledczy nie pójdzie za nimi do innego wymiaru. Za sprawą opowieści dziewczynki zniknięcia staną się tylko bardziej tajemnicze. Chłopiec rozejrzał się po nagiej prerii, spojrzał na resztę dzieci zamkniętych w klatkach jak zwierzęta cyrkowe i zrozumiał, że być może nigdy nie wróci do domu. Zresztą gdyby nawet mu się udało, to i tak, według Stróża Drogi, nie zostanie tam na długo.

Jakie były ostatnie słowa, które zamienił z rodziną? Dokładnie pamiętał rozmowę z siostrą. Chelsea była od niego o dwa lata starsza i uważała się za eksperta w sprawach dojrzałości. Zanim poszedł na spotkanie z Daltonem, właśnie ubierała się na imprezę. Oznajmiła, że skoro zamierza zbierać cukierki, to jest strasznie niedojrzały. Odpowiedział, że ona za to wygląda jak wyciągnięta psu z gardła.

Teraz miał wyrzuty sumienia, ale to zawsze lepsze niż brak riposty. Ciekawe, czy zdaniem Chelsea zniknięcie na zawsze też jest niedojrzałe.

Ostatnie słowa, które powiedział do mamy, były zapewnieniem, że będzie w domu przed wpół do dziesiątej. Tata prosił go o wyrzucenie śmieci. Cole obiecał, że zrobi to później. Wcale nie skłamał celowo.

Może kiedyś ich jeszcze zobaczy. Ale gdy tak jechał przez opustoszałą prerię w świecie, w którym nieruchomy wschód słońca świeci ze wszystkich stron, jakoś trudno mu było w to uwierzyć.

Próbował patrzeć przed siebie, żeby dostrzec Daltona albo Jennę, ale karawana jechała sznurem, a w powietrzu było tyle pyłu i kurzu, że rzadko widział coś więcej niż tylko poprzedzający wóz. Zastanawiał się, czy oni też go wypatrują.

Brązowa preria, mniej więcej płaska, ciągnęła się we wszystkich kierunkach. Widział zielska, rzadkie zarośla, tu i ówdzie pojedyncze drzewa, ale niewiele więcej. Stwierdził, że jeżeli chciał się zanudzić przyrodą, to przybył we właściwe miejsce.

Kiedy przyglądał się podłodze klatki, zauważył wydrapaną w drewnie uśmiechniętą buźkę. Rysunek był dość prosty

– kółko, dwie kropki jako oczy oraz wygięta linia uśmiechu. Kółko było trochę nierówne, ale całkiem niezłe jak na wyskrobane w desce.

Wydało mu się to dziwne.

– Kto rysuje uśmiechniętą buźkę w klatce dla niewolników? – mruknął.

– Ktoś, kto chce mieć towarzystwo – odrzekła buźka wesołym głosem. – Kiedy ma się kumpla, droga szybciej mija. – Usta nie otwierały się, kiedy buźka mówiła, ale drgały.

Cole podskoczył zdumiony. Zerknął na pozostałe dzieci w wozie. Nikt nie zwracał na niego uwagi. Znowu spojrzał na uśmiechniętą buźkę.

– Ty mówisz? – szepnął.

– Jasne – odparła buźka. Usta znowu drgnęły. – Bardzo się cieszę, że poznałem takiego miłego gościa jak ty. – Buźka mówiła niezbyt głośno głosem małego chłopca.

Cole potarł twarz dłońmi. Czy to sen? A może ma halucynacje? Dziewczynka chirurg siedziała najbliżej. Podczołgał się do niej i stuknął ją w ramię.

– Sprawdzisz coś dla mnie?

– Co? – zapytała, rozglądając się za strażnikami.

Cole już wcześniej się upewnił, że mogą rozmawiać. Jeden jeździec był za nimi, dwaj inni daleko z przodu. Wskazał uśmiechniętą buźkę. Dziewczynka niepewnie się przysunęła.

– Powiedz coś do niej – poprosił.

– Dziś jest najlepszy dzień, żeby poznać nowego przyjaciela – oznajmiła buźka.

Dziewczynka zamrugała oczami, a potem zaskoczona spojrzała na Cole'a.

– Jak to zrobiłeś? Jesteś brzuchomówcą?

– Tak. Fajna sztuczka, nie?

Przewróciła oczami.

– Normalny jesteś? Twoim zdaniem to dobry czas na żarty? – Dziewczynka wróciła na swoje miejsce.

Cole pochylił się nad uśmiechniętą buźką. Zakrył dłonią usta.

– Możesz mówić ciszej?

– Jasna sprawa – odparła buźka ciszej, ale wciąż radośnie. – Jak ja się cieszę, że mam nowego kumpla!

– Czym ty jesteś? – zapytał Cole. – Jakim cudem umiesz mówić?

– Jestem pozorem, głuptasie. Zostałem uformowany, żeby mówić.

– Pozorem?

– Zrobił mnie Liam, najsuperowszy formista na calutkim świecie. Kiedy trafił w niewolę, stworzył mnie, żebym dotrzymał mu towarzystwa. A gdy go sprzedano, zostawił mnie tutaj, żebym rozweselał każdego, kto ze mną pogada. Już ci lepiej?

Cole nie mógł uwierzyć, że rozmawia z magiczną uśmiechniętą buźką. To było jeszcze dziwniejsze niż handlarze niewolników z innego świata. Gość pałał takim entuzjazmem, że Cole rzeczywiście trochę się rozchmurzył.

– Właściwie to tak. Masz jakieś imię?

– Wesołek.

– Ja mam na imię Cole. Czy ty mnie widzisz?

– Jasne, głuptaku. Właśnie zaglądam ci do nosa.

Cole stłumił chichot. Zerknął na pozostałe dzieci, ale wszystkie siedziały ze spuszczonymi głowami, pogrążone we własnych myślach.

– Czy boli cię, kiedy ludzie na tobie stają?

– Nic a nic. Ty też na mnie stanąłeś, kiedy tu wszedłeś.

– Przepraszam.

– Nie ma sprawy. Masz szlachetną stopę.

Cole uśmiechnął się do Wesołka.

– Mówiłeś, że chłopak, który cię stworzył, był formistą. To znaczy, że uformował cię nożem?

– Nie, głuptasie. Formowaniem.

– Jak to? Magią?

– Chyba coś w tym stylu. Życie jest magiczne.

– Dał ci życie?

– Niezupełnie. Jestem pozorem. Wydaję się żywy, prawda? – Buźka zachichotała piskliwie.

– Czy Liam zaprogramował twoje słowa?

– Po prostu mówię, co mówię, Liam nauczył mnie tego, zostanę tutaj w klatce, więc się pobawmy, kolego.

Cole zastanawiał się, czy to Liam wymyślił ten wierszyk, czy sam Wesołek.

– Czujesz się żywy? – zapytał.

– Kocham rozmawiać, zwłaszcza ze swoim nowym kumplem.

Wyglądało na to, że buźka przede wszystkim miała się zachowywać przyjaźnie. Cole postanowił sprawdzić, czy powie mu coś przydatnego.

– Dlaczego niebo tak wygląda? Tak jakby wszędzie wschodziło słońce?

– Mamy szczęście, że dziś jest dzień brzasku. Nie jest ani za zimno, ani za gorąco. Fajnie jest cieszyć się pogodą.

– Czy dni brzasku są tutaj częste?

– Różnie bywa. To zależy. Jesteś z zewnątrz?

– Spoza tego miejsca? Jestem z Ziemi. Ci ludzie porwali moich przyjaciół.

– Nie daj się zgnębić chciwym handlarzom. Zawsze, gdy upadniesz, pamiętaj, by wstać!

– Posłuchaj, Wesołku. Mógłbyś mi pomóc się stąd wydostać?

– Chciałbym ci pomóc! Pewnie! Ale jestem tylko buźką wyrytą w drewnie.

Cole rozejrzał się wkoło, żeby sprawdzić, czy nikt nie obserwuje ich rozmowy. Strażnicy byli daleko, a reszta dzieci wciąż nie zwracała na niego uwagi.

– Jesteś tu już długo. Może wiesz o czymś, co mi pomoże.

– No jasne – zaświergotał Wesołek. – To będzie dobre: gdy od razu ci się nie uda, spróbuj raz jeszcze, a osiągniesz cuda!

– Miałem na myśli informacje o handlarzach – odparł Cole. – Albo o tym wozie. Jakieś tajemnice, które pozwoliłyby mi stąd uciec.

Wesołek zachichotał nerwowo.

– Nie próbuj uciec. Strasznie wtedy zrzędzą. Pójdziesz sobie stąd dopiero wtedy, kiedy cię sprzedadzą.

– Gdzie mnie sprzedadzą?

– Na targu niewolników w Pięciu Drogach.

– Jacy ludzie mogą mnie kupić?

– Tacy, którzy mają pieniądze, głuptasie. I którzy potrzebują niewolników.

– Jaka praca mnie czeka?

– Nigdy nie wiadomo, ale mam nadzieję, że jakaś ciekawa. Może trafi ci się coś super!

Wesołek nie wydawał się kopalnią praktycznych informacji.

– Sprawdźmy, czy dobrze zrozumiałem – rzekł Cole. – Chcesz powiedzieć, że mam nigdy nie rezygnować z pogoni za tęczą?

Drewniany uśmiech stał się jeszcze szerszy.

– Tak trzymaj! Sięgaj do gwiazd! Głowa do góry, to jest twój czas!

– Czy handlarze niewolników wiedzą o tobie?

– Wie o mnie ta formistka Secha. Powiedziała Anselowi. Rozmawiali ze mną pewnej nocy. Trudno mnie usunąć, więc dali mi spokój.

– Secha to formistka? – spytał Cole.

Wesołek zachichotał.

– Przecież cię oznaczyła, prawda?

Cole przypomniał sobie, jak wodziła paznokciem po jego nadgarstku. Spojrzał na swój rdzawoczerwony znak.

– On też potrafi mówić?

Wesołek parsknął śmiechem.

– Twój jarzmoznak? Przecież to nawet nie jest pozór.

– Dlaczego trudno cię usunąć?

– Liam chciał, żebym tu został. Jeśli ktoś mnie zniszczy lub usunie, pojawiam się w innym miejscu wozu. Żeby się mnie pozbyć, trzeba by rozwalić cały wóz.

– Umiesz się sam poruszać?

Jedno narysowane oko spłaszczyło się, jakby mrugnęło.

– Tylko trochę.

Cole przesunął palcem po obwodzie buźki. Wesołek zaśmiał się, jakby go to łaskotało. Jak powstało coś takiego?

– Co jeszcze potrafią formiści?

– To zależy.

– Od czego?

– Od tego, co chcą stworzyć, głuptasie! No i czy umieją.

Cole westchnął. Wesołek był pogodny i trudno uwierzyć, że w ogóle istniał, ale wyciąganie z niego przydatnej wiedzy było frustrujące.

– Czy znasz jakieś tajemnice, które pomogą mi tutaj przetrwać?

– To wcale nie są tajemnice – odparł Wesołek. – Ciesz się urodą nieba, miej zawsze błysk w oku, więcej ci nie trzeba.

Wozy stanęły.

Cole wyprostował się i rozejrzał. Nie widział przodu karawany.

– Co się dzieje?

– Zatrzymaliśmy się – powiedział Wesołek. – Trochę za wcześnie na obiad.

Do tej pory, kiedy przystawali na posiłek, wozy ustawiały się w kręgu. Tym razem pozostały w kolumnie. Czyżby czoło karawany napotkało jakąś przeszkodę? Cole nie miał pojęcia.

Po pewnym czasie Ansel wraz z jakimś mężczyzną, którego chłopiec wcześniej nie widział, odeszli na bok. Nieznajomy był niższy od Ansela, miał siwiejące włosy oraz bujne bokobrody. Utykał i podpierał się laską. Odeszli na tyle daleko, żeby było ich widać ze wszystkich wozów, a potem odwrócili się twarzami do karawany.

– Przypadkiem spotkaliśmy po drodze klienta – oznajmił Ansel. Kiedy mówił głośniej, jego głos był jeszcze bardziej chropowaty. – Ten pan pracuje na północ stąd, na Skraju, u Łupieżców Niebios. Wam, nowo przybyłym, te nazwy niewiele mówią, ale Łupieżcy mają duże zapotrzebowanie na niewolniczą siłę roboczą, między innymi dlatego, że średnia długość życia niewolnika w ich branży wynosi mniej więcej dwa tygodnie.

Te słowa wywołały poruszenie wśród dzieci w klatkach. Ansel poczekał, aż pomruki umilkną.

– Nasz klient właśnie wracał z wyprawy po zapasy, ale uznał, że warto skorzystać z okazji i zdobyć parę nowych rąk do pracy. Oczywiście wozy przeznaczone do pałacu królewskiego nie wchodzą w grę. Ponieważ każdy niewolnik, który z nim pójdzie, pewnie wkrótce zginie, wskazałem mu tego nowego chłopca, który ostatnio narobił zamieszania. A ponieważ cenię sobie posłuszeństwo, nie zgodziłem się z kolei oddać Tracy, która doniosła nam o niezdarnym złodzieju.

Ansel zaprowadził nieznajomego wprost do klatki Cole'a. Kiedy się zbliżyli, pozostałe dzieci odsunęły się od chłopca.

Jeśli kupi go ten człowiek, jak on potem znajdzie Daltona, Jennę i pozostałych kolegów? Zresztą pewnie i tak wszyscy zostaną sprzedani w różne miejsca. Ten gość wydawał się przynajmniej stary i niezbyt żwawy. Może nadarzy się jakaś okazja do ucieczki.

Potencjalny nabywca podszedł bliżej i spojrzał na Cole'a przez kraty.

– To ty jesteś tym chłopcem, który narobił zamętu?

Miał wyraźną dykcję i sprawiał przez to wrażenie uczonego. A może to kwestia nieco sponiewieranego kapelusza, który trzymał w ręku.

– Tak – odparł Cole.

– Jakieś wady fizyczne? Przewlekłe choroby?

– Jestem zdrowy. Tylko trochę głodny.

– Dajemy im jeść dwa razy więcej, niż niewolnicy dostają u innych – wtrącił Ansel. – Są w doskonałym stanie. Prosto z zamożnego świata.

Mężczyzna ze zrozumieniem pokiwał głową, nie spuszczając wzroku z Cole'a.

– Jak sobie radzisz z dużymi wysokościami?

Chłopiec zastanawiał się, czy skłamać. Może lęk wysokości uchroni go przed niebezpieczną pracą, o której mówił Ansel. Ale nabywca wyglądał i zachowywał się sympatycznie, czego nie można było powiedzieć o handlarzach niewolników. Cole postanowił się przekonać, czym zaowocuje szczerość.

– Nie boję się wysokości.

Mężczyzna przestąpił z nogi na nogę.

– Co czujesz, stojąc nad przepaścią?

– Nie mam z tym problemów. Nigdy nie miałem.

Nieznajomy odwrócił się do Ansela.

– To mi wystarczy. Biorę go.

Rozdział

6

SKRAJ

Cole nie spodziewał się tak szybkiej decyzji. Kiedy kupiec się odwrócił, obok wozu pojawił się rosły, muskularny nieznajomy. Nieufnie spojrzał na chłopca. No i można zapomnieć o ucieczce od starego faceta utykającego na jedną nogę... Cole powinien był się domyślić, że nabywca ma pomocników.

Wychodząc z klatki, nachylił się do dziewczynki w stroju chirurga.

– Jak poczujesz się samotna, pogadaj z uśmiechniętą buźką.

Spojrzała na niego jak na wariata.

Zeskoczył na ziemię, gdzie czekał już rosły nieznajomy.

– Tędy – powiedział mężczyzna, wskazując w kierunku przodu karawany. Na nadgarstku miał znajomy czerwonawy znak.

– Pan też jest niewolnikiem? – zapytał Cole.

Mężczyzna pacnął go w ucho, i to tak mocno, że powalił go na ziemię. Chłopiec przez chwilę się nie podnosił. Bolał go bok głowy, a w duszy narastał gniew.

– Nie odzywaj się nieproszony – powiedział. – Wstawaj.

Cole dźwignął się na nogi. Dzieci w klatkach patrzyły na niego wybałuszonymi oczami. Gdyby nie publiczność, poszedłby po dobroci. Ale nie chciał, by zobaczyły, że w ogóle nie stawia się łobuzowi. Dałby im zły przykład.

Dlatego obrócił się i z całej siły kopnął nieznajomego w kolano. Mężczyzna przykucnął, chwycił go za łydkę, a potem podciął go szybkim kopniakiem.

Cole rąbnął plecami o ziemię, aż łupnęło. Stracił dech w piersiach. Przewrócił się na bok i wzdrygnął. Potrzebował powietrza, ale nie był w stanie go zaczerpnąć. Wreszcie paraliż płuc minął i chłopiec znowu mógł oddychać. Z ulgą nabrał kilka głębokich haustów.

– Dalej masz ochotę podskakiwać? – spytał wysoki nieznajomy. – Ja mogę tak do jutra.

Cole usiadł na ziemi. Kiedy zerknął w stronę klatki, wszyscy więźniowie znacząco patrzyli w inną stronę. Właśnie ich nauczył, że opór skutkuje bólem i porażką. Nie na takiej lekcji mu zależało.

Wstał i otrzepał się z pyłu. Wysoki strażnik dał mu znak, żeby ruszył.

– Do widzenia, Wesołku! – zawołał Cole w stronę wozu.

– Do widzenia – odpowiedział mu cichy, piskliwy głosik.

Chłopiec zauważył, że kilka osób w klatce spojrzało na podłogę.

Z przodu, w sporej odległości, kuśtykał nabywca w towarzystwie Ansela. Szli w stronę objuczonych mułów, które czekały na czele karawany.

– To wasze muły? – zapytał Cole.

Mężczyzna rąbnął go w drugie ucho, tym razem już nie tak mocno, ale dostatecznie, żeby chłopiec się zachwiał.

– Uczysz się wolniej od przeciętnego psa.

– Nie uderzył mnie pan, kiedy się żegnałem.

– Aż taki nieczuły nie jestem. A teraz już ani słowa.

Po drodze Cole przyglądał się wozom. Wreszcie zobaczył Jennę. Jej kostium Kleopatry był brudny i poplamiony. Cole pomachał do niej i zmusił się do uśmiechu.

– Byłeś bardzo odważny, że za nami poszedłeś! – zawołała. – Tracy powinna zostać przejechana po kolei przez wszystkie wozy! – Reszta dzieci w jej klatce odsunęła się od niej. Jenna dzielnie stała przy kratach. – Mój wóz zabierają do najwyższego króla. Cokolwiek to znaczy.

– To jeszcze nie koniec – obiecał Cole, a potem w porę przykucnął i ręka mężczyzny przeleciała nad jego głową.

Tym razem strażnik zamachnął się mocno. Chłopiec odskoczył na bok, ledwo uchylając się przed kopniakiem, a potem pobiegł przed siebie w kierunku mułów.

Coś trafiło go w tył głowy. Wywalił się i przekoziołkował. Nie wiedział, czy to pięść, kamień, czy kij, ale bardzo zabolało. Zwinął się w kłębek i objął rękami stłuczoną czaszkę. Bał się, że teraz posypią się kolejne ciosy. Kiedy tak się nie stało, zaryzykował i zerknął. Dryblas stał nad nim z marsową miną. Ręce miał założone na piersiach.

– Źle się wyraziłem – powiedział. – Wcale nie zamierzam robić tego aż do jutra. Jak jeszcze raz podskoczysz, to zawieziemy cię na Skraj w taczce. Wstawaj.

Cole podniósł się na nogi. Wciąż łupało mu w głowie. Zza krat pobliskiej klatki patrzył na niego Dalton. Przysypany grubą warstwą pyłu, z rozmazanym i wyblakłym makijażem wyglądał jak najsmutniejszy klaun świata. Ostrożnie pokręcił głową, ostrzegając, żeby Cole się nie odzywał.

Ten kiwnął głową i bezgłośnie powiedział: „Znajdę was”.

Dalton pomachał mu ręką. W oczach miał łzy.

– My też jedziemy do króla – powiedział tak cicho, że prawie nie było go słychać.

Cole odwrócił wzrok. Czy naprawdę zdoła ich znaleźć? A może właśnie po raz ostatni widział ludzi ze swojego świata? Przede wszystkim chciał dać Daltonowi trochę nadziei, ale odkrył, że wypowiedział te słowa z przekonaniem. Może wywoła bunt niewolników. A może wymknie się sam. Trudno było teraz przewidzieć, jakie okazje mu się nadarzą, ale w duchu poprzysiągł sobie, że nigdy nie przestanie szukać szansy ucieczki i odnalezienia przyjaciół.

Kiedy doszedł do mułów, kupiec siedział już na koniu. Drugiego dosiadał długowłosy nieznajomy z lśniącą blizną po oparzeniu na brodzie.

– Chodź tu, niewolniku – polecił mężczyzna o wyglądzie uczonego.

Cole się zbliżył.

– Słyszałem, że pyskowałeś Vidalowi. Nie odzywaj się do postawionych wyżej od siebie, chyba że o coś cię zapytamy. Czy to tak trudno pojąć?

– Szybko się uczę – odparł Cole. – Zwykle wystarczy mi jeden wstrząs mózgu, góra dwa.

Mężczyzna spojrzał za chłopca i uniósł dłoń, żeby powstrzymać Vidala.

– Niewolnik odpowiadał na pytanie. – Potem znowu popatrzył na Cole'a. – Na Skraju odrobina bojowego ducha może ci się przydać. Ale nadmiar ci zaszkodzi. Nie jesteś stąd, więc nasze traktowanie więźniów może ci się wydać barbarzyńskie, ale lepiej do tego przywyknij. Nawet jeśli sam nie jestem zachwycony niektórymi aspektami niewolnictwa, to nauka tutejszych porządków wyjdzie ci na zdrowie. Jestem Darny, a to Ed. Przed nami szmat drogi. Od tej chwili należysz do Adama Jonesa, właściciela Targowiska nad Przepaścią i szefa Łupieżców Niebios. Nie rób problemów, bo popamiętasz. Zrozumiano?

– Tak – odparł Cole.

Darny spojrzał na Vidala.

– Posadź go na Maribel. Jedziemy.

Szóstego dnia podróży Cole przywykł do Maribel. Mimo obciążenia ona i jedenaście innych mułów człapało niestrudzenie od świtu do zmierzchu. Odkąd dzień brzasku dobiegł końca, po niebie przechodziły zwyczajne słońca, i tak samo było dzisiaj.

Podczas jazdy Cole czuł się samotny. Mężczyźni rozmawiali praktycznie tylko wtedy, kiedy on tego nie słyszał. Do niego odzywali się wyłącznie po to, żeby wydawać mu podstawowe polecenia. Wieczorem musiał rozładować i wyczesać muły, a rano przygotować je do dalszej drogi.

Takie traktowanie bardzo mu ciążyło. Jeszcze nigdy nie czuł się takim wyrzutkiem. Po tym, jak go oznakowano, skuto łańcuchami, zamknięto w klatce, a teraz ignorowano, jakby nie był nawet człowiekiem, musiał walczyć z obawą, że jego życie dobiegło końca. Zaczął mieć wątpliwości, czy czeka go jeszcze chociaż jeden szczęśliwy dzień.

Tego dnia wyruszyli wcześniej, w szarym chłodzie przed wschodem słońca. Darny wytłumaczył, że to konieczne, bo czeka ich długa droga, a nocą Skraj jest niebezpieczny, więc trzeba dotrzeć do celu przed zmierzchem.

Z biegiem dnia Cole próbował cieszyć się krajobrazem. Przynajmniej okolica zrobiła się ciekawsza, pełna skalnych grzbietów, wzgórz i wąwozów. Ziemię porastały trawa i zarośla, sporo krzaków, a raz po raz również kępy wysokich drzew. Cole widywał króliki i wiewiórki. Czasami dostrzegał także jelenie oraz lisy.

Kiedy słońce chyliło się ku horyzontowi, śledził je wzrokiem. Darny przez cały dzień pędził muły naprzód, żeby nie trafić na Skraj po zmroku. Kiedy podjechał do Cole'a, do zmierzchu pozostała już niecała godzina.

– Chodź ze mną, niewolniku – powiedział. – Na chwilkę mułami zajmą się Ed i Vidal.

Potem zsiadł z wierzchowca. Cole zrobił to samo. Darny dał znak, żeby ruszył za nim, a potem poprowadził go ścieżką pod górę. Przed nimi szlak nagle się urywał. Tam musiała być przepaść.

Darny szturchnął Cole'a w ramię.

– Mówiłeś, że nie przeszkadzają ci urwiska. Może zmierzysz się z tym?

Chłopiec ostrożnie podszedł do miejsca, w którym kończyła się ziemia, i spojrzał w dół.

I w dół.

I w dół.

Nigdy w życiu czegoś takiego nie widział.

Nie patrzył wcale na ziemię gdzieś w dole, ale na niebo, które stopniowo ciemniało i robiło się purpurowe.

Darny stanął za nim.

– Witaj na Skraju.

– Mogę coś powiedzieć?

– Proszę.

– Gdzie jest dno?

Mężczyzna wzruszył ramionami.

– O ile nam wiadomo, nie ma go wcale. Szukały go różne ekspedycje, schodziły tam albo latały. Nikt, kto stamtąd wrócił, nie widział, żeby urwisko kiedyś się kończyło. Chyba ciągnie się w nieskończoność.

– To zupełnie jak koniec świata – powiedział Cole, wpatrując się w pustkę.

– Właśnie.

Chłopiec spojrzał na Darny'ego.

– Przecież świat nie może się tak po prostu kończyć.

– Ten się kończy. W każdym razie z tej strony. Skraj nie otacza całych Obrzeży. – Machnął ręką w prawo. – Gdybyś zapuścił się wystarczająco daleko w tamtą stronę, dotarłbyś do Wschodniego Chmuromuru. Górą nie przeleziesz, dołem się nie prześlizgniesz, dokoła nie obejdziesz. Ci, którzy próbowali przez niego przejść, nigdy nie wrócili. To samo z Zachodnim Chmuromurem, gdybyś ruszył wzdłuż Skraju w przeciwnym kierunku. Co znajduje się w chmuromurach albo za nimi, tego nie wie nikt, bo nie da się ich przebyć lądem ani powietrzem. Widzisz tam coś jeszcze? Przyjrzyj się uważnie.

Przed sobą Cole widział tylko niebo i trochę chmur, dokładnie tak samo jak w górze. Ale zaraz, zaraz… W oddali, na jednej z mniejszych chmur, zauważył wyraźny kształt zamku z kilkoma wieżami.

– Tamta chmura wygląda jak zamek – powiedział, wskazując ją palcem.

– Bo to jest zamek – odparł mężczyzna.

– Niemożliwe – stwierdził Cole. – Przecież unosi się w powietrzu.

– Powtórzę: witaj na Skraju.

Chłopiec spojrzał na Darny'ego podejrzliwie.

– Chyba pan żartuje. Tu rzeczywiście jest dziwnie, ale nie aż tak.

Darny wyjął z kieszeni składaną mosiężną lunetę. Rozłożył ją, podniósł do oka, ustawił ostrość i podał Cole'owi.

Ponieważ luneta bardzo mocno przybliżała, chłopiec przez dłuższą chwilę z irytacją próbował wycelować ją w zamek. Rzeczywiście, budowla wyglądała na kamienną i jakimś cudem spoczywała na wątłej chmurce, a dokoła było tylko niebieskie niebo. Zamek miał blanki, chorągwie, wieże, okna, a nawet most zwodzony.

Cole opuścił lunetę.

– Jak to możliwe?

– Jeśli chodzi o szczegóły, to nie wiem – odparł Darny. – A mówiąc ogólnie, znajdujemy się w Sambrii. To część Obrzeży najbardziej podatna na fizyczną manipulację. Niektóre obiekty, jakie tu uformowano, kazały mi się zastanowić, czy istnieją rzeczy niemożliwe.

– Słyszałem o formowaniu – powiedział Cole. – Co to jest? Coś jak magia?

Darny prychnął.

– Każde zjawisko, którego nie rozumiemy, wydaje nam się magią. Jakaś prymitywna kultura za magię uznałaby ogień. A już z pewnością tę lunetę.

– Formowanie to nauka?

– Niezupełnie. To... zdolność zmieniania rzeczy i nadawania im nowych własności. Niektórzy mają do tego smykałkę. Ja sam cieszę się pewnym talentem w tej dziedzinie. Bez względu na uzdolnienia łatwiej formować materiały tutaj, w Sambrii.

Cole popatrzył przez zatokę nieba.

– Ktoś uformował ten zamek?

– Kto formuje zamki, nie wie nikt – odrzekł Darny w zamyśleniu. – Wyłaniają się zza Zachodniego Chmuromuru i dryfują aż za Wschodni. Dziś jest spokojnie. Często z jednego miejsca widać ich aż kilkanaście. Kiedy suną między chmuromurami, pozyskujemy stamtąd, co się da.

– Zaraz – mruknął Cole z niedowierzaniem. – Łupieżcy Niebios plądrują zamki?

– Szybko się orientujesz – pochwalił Darny. – Ty będziesz nam w tym pomagał.

– Jak się tam dostajecie? Samolotami? Helikopterami?

– Niebolotami. Latającymi statkami.

– Jak to możliwe, że latają?

Darny zwrócił wzrok w stronę słońca.

– To już ostatnie pytanie. Zanim się ściemni, musimy dotrzeć pod dach. Przy podstawie zamków znajdują się odciążacze, powszechnie nazywane dryfdyskami. To dzięki nim zamki utrzymują się w powietrzu. Pozyskujemy je od czasu do czasu i wykorzystujemy do konstrukcji niebolotów.

Cole nie wierzył własnym oczom i uszom. Ale z widokiem zamku w oddali trudno było dyskutować. Bądź co bądź, przez właz w nawiedzonym domu trafił do tajemniczego świata, a potem rozmawiał z uśmiechniętą buźką wydrapaną w drewnie.

– Czy ta praca jest niebezpieczna? Mam na myśli to plądrowanie zamków.

Darny parsknął.

– Mówiłem, że to było ostatnie pytanie. Ale jak myślisz? Chodź, poznasz swojego właściciela.

Rozdział

7

NIEBOPORT

Nieboport, jak nazwał go Darny, ukazał się ich oczom tuż przez zachodem słońca. Jakiś czas szli wzdłuż krawędzi poszarpanego, bardzo nierównego Skraju, zanim natrafili na płytkie zagłębienie, które przypominało połówkę doliny, ponieważ kończyło się gwałtownie. Nieboport spoczywał na samym dole.

Rozległy główny budynek, zbudowany z kamienia i grubych belek, stał nad samym Skrajem. Kilka balkonów i ganków wystawało nad przepaścią. Cole miał wrażenie, że wystarczy jedno trzęsienie ziemi o średniej sile, a cała konstrukcja runie.

Dokoła stało jeszcze kilka budynków gospodarczych, między innymi stajnia oraz skromna stodoła. Olbrzymi teren za głównym budynkiem był ogrodzony wysokim murem. Cole domyślał się, że to właśnie tam znajduje się Targowisko nad Przepaścią. Spora odległość, kiepskie światło i wysokość ogrodzenia sprawiały, że nie widział, co jest w środku.

Kiedy Darny sprowadzał karawanę mułów po łagodnym zboczu w stronę Nieboportu, zabrzmiał dzwon. Mężczyźni i chłopcy wybiegli, by pomóc rozładować zwierzęta. Mieli dziwne stroje. Jeden nosił futrzaną kamizelkę, inny – T-shirt z uśmiechniętą buźką, która zamiast oczu miała jajka sadzone, a zamiast uśmiechu pasek bekonu. Jeden z nastolatków miał na sobie granatową kurtkę od munduru wojskowego, na której lśniło mnóstwo medali.

Cole nie bardzo wiedział, w czym się może przydać, więc kiedy Darny wydawał polecenia, stanął z boku. Teren otaczali strażnicy. Widział tu dużo ludzi, a na okolicznych stokach trudno byłoby się ukryć. Ucieczka nie będzie łatwa. Nie mógł sobie pozwolić na wpadkę, więc postanowił najpierw dobrze poznać teren. Jeśli będzie miał oczy szeroko otwarte, wcześniej czy później przytrafi się dobra okazja.

Wkrótce podszedł do niego Darny.

– Tędy, niewolniku. Pora, żebyś poznał swego pana.

Cole wszedł za nim po drewnianych schodach na werandę. Zauważył tam fotel bujany z kości słoniowej, jedwabny hamak, skrzynię z litego żelaza, a także klatkę z jakąś włochatą istotą, która miała głowy na obu końcach ciała.

Chłopiec nie zdążył zastanowić się nad tym widokiem, ponieważ Darny pchnął drzwi i wszedł do gwarnej świetlicy. Byli tam prawie sami mężczyźni – najmłodsi w wieku Cole'a, najstarsi zaś siwi lub łysi. Niektórzy jedli, inni grali w karty, jeszcze inni siedzieli i rozmawiali. Na wielu nadgarstkach Cole widział jarzmoznaki.

Darny zaprowadził go do krzepkiego mężczyzny z siwą brodą i długimi kręconymi włosami, który siedział na kunsztownym, wymoszczonym tronie z półprzezroczystego jadeitu. Wspaniały mebel zupełnie nie pasowałby do takiego miejsca, gdyby nie inne osobliwe skarby: stos połyskujących złotych sztabek, platynowy sarkofag wysadzany klejnotami, zdobny klawesyn, wypchana istota, dużo większa i groźniejsza od największego niedźwiedzia.

– Najwyższa pora! – huknął mężczyzna. – Już nigdy nie wyślę naszego najlepszego formisty na taką długą wyprawę. Widziałeś Spustosza?

– Nie. Ale natknąłem się na uchodźców. Podobno Spustosz dotarł już do Sambrii, w okolice Rzeczyny.

– Napływają do mnie najcudaczniejsze opowieści. Jeśli bestia ruszy w tę stronę, zepchniemy ją ze Skraju. Handel się udał?

– I to bardzo – odrzekł Darny. – Pozyskałem nawet trochę świeżej krwi.

– W Mariston sprzedają teraz niewolników?

– Po drodze napotkaliśmy karawanę.

– Kupiłeś tylko jednego?

– Moje fundusze były już na wyczerpaniu, ale to ciekawy kandydat. Prosto z Ziemi.

Mężczyzna na tronie zainteresował się Cole'em.

– Jak tu trafiłeś?

– Handlarze niewolników porwali moich przyjaciół – wyjaśnił chłopiec. – Chciałem im pomóc.

– Przybyłeś tu samodzielnie? – zapytał Darny.

Cole uznał, że nie ma sensu dłużej tego ukrywać.

– Tak. Poszedłem za nimi. Chciałem ratować przyjaciół. Chyba się panowie domyślają, co mi z tego wyszło.

– Capnęli cię. – Mężczyzna na tronie zarechotał i poklepał się po udzie. – Słona cena za chęć pomocy kumplom. Pech. Cóż, jeśli jarzmoznak pieczętuje ludzki los, to trafiłeś we właściwe miejsce.

– Ansel nie wspominał, że przybyłeś tu dobrowolnie – powiedział Darny.

– Nie mówiłem mu – odparł Cole.

Darny pokiwał głową w zamyśleniu, a potem spojrzał na mężczyznę na tronie.

– Chłopak nie boi się urwisk.

– Mam nadzieję! – huknął tamten. – Jak ci na imię?

– Cole.

– Jestem Adam Jones. Chciwa hiena kierująca tym interesem. Wolno do mnie mówić „Wasza Wysokość", „Wasza Wspaniałość" lub „Adam". Na ciebie będziemy wołali „Cole", dopóki nie zasłużysz na coś lepszego. – Adam popatrzył na Darny'ego. – Czy wytłumaczyłeś mu tutejsze porządki?

– Chłopak musiał poznać swoją nową pozycję.

– Ach tak, rozsądnie. Nowy niewolnik i tak dalej. – Adam ponownie skupił uwagę na Cole'u. – Na całych Obrzeżach niewolnikowi trudno o drugą taką robotę jak u Łupieżców Niebios. Ja też tak zaczynałem. Podobnie jak większość z nas. Nie spotka cię tu typowe traktowanie. Nie z naszej strony. – Spoważniał. – Masz szczęście. Tylko przez chwilę zaznałeś życia niewolnika. Ciesz się, że nigdy się nie dowiesz, co cię ominęło. – Cole skinął głową. – Jesteś nowy, więc musisz wycierpieć swoje, znieść trochę szyderstw, wykonać trochę obrzydliwych prac. Ale nie na zawsze pozostaniesz świeżym rekrutem w Nieboporcie. Im wyżej zajdziesz w hierarchii, tym lepiej dla ciebie. Może nawet zyskasz wolność. Haczyk? Jutro możesz zginąć.

Aż do ostatniego zdania Cole zaczynał czuć się coraz lepiej.

– Naprawdę?

– Łupieżcy Niebios ryzykują życie podczas każdej misji. Początkowo będziesz zwiadowcą, więc czeka cię większe niebezpieczeństwo niż pozostałych. Ostrożność, spryt i szybkość pomogą ci przetrwać. Ale i szczęście się liczy. W zeszłym tygodniu straciliśmy dobrego młodego zwiadowcę.

– Kogo? – zapytał Darny.

– Skrzypka.

Darny miał smętną minę.

– Szkoda.

– To był raźny czternastolatek – mówił dalej Adam. – Już prawie skończył służbę zwiadowczą. Trzeba wykonać pięćdziesiąt misji. Brakowało mu tylko czterech. Napotkał niebezpieczeństwo, przed którym nikt by nie uciekł. Dzięki jego śmierci ekipa wiedziała, że zamek jest zamieszkany przez niepokonanego drapieżnika. Ofiara Skrzypka uratowała życie wielu ludziom. To szlachetna praca. Zawsze potrzebujemy nowych zwiadowców. – Adam puścił oko do Cole'a. – A teraz jednego znaleźliśmy.

Chłopca zemdliło ze strachu. Przepaść to jedno, ale potworne drapieżniki w stylu superniedźwiedzia w kącie sali to zupełnie inna sprawa.

– Muszę?

Adam roześmiał się serdecznie.

– Cóż za pytanie! Przecież nikt nie zgłasza się do zwiadu na ochotnika. Jesteś niewolnikiem, dopóki nie zapracujesz na wolność. To jest twój początek. Nie masz wyboru. Jeżeli przetrwasz wystarczająco długo, to pewnego dnia możesz zostać wspólnikiem, żyć w bogactwie i komforcie. A do tego czasu będziesz wykonywał swoją robotę na rzecz naszej kompanii.

Cole ponuro kiwnął głową. Starał się nie okazywać przerażenia.

– Jakie mam szanse?

Adam spojrzał na niego sceptycznie.

– Chcesz dostać szczerą odpowiedź?

– Nie wiem.

Mężczyzna parsknął śmiechem.

– Świetnie sobie poradzisz! Niczym się nie martw. Pewnego dnia to ty zasiądziesz na moim tronie.

Cole zmarszczył czoło.

– Zaraz. No to poproszę szczerze.

Adam wzruszył ramionami.

– Pierwsze dziesięć misji przeżywa ponad połowa zwiadowców. Ze wszystkich pięćdziesięciu wychodzi cało może co dwudziesty. Ale za pierwszym razem szansa powrotu do domu jest całkiem spora!

– Zaczynam od jutra?

Adam kiwnął głową.

– Dzisiaj było spokojnie, a to często oznacza, że następny dzień będzie pracowity. Chcę dostać raport z twojej pierwszej wyprawy.

– Jak mam się do niej przygotować?

– Podoba mi się twoja postawa! Darny, zasłużyłeś na odpoczynek. Niech Mira go oprowadzi, wyposaży, udzieli mu paru wskazówek. I niech wygrzebie dla niego jakieś porządne ubranie. Chłopak wygląda jak strach na wróble po burzy.

Cole już chciał wytłumaczyć sens kostiumu, ale Adam chyba skończył z nim rozmowę. Darny zabrał chłopca sprzed tronu i zaczął wypytywać ludzi, czy ktoś widział Mirę.

Wkrótce Cole stanął przed dziewczynką niemal jego wzrostu z krótko obciętymi brązowymi włosami. Miała na sobie wysokie buty, sztruksowe spodnie, koszulę z kołnierzem oraz szelki w koniczynki. Była niezbyt czysta, ale nie odbierało to urody jej ładnym szarym oczom i niebrzydkiej twarzy.

– Znalazłeś świeżą przynętę na potwory? – zapytała Darny'ego.

– Nie bądź dla niego za ostra – odparł mężczyzna. – Chłopak ma za sobą ciężki tydzień. Miro, to jest Cole. Jutro jego pierwsza misja. Musi się nauczyć co i jak.

Mira zmierzyła chłopca wzrokiem.

– Niech zgadnę. Ubranie też mu się przyda.

– Zostawiam ci go. – Darny odszedł.

– Mało tu dziewczyn – stwierdził Cole.

– To, co widzisz na górze, to jeszcze nie wszystko – odrzekła Mira. – Większość dziewcząt jest na dole.

– W piwnicy?

– W jaskiniach. Urwisko jest ich pełne. To dlatego pobudowali się właśnie tutaj. Jaskinie znajdują się dokładnie pod nami.

– Duży ten budynek.

– Na tyle duży, żeby prawie każdy miał pokój nad ziemią. Ale niektórzy wolą jaskinie. Kiedy przychodzi burza, to każdy je woli.

– Macie tu gwałtowne burze?

– Co najwyżej może ci na głowie wylądować zamek.

– Naprawdę wydarzyło coś takiego?

– Parę razy niewiele brakowało. Były zniszczenia. Żadnych bezpośrednich ofiar.

Cole w zamyśleniu przyjrzał się Mirze.

– Długo tutaj jesteś?

– Parę lat.

– Serio? To musiałaś tu trafić, kiedy byłaś mała.

Dziewczynka wzruszyła ramionami.

– Teraz mam jakieś jedenaście lat.

– Jakieś jedenaście?

– Jestem sierotą. Nikt nie wie, kiedy się urodziłam.

Chyba nie oczekiwała współczucia, więc Cole starał się go nie okazywać.

– Pomożesz mi jutro przeżyć?

– To, czy przeżyjesz, zależy od ciebie. Ja najwyżej mogę ci załatwić parę rzeczy.

Jakiś chłopak, może z rok starszy od Cole'a, serdecznie klepnął ją w plecy.

– W końcu znalazłaś sobie narzeczonego, co? – zagadnął.

Mira zgarbiła się niezręcznie, dopóki nie zabrał ręki.

– Nie, ale za to mam już wroga.

– Fajnie – powiedział z uśmiechem. Był kilkanaście centymetrów wyższy od Cole'a, miał śniadą skórę i ciemne włosy. Wyciągnął rękę. – Jestem Jace.

Cole uścisnął podaną mu dłoń.

– A ja Cole.

– Właśnie zostałeś mianowany moim nowym najlepszym przyjacielem.

– Jak to?

– Nie ma już Skrzypka, więc jutro byłaby moja kolej na zwiady.

– Cieszę się, że mogłem pomóc.

– Jeżeli trafi ci się coś prostego, przestaniemy się kumplować. Ale jak zginiesz, będę cię kochał na wieki.

– Zjeżdżaj – powiedziała Mira. – Muszę go oprowadzić.

– Uważnie słuchaj, co ona mówi – poradził Jace. – A potem rób dokładnie odwrotnie.

Mira chciała go uderzyć, ale uskoczył.

– Chodź – powiedziała do Cole'a.

Chłopiec wyszedł za nią ze świetlicy i ruszył szerokim korytarzem. Wiele razy skręcali, mijali różne drzwi, a potem zeszli po schodach.

– Skąd jesteś? – zapytała Mira.

– Z Ziemi – odparł Cole.

– Z zewnątrz? Dawno tu przybyłeś?

– Jakiś tydzień temu.

Na jej twarzy po raz pierwszy pojawił się cień prawdziwego współczucia. Przystanęła.

– Tydzień?

– Moich przyjaciół porwali handlarze niewolników. Poszedłem za nimi, bo chciałem im pomóc.

– Przyszedłeś tu z własnej woli? – Chyba była pod wrażeniem.

– Nie miałem pojęcia, dokąd trafię. Złapali mnie. A potem kupił mnie Darny.

Lekko kiwnęła głową.

– Wiesz, co robią Łupieżcy Niebios?

– Plądrują latające zamki. Tylko tyle słyszałem.

– Zajmujemy się odzyskiem – wyjaśniła Mira. – W tych zamkach nie ma nic żywego. Tak naprawdę żywego. Tylko pozory. Niektóre są duże i groźne, niektóre wyglądają jak ludzie, ale w rzeczywistości nie są żywe. Po sprowadzeniu ich tutaj większość się rozpada. Tak samo jak dryfdyski, które wlecą na ląd. Reszta trzyma się bez problemów. Wszystkie te rzeczy nie mają właścicieli. Lecą za Wschodni Chmuromur i przepadają tam na zawsze, więc Łupieżcy Niebios zabierają, co mogą. Część kosztowności zatrzymujemy, ale większość trafia na tutejsze targowisko. Po nasze znaleziska przyjeżdżają kupcy z całych Obrzeży.

– Czy pozory bywają niebezpieczne?

Mira parsknęła.

– Tam, w zamkach, wydają się całkiem autentyczne. Niektóre zamki są puste. Inne śmiertelnie groźne. Jeżeli nic się nie przyniesie, to misja się nie liczy, więc za każdym razem koniecznie zabieraj coś na statek, choćby tylko dryfdysk.

– Dobra. Nie chciałbym zaliczyć więcej niż pięćdziesięciu misji.

– Właśnie.

Cole odchrząknął.

– Czyli jestem przynętą. Na pozory.

– Mniej więcej. Nikomu nie zależy na twoim niepowodzeniu. Zanim cię wyślą, obejrzą zamek z daleka. I jeśli to tylko możliwe, będą gotowi ci pomóc. Poza tym cię wyposażymy. – Otworzyła drzwi do pomieszczenia pełnego ubrań. – Strój ma być funkcjonalny, a nie modny. Potrzebujesz ubioru, który pozwoli ci się swobodnie poruszać, będzie miał dużo kieszeni, no i może jeszcze zapewni trochę ochrony. Na kolana i łokcie wybierz jakiś mocny materiał.

Pokój wypełniały przeróżne stroje: tuniki, kalesony, wyszywane szaty, peleryna z cekinami, średniowieczny napierśnik, turbany, prochowiec, elastyczne ponczo przezroczyste jak szkło, spódniczki z trawy, kask futbolowy, wianki, kamizelki z koralikami oraz togi. Cole przesunął palcami po skórzanej kurtce z frędzlami, którą mógłby nosić jakiś traper.

– Skąd się to wszystko wzięło?

– Masz jeden strzał.

– Z zamków? – Cole podniósł kask futbolowy. – Czy wy tu w ogóle znacie futbol?

– To jakaś gra?

Chłopiec odłożył kask z powrotem na miejsce.

– Czy zamki pochodzą z mojego świata?

– Macie na Ziemi latające zamki?

– Nie – odparł Cole. – Ale mamy sporo z tych rzeczy. Na przykład tamta koszulka reklamuje film *Medal hańby*. Nie pasuje tutaj.

– W zamkach też nic „nie pasuje" i nie jest niczyją własnością. Właśnie dlatego warto je penetrować. Nigdy nie wiadomo, na co się trafi. To może być coś wartościowego i przydatnego. Albo znajduje się śmieci. Ale wszystko można zabrać.

– Pod warunkiem że się nie zginie.

– Szybko się uczysz.

Cole podniósł napierśnik. Był cięższy, niż się spodziewał.

– Myśl przede wszystkim o szybkości – poradziła Mira. – Gdyby coś poszło nie tak, to przeżyjesz, jeżeli prędko uciekniesz.

Chłopiec odłożył zbroję. Uznał, że kask futbolowy również będzie niewygodny, ponieważ ogranicza pole widzenia. Wziął koszulkę i spodnie, które powinny na niego pasować. Przymierzył kilka par butów, zanim znalazł odpowiednie. Na koniec wziął jeszcze kurtkę z koźlej skóry, chociaż była trochę za duża.

– Gdyby coś nie pasowało, możesz wrócić i wymienić – powiedziała Mira. – Ważniejszy jest następny pokój. – Zaprowadziła go korytarzem do kolejnych drzwi. – Możesz wybrać jeden wyjątkowy przedmiot wykonany przez formistów. Obecnie kieruje nimi Darny. Nie próbuj brać więcej. Gdyby cię na tym przyłapali, miałbyś straszne kłopoty. Te przedmioty bardzo trudno zrobić, a zwykle przepadają, kiedy zwiadowca... nie wraca. Więc jeden przedmiot na zwiadowcę to wszystko, na co można sobie pozwolić. Ta zasada dotyczy prawie całej ekipy.

Pomieszczenie wypełniały broń oraz sprzęt – wszystko rozmieszczone na półkach i stojakach. Cole widział tam miecze, topory, włócznie, oszczepy, łuki, strzały, kusze, proce, maczugi, młoty bojowe, noże i gwiazdki do rzucania. Zauważył też liny, plecaki, tarcze, butelki, kompasy, lunety i przeróżne drobiazgi – od figurek po muszelki.

– Co powinienem wybrać? – zapytał.

– Coś formowanego. Wiele z tych przedmiotów ma szczególne cechy. Na przykład liny: lina kręta sama wiąże się wokół różnych rzeczy, lina wspinaczkowa może bez żadnego wsparcia stać prosto jak słup, a lina pełzająca dogoni i unieruchomi cel.

– No co ty! Serio?

– Przyzwyczaj się do niewiarygodnych rzeczy – powiedziała Mira. – W zamkach znajdziesz ich mnóstwo.

– Nie mam pojęcia o tym miejscu – przyznał Cole. – Chyba powinnaś wybrać za mnie.

– Ja zawsze brałam miecz skakania.

– Byłaś zwiadowcą?

– Nie tylko zwiadowcy mogą stąd coś brać. Na początku rzeczywiście byłam na paru zwiadach, ale potem zaczęłam wykazywać potencjał jako formistka.

– Jesteś formistką?

Uśmiechnęła się zawstydzona.

– Na razie słabą. Ale odkąd nauczyłam się paru sztuczek, nie chcą mnie poświęcać na zwiady.

– Tak jak poświęcą mnie.

– Nie myśl o tym w taki sposób – powiedziała Mira. – Musisz być zuchwały. Zuchwali żyją dłużej. Niektórzy dociągają nawet do pięćdziesiątki.

– Ja celuję od razu w setkę.

– Tak trzymaj!

– Jak działa miecz skakania?

Dziewczynka podniosła krótki miecz i wyjęła go z pochwy.

– To oczywiście broń. – Wsunęła go z powrotem, a potem odłożyła. – Kiedy wycelujesz go w jakimś kierunku i krzykniesz: „Naprzód!", pociągnie cię w tamtą stronę. I to mocno. Dzięki temu można skakać naprawdę daleko, ale trzeba uważać, bo nie ma gwarancji, że miękko wylądujesz.

– Dalekie skakanie jest ważne? – zapytał Cole.

– Ważna jest ucieczka – sprostowała Mira. – W awaryjnej sytuacji możesz wskoczyć z daleka do szalupy. Miecze skakania to specjalność Darny'ego. Wykonuje ich więcej niż innych przedmiotów. Zwiadowcy wybierają je najczęściej.

– Miecz zawsze pozwala skoczyć na tę samą odległość?

– Nie. To zależy od tego, na co wskażesz. Nie trzeba celować idealnie. Miecz sam się domyśli, o co ci chodzi. Ale są granice. Gdybyś wycelował miecz w szczyt wysokiej wieży, doleciałbyś tylko do pewnego miejsca, a potem spadłbyś i się zabił.

– Właśnie tego mi potrzeba.

Mira rzuciła mu poirytowane spojrzenie.

– To nie jest bezpieczne, ale penetrowanie zamków też nie. Miecz skakania to przedmiot potężny i przydatny.

– Jace też go używa?

Pokręciła głową.

– On ma złotą linę, która potrafi wszystko to, co pozostałe liny, i jeszcze więcej.

– Może też powinienem sobie taką wziąć?

– Nie możesz. Jest tylko ta jedna. Jace sam ją znalazł. Można zatrzymać na stałe każdą rzecz, którą się znajdzie, wybierając ją jako ten jeden wyjątkowy przedmiot.

Cole zastanowił się chwilę.

– A gdybym znalazł olbrzymi diament?

– Mógłbyś go wziąć zamiast miecza skakania albo czegoś innego. Ale ja wolałabym przeżyć, niż mieć błyszczący kamyk.

– Masz rację. Wezmę miecz skakania. – Pomyślał, że przyda mu się, kiedy będzie uciekał z Nieboportu.

– Mądry wybór. – Mira wręczyła mu miecz w pochwie. – Jesteś zmęczony?

– Aha.

– Znajdziemy jakieś jedzenie, a potem poszukamy ci miejsca do spania. Nie przeszkadzałaby ci dawna prycza Skrzypka?

Myśl o spaniu w łóżku martwego chłopaka nie zachwycała Cole'a, ale tutaj pewnie wiele łóżek należało do kogoś, kto zginął.

– Chyba nie – powiedział.

– Jest mniej zatęchła niż inne wolne. Zamieszkasz z Jace'em, Ślizgaczem i Drgawą.

Mira ruszyła przodem w kierunku schodów. Cole złapał ją za ramię. Spojrzała na niego poirytowana i trochę zaciekawiona.

– Czy zanim tam wrócimy, masz dla mnie jeszcze jakieś wskazówki?

Zastanowiła się chwilę.

– Kłopoty zwykle pojawiają się zaraz po tym, gdy postawisz nogę na terenie zamku albo kiedy wejdziesz do jakiegoś budynku. Zawsze miej plan ucieczki. Walka to ostateczność. Zwykle jest ostatnią rzeczą, którą robi się przed śmiercią.

– Czy powinienem poćwiczyć posługiwanie się mieczem?

– Możesz. Ale ja bym tego nie próbowała. Każdy skok jest niebezpieczny, więc lepiej używać tej broni tylko w razie konieczności. Miecz będzie działał dokładnie tak, jak mówiłam.

– Dobra. Dzięki.

Spojrzenie Miry złagodniało.

– Nie dziękuj mi. W porównaniu z karawaną handlarzy niewolników pewnie wydaje ci się, że dobrze cię traktujemy, ale nie martw się. Jutro przypomnisz sobie, gdzie twoje miejsce.

Rozdział

8

ŁUPIEŻCY NIEBIOS

Rozległa jaskinia w ścianie urwiska służyła jako lądowisko dla trzech dużych niebolotów. Przypominały dawne okręty pirackie zbudowane z ciemnego drewna, ale były szersze, bardziej płaskie i miały dwa skromne maszty bez żagli. Każdy niebolot wyposażono w trzy szalupy – po jednej z obu boków oraz z tyłu.

Jace zaprowadził Cole'a do niebolotu Domingo, gdzie zebrało się już kilku mężczyzn. Przez otwartą część jaskini wlewało się poranne światło. Na niebieskim niebie Cole widział wiele zamków wiszących w powietrzu.

– Dużo ich – powiedział.

– Po spokojnym dniu zwykle przychodzi taki owocny – odparł Jace. – To dobra wiadomość. Rywalizują z nami dwie inne kompanie: Szperacze Chmur i Awiatorzy. W taki dzień raczej nie będzie dużej konkurencji.

Przy trapie na pokład Dominga Cole'a przywitał mężczyzna w średnim wieku o niesfornych brązowych włosach.

– Ty jesteś Cole, nasz nowy zwiadowca – powiedział mężczyzna, wyciągając dłoń.

Chłopiec ją uścisnął.

– Tak.

– Ja jestem kapitan Pal. Miecz skakania. Mądry wybór. – Podał chłopcu sznurek z zawieszoną na nim walcowatą fiolką.

– Co to? – zapytał Cole.

– Kapsułka z trucizną – odparł kapitan. – Rozmawiali z tobą o spadaniu?

– Nie.

Kapitan Pal wskazał kciukiem niebo.

– Nie wiadomo, czy kiedykolwiek byś wylądował. Może spadałbyś tak długo, aż umarłbyś z głodu. Przez uprzejmość na wszelki wypadek dajemy tę kapsułkę.

Cole uważniej przyjrzał się fiolce.

– Góra się odkręca – wyjaśnił Jace. – Pojemnik jest hermetyczny. Trucizna śmierdzi, więc nie da się jej użyć jako broni. Tutaj ufają niewolnikom bardziej niż w innych miejscach, ale nie na tyle, żeby nas zbroić.

– Zawieś go sobie – powiedział kapitan. – Wszyscy je nosimy.

Zawieszając sznurek na szyi, Cole walczył z przerażeniem. Okropna była myśl, że od tej pory nosi przy sobie coś, co ma zakończyć jego życie.

– Tędy – rzekł kapitan i powiódł go do poobijanej skrzyni stojącej obok trapu. Spośród wielu plecaków wybrał jeden średniej wielkości. – Jeśli spadniesz, ten spadochron to twój najlepszy przyjaciel. Mocno pociągnij za sznurek, a my spróbujemy podstawić pod ciebie statek. Nieboloty nie schodzą poniżej pewnego punktu, ale jeśli pociągniesz szybko, jeszcze będzie szansa.

– Dobrze wiedzieć – opарł Cole.

Założył plecak. Jace pomógł mu zacisnąć paski na skórzanej kurtce.

– Jace będzie cię uczył – powiedział kapitan. – Słuchaj go. On wie, jak przeżyć. – Potem odszedł, żeby wydać rozkazy swoim ludziom.

– Niektórzy zwiadowcy rezygnują ze spadochronu – wyjaśnił Jace. – Nie chcą, żeby spowalniał ich dodatkowy ciężar.

– A ty go używasz?

– Zawsze. Naprawdę można spaść.

– Ile misji już wykonałeś? – zapytał Cole.

– Następna będzie trzydziesta.

– To już ponad połowa.

Jace mocno go szturchnął.

– Chcesz zapeszyć? Nigdy nie mów o tym, ile ci jeszcze zostało. Tylko o tym, co już zrobiłeś.

– Przepraszam. – Cole poczuł się skołowany. – Nie wiedziałem.

– Tobie zostało pięćdziesiąt – powiedział Jace. – Całe pięćdziesiąt. Teraz jesteśmy kwita. Przeprosiny przyjęte. Chyba już na ciebie czekają.

Wzdłuż trapu ustawiło się mniej więcej dwudziestu mężczyzn, w tym kapitan Pal. Ten ostatni dał znak Cole'owi, żeby wszedł na pokład. Kiedy chłopiec ruszył trapem, każdy kolejno uścisnął mu dłoń i podziękował za służbę. Nikt się nie uśmiechał i nie kpił. To było na poważnie. Chłopca aż ścisnęło w dołku. Ci ludzie oddawali mu ostatni hołd.

Cole wszedł na pokład jako pierwszy, a zaraz po nim Jace. Pozostali ruszyli za nimi i zajęli swoje miejsca. Jace doprowadził Cole'a do ławki na przodzie niebolotu. Chłopiec zauważył, że jest przyśrubowana.

– Już masz pietra? – zapytał Jace.

– Trochę – przyznał Cole. – Czułem się jak na pogrzebie.

– To wszystko, na co można tu liczyć. Jeśli ci się nie uda, to albo zostawią cię w zamku i popłyniesz za chmuromur, albo zostaniesz pochowany w powietrzu, czyli w tym grobie bez dna. Nigdy nie wracamy z ciałami.

– Przyjemna myśl – odparł Cole, bardzo się starając, żeby brzmiało to dziarsko.

– Przyzwyczaisz się, pod warunkiem że dożyjesz.

– Powinieneś wygłaszać mowy motywacyjne.

Jace uśmiechnął się szeroko.

Niebolot uniósł się i popłynął naprzód nie jak startujący samolot, ale jak słaby balon z helem na lekkim wietrze.

– Nieźle – skomentował Cole.

– Zazwyczaj idzie gładko – zgodził się Jace. – Sternik jest tam, z tyłu.

Cole podążył wzrokiem we wskazanym kierunku. Na podwyższonej platformie, za dużym, drewnianym kołem sterowym stał mężczyzna. Z pokładu sterczały dwie wysokie dźwignie, po jednej z każdej strony.

Kiedy Domingo wypłynął w blask wschodzącego słońca, Cole przesłonił oczy. Dzień był jasny i chłodny, a oni spokojnie sunęli przez siebie. Pewnie tak właśnie wyglądały podróże sterowcem.

– Możemy stanąć przy relingu? – spytał chłopiec.

– Jasne.

Wznosili się. Chodząc po ruchomym pokładzie, Cole czuł się trochę niepewnie, ale mogło być gorzej. Kiedy już dosięgnął ręką relingu, od razu poczuł się spokojniejszy. Na całym niebie naliczył co najmniej trzydzieści zamków. Niektóre znajdowały się wyżej niż inne, jedne były większe, inne mniejsze, ale wszystkie powoli dryfowały z zachodu na wschód.

– Co dokładnie mam robić? – zapytał.

– Spuszczą cię w szalupie – wyjaśnił Jace. – Zejdziesz po drabince. Zwykle nic się nie dzieje, dopóki nie postawisz stopy na terenie zamku. Czasem to wystarczy, żeby zaalarmować pozory. Natychmiast wtedy przybiegają. Kiedy indziej trzeba dopiero wejść do budynku albo wywołać reakcję jakoś inaczej. Niektóre zamki są puste. Wtedy mamy łatwą robotę. Twoim zadaniem jest sprawdzenie, czy warto coś zabrać i czy na miejscu czyha jakieś niebezpieczeństwo.

– A jeśli zostanę zaatakowany?

– To zwiewaj. Wracaj do szalupy. Spróbują ci pomóc, ale jej nie posadzą. Kiedy już będziesz bezpieczny, ocenią, czy warto ryzykować. Goście w szalupie mają broń. Główny statek ma dwie balisty. Widzisz? – Na pokładzie, obok relingu Cole zobaczył coś, co przypominało olbrzymią kuszę. – Zanim zejdziesz, naładują je i przygotują do strzału. Będą cię osłaniać. Wszyscy chcemy, żeby ci się udało. No i masz ze sobą miecz skakania.

– A ty wziąłeś swoją złotą linę? – spytał Cole.

– Mira ci o niej opowiedziała? – Jace wyjął złoty sznurek o długości może trzydziestu centymetrów. Zauważył zaskoczoną minę Cole'a. – Ona się wydłuża – wyjaśnił.

– Mira mówiła, że ta lina potrafi różne rzeczy.

– To prawda. Miałem farta, że ją znalazłem. Ale miecz skakania też ma swoje plusy. Znam paru gości, którzy zaliczyli z nim wszystkie pięćdziesiąt misji, w tym parę groźnych.

– Jak często bywa groźnie?

– Tak średnio? Mniej więcej w co trzeciej misji w ogóle nic się nie dzieje. Pozostałe są co najmniej irytujące. Mniej więcej po co ósmej będziesz miał koszmary. Ale nie zawsze jest tak samo. Wszystko zależy od szczęścia.

– Zdefiniuj „irytujące".

– Co ja jestem, słownik? No wiesz, wcześniej czy później będzie trzeba zwiewać, ale ze świadomością, że raczej ci się to uda.

– I to jest tylko irytujące?

– Owszem, w porównaniu z tymi najgorszymi dniami.

– Co może się wydarzyć?

Jace przeczesał włosy dłonią.

– Sporo już mam za sobą, więc wiem, że trzeba się przygotować na wszystko. Raz zamek wybuchł i skasował przy tym cały niebolot. To było jeszcze, zanim tutaj przyjechałem. Nikt nie wrócił. Paru ludzi w Nieboporcie widziało to przez teleskopy. Kiedy indziej pozory mogą chcieć porozmawiać. Niektóre są przyjazne, a przynajmniej racjonalne. Czasem potraktują cię jak gościa. Niewykluczone, że będą udawać miłe, a potem spróbują wbić ci nóż w plecy. W zamkach mogą być potwory, pułapki, pszczoły, zatruty gaz, łucznicy, kule ognia, cokolwiek. Co tylko przyjdzie ci do głowy.

Cole'a wcale nie podniosła na duchu wiedza, że może zginąć na milion różnych sposobów. Miał nadzieję, że Jace nie widzi, jak mocno ściska reling. Niebolot wciąż sunął gładko. Przyspieszył już na tyle, że wiatr rozwiewał chłopcu włosy.

– Wiesz, dokąd lecimy? – spytał Cole, spoglądając na zamki.

Ten najbliższy był w ruinie. Kolejny składał się głównie z bali i nieco przypominał rozbudowany fort na Dzikim Zachodzie.

– Tego nie wie jeszcze nawet kapitan – odparł Jace. – Obserwatorzy sprawdzają, jakie mamy perspektywy. Bardzo zniszczone zamki prawie zawsze są puste i nie ma tam nic godnego uwagi. Nie wybierzemy się do takiego, chyba że nie będzie innej możliwości. Z mrocznymi, przerażającymi zamkami mieliśmy dużo złych doświadczeń, więc też ich unikamy. Tak samo ze wszystkimi zrobionymi z metalu. To nie jest nauka ścisła. Szukają czegoś obiecującego, czyli niezbyt groźnego, w przyzwoitym stanie, najlepiej kojarzącego się z bogactwem.

– A jeśli tym samym zamkiem zainteresuje się inna kompania?

– W pierwszej kolejności zatkniesz tam flagę Łupieżców Niebios, żeby było widać, że zamek jest przez nas zajęty – wyjaśnił Jace. – Wszyscy honorujemy takie flagi. To pozwala uniknąć przemocy.

Niebolot wszedł w przechył, a potem się wyprostował.

– Chyba mamy coś na oku – powiedział Jace, spoglądając przed siebie. – Widzisz ten zamek, do którego lecimy? Przyjrzą mu się z bliska, a jeśli nadal będą dobrej myśli, spuszczą szalupę.

Po drodze minęli zamek zbudowany chyba w całości ze styropianu i taśmy izolacyjnej. Inny, również znajdujący się dość blisko, przypominał raczej naturalną formację z żółtopomarańczowego piaskowca niż coś sztucznie skonstruowanego. Kilka innych zamków, każdy w kiepskim stanie, wyglądało bardziej tradycyjnie. Jeden unosił się do góry nogami.

Szybciej, niżby chciał Cole, niebolot zatoczył szeroki łuk wokół potężnego szarego zamku – starego, lecz niezniszczonego. Wysoki mur z wieżami rozmieszczonymi w równych odległościach otaczał duży dziedziniec, na którym stało kilka mniejszych budynków. Przęsło mostu zwodzonego było podniesione. Najwyższe wieże należały do największego budynku, który chyba miał być raczej groźny niż piękny. W rogu dziedzińca Cole dostrzegł szubienicę oraz gilotynę. Na ten widok przeszły go dreszcze.

Na murach ani w wieżach nie było śladu życia, ale po dziedzińcu poruszały się jakieś postaci. Trudno było dojrzeć szczegóły, lecz istoty stąpały stanowczo i podążały w różne strony, płynnie się mijając. Nikt tam nie siedział ani nie stał w miejscu.

Domingo dwukrotnie okrążył zamek, a potem kapitan podszedł do Cole'a w towarzystwie dwóch innych mężczyzn.

– Widzimy tylko te chodzące kobiety – powiedział. – W ich zachowaniu jest coś nienaturalnego. Może to bezmyślne automaty. A może są niebezpieczne. To ty będziesz musiał to sprawdzić. Ci dwaj bracia, Jed i Eli, pokierują szalupą.

Bracia byli do siebie bardzo podobni, przy czym Eli był nieco wyższy i nieco szerszy w ramionach. Trzymał łuk, a Jed – kuszę. Obaj mieli po trzydzieści parę lat.

– Dowieziemy cię na miejsce i zabierzemy z powrotem – powiedział Eli.

– Chyba że nie – wtrącił Jace.

Jed uśmiechnął się smętnie.

– Chyba że nie. Chodź.

Zaprowadzili Cole'a na rufę niebolotu, a tam wsiedli do szalupy. Na jej burcie widniał napis: „Oki Doki". Jed przykucnął z tyłu, przy rumplu i dwóch dźwigniach. Cole usiadł obok Elego.

– Gdybyś musiał użyć miecza, pamiętaj, żeby krzyknąć – poradził Jace. – Jeżeli wypowiesz komendę: „Naprzód!" za cicho, może nie zadziałać. To tak na wszelki wypadek.

– Dobra. – Cole'a skręcało w żołądku, ręce mu drżały.

– Zgiń dzielnie – powiedział Jace.

– Zgiń dzielnie – powtórzyli kapitan oraz kilku innych.

Cole nerwowo zerknął na Elego.

– Życzenie szczęścia przynosi pecha – wyjaśnił tamten. – Zamiast tego mówimy: „Zgiń dzielnie".

– Dziękuję – odezwał się Cole do ludzi na pokładzie i nieśmiało im pomachał.

Kiedy szalupa uniosła się w powietrze, natychmiast złapał się burty. Łódka leciała znacznie szybciej niż Domingo, a do tego bardziej się chwiała.

– Przejażdżka szalupą to lepsza zabawa – powiedział Jed i roześmiał się.

Cole patrzył, jak mężczyzna steruje łodzią. Rumpel służył do skręcania, jedna dźwignia powodowała nachylenie lub uniesienie dzioba, a druga zmieniała prędkość lotu. Przy każdym ruchu szalupy chłopiec miał ciarki na plecach jak w wesołym miasteczku.

– Dowieziemy cię na środek dziedzińca – powiedział Eli. – Zejdź po drabince. Jeśli jakiś potwór wyskoczy z ukrycia, gdy tylko postawisz nogę na ziemi, natychmiast wracaj na drabinkę i od razu odlecimy. Jeśli nie, to zawiśniemy w miejscu, wypatrując kłopotów. Gdybyś nas potrzebował, będziemy gotowi ruszyć z pomocą. Zrozumiano?

Cole patrzył na zbliżający się zamek. Miał sucho w ustach.

– Tak.

– Nigdy nie wiadomo – dodał Eli. – Może w ogóle nie będzie problemów.

– Zamek jest w dobrym stanie – powiedział Jed.

– Właśnie – zgodził się jego brat.

– I do tego duży. I widać pozory.

– Trzeba być optymistą.

Jed wzruszył ramionami.

Kiedy szalupa przefrunęła nad murem zewnętrznym, Eli wychylił się za burtę.

– Tłoczno, tłoczno.

Drzwi po bokach dziedzińca otwierały się i zamykały. Starsze kobiety wchodziły, wychodziły, przecinały podwórze. Miały na sobie proste sukienki i chusty.

Łódka zwolniła i zawisła w powietrzu.

Dziesiątki kobiet kroczyły tam i z powrotem. O żadnej nie powiedziałoby się już, że jest w średnim wieku, ale nie było wśród nich również pokrzywionych ze starości. Niektóre chodziły z pustymi rękami, inne trzymały wiadra albo miotły. Nic nie mówiły, nie patrzyły na siebie nawzajem, twarze miały bez wyrazu.

– I co myślisz? – zapytał brata Jed.

– Poobserwujmy je – odparł Eli.

Chociaż kobiety bez przerwy wchodziły i wychodziły, na dziedzińcu stale było ich około czterdziestu. Żadna nie podniosła wzroku na szalupę.

– Co o tym sądzisz, Cole? – spytał Eli.

– Upiorne.

– Nie da się ukryć. Zobaczymy, czy to je ożywi.

Wyrzucił za burtę drabinkę sznurową. Rozwinęła się i zadyndała kilkadziesiąt centymetrów nad ziemią.

Kobiety nie zwróciły na nią uwagi.

– Wydają się niezbyt czujne – stwierdził Eli. – Może nie ma tu żadnego drapieżnika. Byłyby łatwą zwierzyną.

– Może to one są drapieżnikami – odparł Jed. – Nigdy nie wiadomo.

– Tylko w jeden sposób możemy się o tym przekonać – rzekł Eli i poklepał Cole'a po ramieniu. – Gotów?

Cole nie czuł się gotów nawet w najmniejszym stopniu. Serce mu łomotało, a skóra była lepka od potu. Zdołał skinąć głową, przełożył nogę za burtę i ruszył w dół po lichej drabince.

Rozdział

9

ZWIADOWCA

Drabinka kołysała się i skręcała. Cole schodził szczebel po szczeblu. Źle mu to szło, bo w ręku trzymał flagę. Kilka szczebli nad ziemią zatrzymał się, żeby pooglądać kobiety. Nie były co prawda identyczne, ale bardzo do siebie podobne – szarawa cera, nijaki wyraz twarzy, zmarszczki, koścista figura, średni wzrost, włosy związane w kok, wyblakłe sukienki, ciemne chusty.

Cole nie widział żadnych różnic między nimi a prawdziwymi ludźmi. Tylko ta ich obojętność zwracała uwagę. Nie patrzyły w jego stronę. Nie zatrzymywały się. Nie uśmiechały. Każda żwawo szła przed siebie, zajęta własnymi sprawami.

Chłopiec stanął na ostatnim szczeblu. Ostrzegano go już parę razy, że kłopoty zwykle zaczynają się wraz z wejściem na teren zamku. Może to już ten moment? Może nie wróci? Nikt się nie dowie, co go spotkało – ani rodzice, ani przyjaciele. Zastanawiał się, czy Jenna i Dalton wierzą, że po nich przyjdzie. Czy wybaczą mu, jeśli się nie pojawi. Gdziekolwiek teraz byli, miał nadzieję, że nikt nie wysyła ich na niebezpieczne misje w roli przynęty na potwory.

Odetchnął głęboko i sprawdził miecz przy pasie. Trzymając się jedną ręką drabinki, zszedł na bruk dziedzińca.

Wszystkie kobiety natychmiast się zatrzymały. Obróciły się z budzącą grozę synchronizacją i spojrzały wprost na niego.

Cole'owi ciarki przebiegły po plecach. Patrzył sparaliżowany śmiertelnym przerażeniem.

Chwila przeciągała się w nieskończoność. Chciał wbiec z powrotem po drabince, ale instynkt ostrzegał go, że gdy tylko drgnie, kobiety natychmiast na niego ruszą. Wstrzymał oddech.

Jedna z kobiet poczłapała w jego stronę. Kroki niosły się głośnym echem po cichym dziedzińcu. Kilka razy nerwowo obejrzała się przez ramię. Pozostałe stały nieruchomo, świdrując Cole'a poważnym wzrokiem. Zdjęła chustę, a gdy już podeszła, owinęła ją wokół ramion chłopca i zapięła mu klamrę pod szyją.

Pozostałe jak na niewidzialny sygnał odwróciły się i znów ruszyły swoim rytmem. Jeszcze przed chwilą całą uwagę skupiały na Cole'u, a teraz zupełnie o nim zapomniały.

Przypomniał sobie o fladze, którą trzymał w ręku, więc postawił ją na ziemi. Stanęła prosto, mimo że brakowało jej podstawy.

Kobieta bez chusty wyciągnęła do niego dłoń.

– Tędy – przynagliła. – Mamy mało czasu.

– Dlaczego? – spytał.

– Nie tutaj – odparła, rozglądając się nerwowo po okolicy. – Wewnątrz.

Jej niepokój wydawał się przekonujący. Podobno wcale nie żyła, ale w jej wyglądzie i zachowaniu nie było nic fałszywego. Decydowały o tym szczegóły – zaczerwienienie w kącikach oczu, lśniąca warstewka potu na czole, luźna skóra na szyi, plamki na skórze dłoni, postrzępione paznokcie.

Cole wziął ją za rękę i pozwolił się prowadzić. Drugą ręką objęła go opiekuńczo. Kobiety mijały ich po obu stronach. Zajęte własnymi sprawami nie zdradzały choćby cienia zainteresowania tym, co dzieje się wkoło. Ale przecież musiały być świadome. Zatrzymały się, gdy tylko Cole zszedł z drabinki.

Tamta szła przed siebie pospiesznie ze spuszczoną głową. Chyba nie zamierzała zrobić mu krzywdy. Raczej chciała wręcz pomóc. Cole pozostawał jednak czujny, na wypadek gdyby zwróciła się przeciwko niemu.

Zauważył skamieliny osadzone w bruku – głównie liście, owady i ryby. Kiedy zbliżyli się do zamku, podobne dostrzegł w murze.

Zaprowadziła go do bocznych drzwi głównej budowli. Znaleźli się na korytarzu. Po drodze minęli się z inną kobietą.

– Jak się pani nazywa? – spytał cicho Cole.

– Jeszcze nie teraz – odparła, ściskając mocniej jego dłoń. Ruszyli naprzód, a potem weszli do jakiegoś składziku. Puściła go i zamknęła drzwi. – Merva.

– Ja jestem Cole. Co się tu dzieje?

– Nie mamy czasu. On na mnie czeka. Nie możemy zaburzyć rutyny. Trzeba go wyczyścić. Musisz iść ze mną.

– Co na panią czeka? Dokąd mam iść?

Znów chwyciła go za rękę.

– Trzymaj się blisko mnie. Poruszaj się tak jak ja. Najlepiej to nic nie mów.

Ani drgnął.

– Zaraz. Musi mi pani powiedzieć, co się dzieje.

Ścisnęła go mocniej. Jej twarz była pełna bólu.

– Nie ma czasu. On wszystkich nas zabije!

Cole pozwolił się wyprowadzić ze składziku. Merva przyspieszyła kroku. Minęli kilka innych kobiet w sukienkach i chustach.

Wszystko działo się za szybko. Cole nie miał pojęcia, dokąd idą ani co ich tam czeka. Zupełnie stracił kontrolę nad sytuacją. Kiedy wyszli z pomieszczenia, rozpacz Mervy zniknęła, ale wspomnienie jej strachu jeszcze bardziej go niepokoiło. Na razie nie zostali zaatakowani. Może rzeczywiście wiedziała, co robi.

Spróbował rozglądać się za kosztownościami. Korytarze były niemal puste, a meble bardzo proste.

Ruszyli w dół po mrocznych, krętych schodach. Mijali kobiety, które w ogóle nie zwracały na nich uwagi.

Stopnie doprowadziły ich do długiej, przepastnej komnaty przypominającej stację metra. Wypełniała ją jedna istota – koszmarna krzyżówka wija ze skorpionem. Potwór, zamknięty w lśniącym czarnym pancerzu, był rozmiarów pociągu. Miał pięć par szczypiec, a każde były większe od furgonetki. Długie cielsko, złożone z wielu segmentów, podpierały setki nóg. W stronę sufitu wyginał się monstrualny ogon zakończony groźnie wyglądającym żądłem.

Każdy segment ciała oplatały grube łańcuchy przykute do pierścieni w podłodze. Wszędzie krzątały się kobiety, czyściły istotę szmatami, mopami, miotłami, dłutami i gąbkami.

Rozmiary bestii wprawiły Cole'a w osłupienie. Zabiegane kobiety wyglądały przy niej jak insekty. Nic dziwnego, że Merva bała się zdenerwować stwora.

Zrozumiał, że sytuacja go przerasta. Żeby przeżyć, chyba powinien postępować zgodnie ze wskazówkami. Kobieta najwyraźniej sądziła, że potrafi nie rozgniewać monstrum. Na widok gigantycznego skorpionoga w pierwszej chwili się zawahał, ale potem trzymał się blisko Mervy. Dokładnie naśladował jej tempo i sposób chodzenia. Już się nie spieszyła. Cole usiłował oddychać cicho.

Zaprowadziła go do ściany i wzięła stamtąd duży żelazny łom. Cole sięgnął po kolejny, ale odgoniła go i pokazała na swój. Najwidoczniej mieli się podzielić narzędziem.

Ruszyli wzdłuż cielska potwora. Każdy segment miał kilka kroków długości i był trzy razy wyższy od Cole'a. Merva zatrzymała się w miejscu, w którym jedna część pancerza nachodziła na kolejną, i zaczęła drążyć w szparze. Spojrzeniem poprosiła chłopca, żeby jej pomógł. Oparł dłonie na łomie i razem zaczęli odłupywać jakąś substancję z gładkiej powierzchni pancerza.

Po ciele skorpionoga przebiegł dreszcz, aż niektóre łańcuchy zabrzęczały. Najbliższe szczypce parokrotnie otworzyły się i zamknęły. Kilka kobiet na chwilę odskoczyło.

Merva głębiej wciskała łom między segmenty i mocniej skrobała. Chłopiec pomagał naciskać, podważać i ciągnąć.

Skorpionóg się zatrząsł. Cole'owi łom mocno zadrżał w rękach. Potem rozległ się skrzekliwy ryk, jednocześnie wysoki i niski. Przenikliwy dźwięk wibrował w zębach i kościach.

W komnacie zapadła cisza. Wszystkie kobiety z wyjątkiem Mervy jak na komendę upuściły narzędzia. Szczotki, osęki, drągi, mopy i miotły ze stukotem spadły na ziemię. Kobiety jednocześnie obróciły się i wbiły wzrok w Mervę.

Krew odpłynęła jej z twarzy. Zsunęła dłonie Cole'a z łomu.

– On wie – wymamrotała. Spojrzała na chustę, którą miał na sobie chłopiec, a potem na pozostałe kobiety. Nagle Cole zrozumiał, że wszystkie patrzą na Mervę, ponieważ ona nie ma chusty. Jej twarz stężała, a głos stał się monotonny. – Wie, że próbowałam cię ukryć. Możesz już tylko uciekać.

Kiedy Cole odszedł krok od skorpionoga, bestia dźwignęła odwłok i zaczęła się szarpać. Mocne łańcuchy pękały niczym nitki. Stwór roztrącił kilka kobiet, ale pozostałe się nie rozbiegły. Stały nieruchomo i patrzyły na Mervę.

Cole obejrzał się przez ramię. Zobaczył, jak ogon opada, a żądło przebija Mervę na wylot. Zahamował z poślizgiem. Żądło wysunęło się, po czym z bezlitosną precyzją dźgnęło następną kobietę. Merva z nieobecnym wzrokiem jeszcze przez chwilę trzymała się na nogach, a potem upadła.

Chłopiec przeraził się, ale nie mógł jej już pomóc. Jeżeli prędko nie ucieknie, będzie następny. Złożone z segmentów cielsko stwora wiło się i gięło, a olbrzymie szczypce zaciskały się na kolejnych kobietach. Żadna nie krzyknęła i nie próbowała uciec.

Cole skupił wzrok na schodach i wyszarpnął miecz. Konwulsje skorpionoga wprawiały podłogę w drżenie. Jęczały ściany zamku. Lada moment cała budowla mogła zawalić mu się na głowę, o ile wcześniej nie przekłuje go żądło. Chłopiec skierował miecz w stronę podstawy schodów i krzyknął:

– Naprzód!

Miecz oderwał go od ziemi. Cole, mocno ściskając rękojeść, pomknął przed siebie niskim łukiem, nie więcej niż metr nad ziemią. Kiedy cel już się zbliżał, chłopiec pojął, że zaraz roztrzaska się o kamienne stopnie. W ostatniej chwili miecz zwolnił jednak na tyle, że Cole, zamiast uderzyć o nie z miażdżącą siłą, prawie utrzymał się na nogach. Lądując, trochę się potłukł, ale przynajmniej nie zabił.

Skorpionóg znowu wydał z siebie skrzekoryk. Cole, gnany przerażeniem, podniósł się i popędził po schodach. Kiedy próbował nie upaść, otarł sobie rękę, mocno stłukł ramię i kolano, ale na razie nie miał czasu myśleć o bólu.

Schody wydawały się dłuższe niż poprzednio. Mięśnie ud paliły go z wysiłku. Stopnie zadudniły, a potem zadrżały. Cole słyszał spadające kamienie.

Rozważał, czy nie użyć miecza, żeby przyspieszyć wspinaczkę, ale na krętych schodach nie mógł wycelować zbyt daleko, a krótkie skoki nie były warte ryzyka upadku. Kiedy dotarł na szczyt, próbował odtworzyć w myślach drogę na dziedziniec. Wszystkie ciemne korytarze wyglądały identycznie i wkrótce pojął, że się zgubił. Nadal pędził ile sił w nogach. Miał nadzieję, że przynajmniej nie biega w kółko. Zamek wciąż dygotał, wstrząsany złowrogim drżeniem fundamentów.

Wreszcie Cole zobaczył drzwi na końcu korytarza. Wyglądały obiecująco. Co prawda to nie tędy wszedł, ale jednak wyprowadziły go na dziedziniec. Po przeciwległej stronie wciąż wisiała w powietrzu szalupa ze spuszczoną drabinką.

– Ratunku! – wrzasnął rozpędzony chłopiec.

Łódka zakręciła i ruszyła w jego stronę.

Cole zastanawiał się, czy nie użyć miecza, ale musiałby przeskoczyć prawie cały dziedziniec. Nie wiedział, czy broń pociągnie go aż tak daleko, a nawet jeśli tak, to mógłby nie chwycić się drabinki. Dlatego pobiegł, trzymając oręż w pogotowiu.

Szalupa była już coraz bliżej. Nagle między nią a Cole'em wystrzelił spod ziemi olbrzymi skorpionóg. Lśniące czarne cielsko wyprostowało się ku niebu niczym bajkowa łodyga fasoli, liczne szczypce wyciągały się ku małej łódce. Wielkie kamienne bloki posypały się na wszystkie strony jak konfetti i z grzmotem spadały na ziemię. Cole uskoczył przed sporą bryłą, ale ziemia drżała tak bardzo, że upadł na kolana.

Przez moment korpus bestii całkowicie przesłonił szalupę. W powietrzu wisiał ziarnisty pył. Cole'a ogłuszył kolejny skrzekoryk. Kiedy chłopiec znowu dostrzegł łódkę, właśnie odlatywała od zamku. Przebyła mur i znalazła się daleko poza zasięgiem skoku z użyciem miecza.

Nie miał jak wrócić.

Przytłoczyło go poczucie klęski i osamotnienia.

Jego los był przesądzony.

Niebotyczny skorpionóg obrócił się, a potem wygiął w stronę Cole'a. Niezbyt duży otwór gębowy otwierał się i zamykał, poruszały się łakome żuwaczki. Cielsko potwora nadal wynurzało się z otworu. Na samym końcu miał się wyłonić ogon z potwornym żądłem.

Wysoko z góry spadła strzała wielkości oszczepu. Odbiła się od lśniącego pancerza, nie czyniąc bestii żadnej krzywdy. Atak nie zranił skorpionoga, ale bestia odwróciła się z zainteresowaniem.

Olbrzymia strzała musiała pochodzić z balisty na pokładzie Dominga. Tamci wciąż próbowali pomóc Cole'owi!

Chłopiec podźwignął się na nogi. Może szalupa jeszcze zawróci. Musiał zyskać więcej czasu. Nikt go nie uratuje, jeśli zostanie rozgnieciony na papkę przez pięćdziesiąt ton ohydy.

Jedyna nadzieja w mieczu skakania. Cole rozejrzał się po dziedzińcu. Zauważył balkony sterczące z dwóch najwyższych wież zamku.

Skorpionóg z kolejnym rozdzierającym skrzekiem znów odwrócił się w jego stronę. Chłopiec wycelował miecz w kierunku krzaków, które rosły u stóp jednej z wież, i krzyknął:

– Naprzód!

Tym razem spróbował skoczyć dalej niż poprzednio. Gdy miecz go pociągnął, przyspieszenie zaparło mu dech w piersiach. Cole gnał nad ziemią z taką prędkością, że otarcia byłyby śmiertelne, ale i tym razem pod koniec nieco zwolnił. Wylądował na ziemi i z rozpędu wpadł na krzak.

Kiedy się zatrzymał, zrozumiał, że nic mu nie jest. Trzaskały gałązki i szeleściły liście, gdy wygrzebywał się z zarośli. W porę stanął na nogi, żeby zobaczyć, jak ogon skorpionoga wysuwa się z dziury w ziemi, a potem unosi w powietrze z żądłem gotowym do ciosu. Bestia pełzła w jego stronę.

Cole wycelował miecz w balkon wysoko nad głową. Wiedział, że jeśli nie doskoczy, upadek z pewnością go zabije.

– Naprzód!

Do tej pory zawsze skakał nisko. Tym razem poczuł się jak superbohater, który wzbija się w powietrze. Pruł wzwyż, owiewany pędem powietrza. Zorientował się, że miecz nadaje prędkość całemu ciału. Gdyby musiał utrzymać w ręku przedmiot, który tak gwałtownie przyspiesza, na pewno nie dałby rady.

Do balkonu dotarł w szczytowym punkcie skoku, więc mógł tam łagodnie wylądować. Takie miękkie lądowanie było miłą odmianą po dotychczasowym szuraniu po ziemi.

Żądło na końcu ogona uniosło się powyżej balkonu, a następnie pomknęło naprzód i zrobiło dziurę w ścianie może metr od Cole'a. Chłopiec padł na płask. Na głowę posypały mu się kawałki roztrzaskanego kamienia. Żądło się cofnęło, by po chwili wystrzelić spod dna balkonu. Tym razem zabrakło zaledwie kilkunastu centymetrów. Balkon zatrząsł się i przeraźliwie zatrzeszczał. Co prawda skorpionóg uderzał na oślep, ale jeszcze chwila i mógł dopiąć swego.

Cole wstał, skierował miecz w stronę sąsiedniej wieży, wyskoczył w powietrze i krzyknął:

– Naprzód!

Szybując w przestrzeni, czuł się jak w kolejce górskiej. Wzniósł się na następny balkon, gdzie znów wylądował łagodnie w najwyższym punkcie lotu.

W dole skorpionóg wydał z siebie kolejny skrzekoryk, wymachując ogonem. Cole znalazł się poza jego zasięgiem. Rozglądał się za szalupą, ale nigdzie jej nie widział. Tymczasem bestia zaczęła się piąć wprost po ścianie wieży.

Chłopiec wycelował miecz w jeszcze wyżej położony balkon, wypowiedział komendę i skoczył. Również tym razem miękko wylądował. Spojrzał w dół. Monstrum wspinało się szybko.

Nie było czasu na obmyślenie porządnej strategii, ale w głowie Cole'a zrodził się pobieżny plan. Postanowił dotrzeć na sam szczyt. Wtedy albo okaże się, że szalupa jest w jego zasięgu i będzie mógł na nią wskoczyć, albo znajdzie się w potrzasku, uwięziony przez skorpionoga.

Gdyby teraz przeskoczył na sąsiednią wieżę, to potem wróciłby znowu na tę, na którą piął się potwór. Znajdowała się najbliżej skraju zamku, więc Jed mógłby skierować tam szalupę prawie bez ryzyka.

Cole wyprostował ramię z mieczem, przeskoczył na płaski dach sąsiedniej wieży i wylądował w przysiadzie. Otaczały go blanki przypominające stępione zęby. Gorączkowo rozejrzał się na wszystkie strony. Domingo wisiał wysoko w górze. W oddali unosiły się inne zamki.

Kiedy zobaczył szalupę, serce mu stanęło.

Zakręcała w jego stronę, ale była za daleko i zdecydowanie zbyt nisko. Jed i Eli chyba dopiero przed chwilą dostrzegli, że Cole wspina się po wieżach. Żeby zyskać na czasie, postanowił przeskoczyć na sąsiedni dach, zanim skorpionóg dotrze na szczyt. Właśnie unosił miecz, kiedy ogon stwora przesłonił mu drogę.

Cole się zawahał. Bestia pięła się na wieżę, więc gdyby skoczył, byłby całkiem odsłonięty. Żądło przebiłoby go na wylot. Ponad blankami wyłoniła się tymczasem głowa skorpionoga. Stwór gniótł mury pod sobą i nachylał się w stronę chłopca. Coraz większą częścią cielska właził na dach wieży, która drżała pod jego ciężarem. Cole już wiedział, że szalupa nie znajdzie się w porę w zasięgu skoku.

Ale jeśli będzie zwlekał, to zginie.

Zaczął uciekać przed skorpionogiem. Uniósł miecz, wycelował go w niebo poza krawędzią wieży i krzyknął:

– Naprzód!

Wyskoczył z całej siły. Był to jak dotąd najdalszy sus, prawdziwa próba możliwości miecza. Usłyszał za sobą, jak potwór wali ogonem w zamek, a potem wściekle ryczy.

Ciągle się wznosił. Przeleciał nad murem i znalazł się daleko poza krawędzią chmury. Kiedy stracił pęd i zaczął spadać, miał pod sobą jedynie niekończące się niebo tonące w bezkresnej, sinej głębi. Wokół niego furkotała chusta spięta tylko klamrą przy szyi. Przez chwilę w panice gmerał rozpaczliwie w poszukiwaniu linki spadochronu. Kiedy ją pociągnął, leciał już prawie pionowo w dół. Spadochron otworzył się i szarpnął go do góry, wyhamowując prędkość spadania.

Kiedy Cole zwolnił, chusta owinęła mu się wokół głowy. Ściągnął ją i przytrzymał pod pachą. Serce wciąż mu łomotało. Pod nogami ziała pustka tak niesamowita, że aż przeszły go ciarki. Z tyłu nad nim dał się znowu słyszeć ryk skorpionoga. Nawet z tej odległości dźwięk był bardzo głośny.

– Mamy cię! – zawołał jakiś głos z dołu i nieco z boku.

Pod Cole'em pojawiła się szalupa. Opadała razem z nim, żeby mógł w niej łagodnie wylądować. Eli przytrzymał go, posadził, a potem zaczął bardzo umiejętnie składać oklapły już spadochron.

Oki Doki piął się w górę, a Cole milczał oszołomiony. Kiedy skoczył, liczył na to, że go dogonią, zanim spadnie poza zasięg łodzi. I dogonili. Udało się.

Nie mógł uwierzyć, że żyje. Do śmierci brakowało tak niewiele. Jeszcze przed chwilą myślał, że tylko odwleka nieuniknione. A teraz znowu był bezpieczny.

Eli i Jed nic nie mówili, więc i on się nie odzywał. Wznieśli się ponad pokład Dominga i wylądowali na rufie.

– Niezły wyczyn – odezwał się na powitanie kapitan Pal, kiedy Cole wygramolił się z szalupy.

Chłopiec spróbował się uśmiechnąć.

– Myślałem, że już po mnie – powiedział.

Jace podszedł i mocno go uściskał.

– Od tej pory oficjalnie jesteś moim najlepszym przyjacielem.

– To był ten trudny przypadek? – spytał Cole z nadzieją w głosie.

– Koszmarny. Nie powinieneś był tego przeżyć.

– No to jedna misja za mną. – Cole'owi wciąż drżał głos.

– Noooo, nie wiem – odparł Jace. – Żeby się liczyło, trzeba coś ze sobą zabrać.

Cole zamilkł na chwilę, a potem zaśmiał się pod nosem.

– Zupełnie o tym zapomniałem.

– Co tu masz? – zapytał go kapitan.

– To musi być coś wartościowego – przypomniał Jace z wahaniem. – Coś, co moglibyśmy wziąć celowo.

Kapitan wziął od Cole'a chustę, rozpostarł ją i uniósł.

– Zwykle potrzebujemy czegoś więcej, ale masz za sobą okropną pierwszą wyprawę. – Obejrzał materiał nieco uważniej. – Jest w dobrym stanie. I może ma jakieś przydatne właściwości: kiedy ją włożyłeś, pozostałe pozory przestały zwracać na ciebie uwagę. W najgorszym razie znam pewną kobietę, która będzie wdzięczna, jeśli ją dostanie. Oczywiście jak na jeden szal to zadaliśmy sobie sporo trudu, ale zaliczymy ci tę misję.

Cole odetchnął z ulgą.

– Niezła robota, nowy – powiedział Jace z drwiącym uśmiechem. – Jeszcze tylko czterdzieści dziewięć!

Rozdział

10

GWIAŹDZISTA NOC

Spadająca gwiazda z długim ogonem, rozpalona kula białozłotego żaru, przecięła niebo na ukos. Błysnęła tak jasno, że aż na ziemi mignęły cienie. Cole musiał zmrużyć oczy. Potem skurczyła się do bladej iskierki i wreszcie znikła, zanim dosięgła horyzontu.

Chłopiec dopiero po chwili znowu przywykł do ciemności i mógł dalej podziwiać nocne niebo. Kilka gwiazd świeciło jaśniej niż te nad Arizoną. Miały też więcej różnych kolorów, zwłaszcza odcieni czerwieni i błękitu. Cole dostrzegał spiralne smugi dalekich galaktyk oraz lśniące chmury, które mogły być albo mgławicami, albo skupiskami odległych gwiazd.

Najdziwniejszy ze wszystkiego był wschodzący księżyc. Zupełnie nie przypominał tego w domu. Był mniejszy, bardziej niebieski i trochę przezroczysty. Wyglądał jak lśniąca kula lodu. Cole zastanawiał się, dlaczego wcześniej nie dostrzegł różnicy.

– Nie powinieneś wychodzić po zmroku bez przyczyny – rozległ się za jego plecami jakiś głos.

Chłopiec obejrzał się za siebie. W jego stronę przez ganek na tyłach budynku szła Mira.

– Mam blisko do drzwi. Poza tym wokół terenu jest mur – odparł.

– Po zmroku nawet podwórze bywa niebezpieczne.

– Musiałem trochę pobyć sam.

– W jaskiniach jest sporo spokojnych miejsc.

– Ale nie ma gwiazd.

Mira stanęła obok Cole'a, który siedział na schodkach ganku.

– To prawda. – Spojrzała na ciemne złomowisko.

Chociaż Cole chciał spędzić trochę czasu w samotności, to teraz stwierdził, że cieszy się z jej towarzystwa. Nie rozmawiał z Mirą, odkąd poprzedniego wieczoru pomogła mu wybrać sprzęt.

– Właśnie widziałem spadającą gwiazdę – powiedział. – Bardzo jasną.

– Mamy piękne niebo – rzekła dziewczynka melancholijnie.

– Jest całkiem inne niż na Ziemi.

– Ludzie z zewnątrz zawsze o tym mówią. Przynajmniej ci spostrzegawczy.

– Księżyc wygląda zupełnie inaczej.

Mira lekko się uśmiechnęła.

– To nie jest ten główny. To Naori, Księżyc Dreszczy. Pojawia się tylko czasami.

– To by miało sens – odparł Cole. – Chyba któryś z tych pojawiających się częściej bardziej przypomina nasz.

– Przez Naori częściowo przebija światło, więc zawsze jest w pełni. W Necronum to bardzo ważne.

– Ile macie księżyców?

– Co najmniej dwadzieścia.

– Zdarza się, że wschodzą wszystkie razem?

– Nigdy nie widziałam naraz więcej niż pięciu. Czasami nie ma ani jednego.

Cole znowu spojrzał w skrzące się niebo.

– Musicie mieć strasznie skomplikowany kalendarz.

– Dokładne kalendarze w ogóle nie istnieją. Jeśli chodzi o księżyce i gwiazdy, nie ma żadnych prawidłowości. Nigdy nie wiadomo, jakie będzie niebo. Rok ma zwykle około trzystu pięćdziesięciu dni, ale pory roku są nieregularne. Lato może trwać dwieście dni, potem jesień dwanaście, zima czterdzieści, wiosna dwieście, następne lato dwadzieścia i tak dalej, bez żadnego porządku. Dni też są nierówne. Liczymy godziny, ale tylko po to, żeby wiedzieć, ile czasu minęło od wschodu słońca. Pierwsza godzina, druga godzina i tak dalej. A potem od zachodu liczymy od nowa. Większość dni i nocy ma po dwanaście godzin. Niespodziewanie mogą trwać tylko cztery albo aż trzydzieści, ale takie skrajności nie zdarzają się często.

– O kurczę – stęknął Cole. – Macie kilka słońc?

– Prawie zawsze tylko jedno. Zazwyczaj wschodzi na wschodzie, a zachodzi na zachodzie, chociaż czasem mamy dni brzasku. Wtedy wydaje się, że słońce wschodzi ze wszystkich stron, ale w końcu wcale się nie pojawia.

– Widziałem już coś takiego.

– Rzeczywiście, dzień brzasku był niedawno.

Cole rozejrzał się po złomowisku pełnym przedziwnych, ciemnych kształtów, małych i dużych. Odróżniał między innymi posągi, drzewa w doniczkach, klatki, wiklinowe kosze, meble ogrodowe, zwinięte łańcuchy, szafę grającą, kajak, starodawny rower z wielkim przednim kołem, a także zatrzęsienie dużych i małych szop, w których zapewne mieściły się delikatniejsze skarby. Wszędzie panował spokój. Noc była chłodna. Drzwi Nieboportu znajdowały się zaledwie kilka kroków dalej. Trudno uwierzyć, żeby mogło tu mu grozić jakieś niebezpieczeństwo.

– Nie powinieneś się tu chować – rzekła Mira. – Wszyscy gadają o twojej ucieczce przed wijem. Korzystaj z tego.

– Przed skorpionogiem – poprawił ją Cole. – W każdym razie tak o nim myślałem. Pół wij o wielu nogach, pół skorpion. Miał kleszcze.

– Niech będzie. Chodź, ciesz się tym zainteresowaniem. Ci ludzie widzieli już wszystko, niełatwo im zaimponować, zwłaszcza na pierwszej misji.

– Powinienem już nie żyć – powiedział Cole. Nagle ścisnęło go w gardle. – Ta kobieta... mnie ochroniła. Skorpionóg... – Nie umiał nad sobą zapanować i mówić dalej, więc zamilkł.

– Jeden z pozorów? – spytała Mira.

Cole kiwnął głową, bo bał się odezwać. Mira przykucnęła obok niego i położyła mu dłoń na ramieniu.

– Bardzo to przeżyłeś, ale nie poddawaj się takim myślom. Nie była prawdziwa. Ani ona, ani te pozostałe. To marionetki. Groźne, realistyczne, ale tylko marionetki.

– Dała mi swoją chustę, żeby mnie ukryć. Słuchaj, ona była jak prawdziwa. Niczym się nie różniła.

– Czasem tak bywa. To iluzja. Pozory istnieją tylko chwilowo. Gdybyś ją tu sprowadził, rozsypałyby się w pył. Tylko te najprostsze mają szansę przetrwać poza swoim zamkiem. Ta kobieta nie zginęła. Ona nigdy nie żyła. Za dzień lub dwa i tak czekałaby ją nicość, kiedy zamek zniknie w chmuromurze.

Cole wpatrywał się w swoje dłonie. Dręczyły go wyrzuty sumienia, ale wyjaśnienie Miry trochę go uspokoiło.

– Jedna misja za mną.

– Całe szczęście, że ta druga okazała się bardziej owocna.

Cole uśmiechnął się w reakcji na tę grę słów. Jego kolega z sali sypialnej, chłopak o przezwisku Drgawa, był dziś na zwiadzie z innym statkiem Łupieżców Niebios, Pożyczalskim. Znaleźli coś w rodzaju osiedla dużych, fantazyjnych altan. Wykonane były z delikatnego, zdobionego drewna, ale łupieżców najbardziej interesowały rozległe ogrody, a zwłaszcza drzewa owocowe. Na sygnał z Pożyczalskiego do zbiorów dołączył również Domingo.

Jedynymi przeszkodami okazały się gigantyczne mięsożerne chwasty. Ponieważ się nie przemieszczały, łatwo ich było uniknąć, gdy już się wiedziało, na co uważać. Oba statki spędziły cały dzień na załadunku najróżniejszych owoców. Część była Cole'owi znana: pomarańcze, cytryny, banany, śliwki, morele, gruszki i kiwi. Inne wyglądały obco – miały parzące wąsy albo grubą skórkę i rosły w kiściach jak winogrona, jeszcze inne trzeba było wyłupywać z pni drzew niczym guzy.

– Przywieźliśmy dużo jedzenia – stwierdził Cole.

– My tu nigdy nie głodujemy. Część pożywienia pochodzi z zamków. A poza tym handlarze stają na głowie, żeby dostarczać nam różne dobra. Wiedzą, że zapłacimy lub zaoferujemy coś na wymianę.

Cole rozejrzał się dokoła.

– Okolica nie wygląda groźnie.

Mira wzruszyła ramionami.

– Wewnątrz murów złomowiska jest bezpieczniej niż na zewnątrz. Ale to, że nie zginiesz dzisiaj, nie oznacza jeszcze, że coś nie dopadnie cię jutro. Nocą urwiskiem wspinają się różne rzeczy. Jaskinie szczelnie zamykamy. Znamy trochę sztuczek, żeby nocne poczwary nie zbliżały się do Nieboportu, ale bywa tu bardzo niebezpiecznie. Zniknęło już wielu ludzi, którzy nocą zapuścili się nad Skraj.

Po jej słowach Cole poczuł się mniej pewnie. Ciemne zakamarki nagle stały się podejrzane. Czyżby jedna z rzeźb właśnie się poruszyła?

– Może wejdziemy do środka – zasugerował, wstając.

– Ty już idź – odparła Mira. Wyszła na podwórko z głową wzniesioną ku niebu. – Ja muszę się chwilę odprężyć po... – Zamarła i nie dokończyła.

– Po czym? Mira?

Dziewczynka spojrzała na Cole'a i przez moment zobaczył w jej oczach dziką panikę.

– Nic ci nie jest? – spytał, rozglądając się za jakimś niebezpieczeństwem.

Widział tylko gwiazdy. Co mu umknęło?

– Wszystko dobrze – odparła Mira z wymuszonym uśmiechem. – Po prostu... przypomniałam sobie, że muszę coś zrobić. Coś ważnego. Wejdę z tobą.

– Na pewno? Przez moment miałaś taką minę, jakbyś zobaczyła ducha.

Dziewczynka uśmiechnęła się blado.

– Takie jest życie niewolnika. Zapomniałam o jednym takim zadaniu. Muszę się tym zająć, bo będę miała kłopoty.

– Pomóc ci?

Cole wszedł za nią do korytarza. Zatrzasnęła ciężkie drzwi i zamknęła je na trzy zamki.

– Chyba poradzę sobie sama. Ale dzięki. Miałeś ciężki dzień. Odpocznij.

Powiódł wzrokiem za odchodzącą dziewczynką. Miał silne wrażenie, że nie była z nim całkiem szczera. Kiedy spojrzała w niebo, zobaczyła tam coś, co ją przestraszyło, a potem próbowała to ukryć. Czy to jakaś skrzydlata istota? Czy nocne poczwary potrafią latać? A może dostrzegła, że coś groźnego czai się na dachu?

Obejrzał się w stronę drzwi. Mógłby wyjrzeć na dwór i sprawdzić, czy coś wdarło się na złomowisko. Nie, jeśli jakiś potwór aż tak przeraził Mirę, to nie chciał ryzykować.

Ale dlaczego miałaby coś takiego ukrywać? Jeżeli zobaczyła zbliżającą się bestię, to czemu nie złapała go za rękę i nie uciekła do środka? Po co ta tajemnica? Po co wymówki?

Może mówiła prawdę. Jeśli rzeczywiście zapomniała o ważnym obowiązku, to jej reakcja pewnie była zrozumiała. Możliwe, że przypomniała sobie o tym, patrząc w niebo. Albo to po prostu zbieg okoliczności.

Cole ominął hałaśliwą świetlicę i ruszył prosto do swojej sypialni. Jadł już wcześniej, więc postanowił skorzystać z rady Miry i trochę odpocząć.

Pokój był wąski i wysoki, a po obu stronach stały łóżka piętrowe. Na jednym z dolnych siedział Drgawa. Gwałtownie podniósł głowę, jakby Cole go przestraszył. Szeroko otworzył okrągłe, błękitne oczy. Był niski i chudy, a jego buzia sprawiała wrażenie jeszcze dziecięcej. Nie mógł mieć więcej niż dziesięć lat.

– Nie wiedziałem, że tu jesteś – powiedział Cole. Zeszłego wieczoru mieli okazję się przywitać, ale poza tym prawie nie rozmawiali ze sobą.

Drgawa oblizał usta.

– Ten cały tłum to czasami trochę… za dużo. Zostawić cię samego?

– Po prostu jestem zmęczony.

Cole'owi przypadło górne łóżko nad Drgawą, naprzeciwko Ślizgacza.

– Mogę przygasić światło. – Chłopiec zeskoczył z pryczy i podszedł do lampy.

– Fajnie, że znalazłeś te owoce.

Drgawa zaśmiał się cicho.

– Nie dziękuj mi za nie. To obserwatorzy je wypatrzyli. Mnie możesz podziękować za to, że prawie dałem się zjeść chwastom. Ledwo im uciekłem.

Latarnia przygasła.

– Straszne były – powiedział Cole.

– Nie takie złe, kiedy już wiedzieliśmy, jak wyglądają, i mogliśmy trzymać się od nich z daleka.

– Ale ty musiałeś przekonać się o tym na własnej skórze. – Cole otworzył odziedziczoną skrzynię i zaczął przebierać się do spania.

Drgawa z powrotem usiadł na łóżku.

– W sumie to prawie żałuję, że mnie nie załatwiły.

– Jak to?

– Skończyłoby się to napięcie. Nie wytrzymuję go. Skoro w końcu i tak coś cię dopadnie, może lepiej mieć to już z głowy.

– Nie mów tak – odparł Cole. – Trzeba celować w pięćdziesiątkę.

– Jak dotąd zaliczyłem szesnaście misji. O pięćdziesięciu nawet nie zamierzam myśleć. Zresztą nawet gdyby się udało, to jeszcze nie wszystko. Po ukończeniu pięćdziesięciu zagrożenie wcale się nie kończy. Przecież nie tylko zwiadowcom zdarzają się wypadki. Pozostałe funkcje są tylko trochę bezpieczniejsze.

– W każdym razie masz już na koncie o piętnaście misji więcej niż ja. – Cole schował ubranie do skrzyni. – Naprawdę nazywasz się Drgawa?

– Ruben.

– To dlaczego tak na ciebie mówią?

– Bardzo zabawne.

– Pytam poważnie.

Chłopiec przyjrzał się Cole'owi, jakby próbował ocenić jego szczerość.

– Jestem trochę nerwowy. Chyba często się wzdrygam. Tego typu sprawy. Niektórzy uważają, że jako zwiadowca jestem za wolny. Jak im się nie podoba, to proszę bardzo, mogą zająć moje miejsce.

– Ostrożność to nie jest wada.

– Właśnie to im powtarzam! Przecież nadstawiam za nich karku. Robię wszystko po swojemu i już. Tylko dzięki temu uratowałem się przed zabójczymi roślinami.

– Jakiego przedmiotu używasz? Miecza skakania?

Drgawa zerknął na Cole'a podejrzliwie.

– Daruj sobie teatr. Kto cię napuścił? Ślizgacz?

– O czym ty mówisz?

Drgawa nadal przypatrywał się nowemu.

– Nikt nie wie, jaki przedmiot wybrałem. Jeszcze nigdy go nie użyłem. Inni zwiadowcy ciągle próbują się tego dowiedzieć.

– Po co ta cała tajemnica?

– Bo to nie ich sprawa. I tak mam mało prywatności. Wiedzą, gdzie mam znamiona i jaką noszę bieliznę. Mój przedmiot jest tylko mój. – Uśmiechnął się przebiegle. – Od tej niewiedzy Ślizgacz dostaje szału.

Otworzyły się drzwi i do pokoju zajrzał Jace.

– Tu jesteś! Bohater dnia. – Wszedł do środka. – Już idziesz spać?

– To był długi dzień – odrzekł Cole.

– No i pracowity wieczór.

– Jak to?

Jace uśmiechnął się złośliwie.

– Widziałem cię na podwórku z Mirą. Gwiaździsta noc, Księżyc Dreszczy... Całkiem romantycznie.

– Przestań. Chciałem tylko trochę odetchnąć świeżym powietrzem. Mira wyszła, żeby mnie ostrzec, że na dworze bywa niebezpiecznie.

– Wróciła w pośpiechu i chyba się rumieniła. Czyżby ktoś się do niej zalecał?

– Co? Nic z tych rzeczy! Po prostu o czymś zapomniała.

Jace porozumiewawczo pokiwał głową.

– Jasne. Niezły jesteś.

Cole był zły, że Jace nie dawał mu spokoju. Dlaczego tak go to interesowało?

– Zaraz, zaraz – powiedział. – Skąd wiesz, co robiła? Śledziłeś ją?

– Po prostu jestem spostrzegawczy – odparł Jace takim tonem, jakby się tłumaczył.

– Przecież nie zaglądaliśmy do świetlicy. – Nagle Cole'a olśniło. – Aha, już rozumiem, ona ci się podoba!

Drgawa spojrzał na niego z przejęciem i lekko pokręcił głową.

Jace odetchnął gwałtownie.

– Jeszcze czego. Chciałaby.

Udawał twardziela, ale nie był w stanie ukryć, że Cole'owi udało się trafić w jego czuły punkt. Potwierdzała to nerwowość Drgawy.

– No bo skąd byś wiedział, że byliśmy razem na dworze – naciskał Cole. – Naprawdę musiałeś ją śledzić! Byłeś na dachu?

Jace miał winę wypisaną na twarzy.

– Zamknij się.

Cole przybrał marzycielski ton:

– Na pewno sam chciałbyś być z nią pod gwiazdami. Pływać razem w szalupie, wplatać jej kwiaty we włosy…

– Zachowaj swoje chore marzenia dla siebie. – Jace prawie krzyknął, zerkając na Drgawę.

– To nie ja ją śledziłem – odparł Cole.

Twarz Jace'a skamieniała. Minęła chwila, zanim znowu coś powiedział. Kiedy się jednak odezwał, ledwo panował nad swoim głosem.

– Ona jest tu jedną z niewielu naprawdę miłych osób. Takich naprawdę dobrych. Trochę się nią opiekuję. Nie mów o tym tak, jakbym… Nie chcesz, żebym cię znienawidził, Cole. Naprawdę nie chcesz. Pilnuj się.

Cole wiedział, że nie powinien tego mówić, ale nie umiał się powstrzymać:

– Od pilnowania to ty tu jesteś specjalistą.

Jace wsunął rękę do kieszeni. Znowu zerknął na Drgawę, który spuścił głowę, jakby chciał zapaść się pod ziemię.

– Tylko cię tak drażnię – powiedział Cole, żeby rozluźnić atmosferę.

– Rzeczywiście – odparł Jace. – Obyś nie pożałował.

Cole'owi zrobiło się przykro, że potraktował go aż tak ostro. Jace dosłownie kipiał ze złości.

– Dzięki za te dzisiejsze rady.

– Chcesz jeszcze jedną? Nie wchodź mi w drogę.

– Mieszkamy w tym samym pokoju.

– To bierz przykład z Drgawy i się nie wychylaj. – Odwrócił się i wyszedł, zostawiając drzwi otwarte.

Po chwili ciszy Drgawa wstał, żeby je zamknąć.

– O co mu chodziło? – spytał Cole.

– Nie jesteś zbyt ostrożny.

– On też nie.

– Ale on nie jest tu nowy. Na twoim miejscu bym się pilnował. Jace to chyba nasz najlepszy zwiadowca. To ostatni gość, któremu warto zaleźć za skórę.

– Kocha się w Mirze?

– Lepiej o tym zapomnijmy. Ale jak myślisz?

Wydawało się to raczej oczywiste, zwłaszcza że zareagował tak impulsywnie. Cole wyobraził sobie, jak sam by się poczuł, gdyby ktoś odkrył, że podoba mu się Jenna, a potem go tym drażnił.

– Spróbuję mu to wynagrodzić.

– Tylko mu o wszystkim przypomnisz. Najrozsądniej będzie zrobić to, co mówił. Nie wychylać się i poczekać, aż mu przejdzie.

Rozdział

11

MIEJSCE PRÓBY

Tydzień później Cole wszedł na pokład Dominga, by rozpocząć swoją piątą misję. Z zasady kapitanowie starali się przydzielać każdemu mniej niż trzy zadania tygodniowo, ale było to coraz trudniejsze, bo w ciągu ostatnich pięciu dni zginęło dwóch zwiadowców. Cole ich nie znał.

Zastanawiał się, czy do Nieboportu trafią jeszcze jacyś niewolnicy z halloweenowej karawany. Drgawa mówił, że Adam Jones rzadko wysyła nabywców do Pięciu Dróg. Zwykle to handlarze niewolników dokonywali tam zakupów i przywozili odpowiednich kandydatów prosto do Nieboportu. Z jednej strony Cole nie chciał, żeby wylądował tu ktoś z jego transportu, ale w głębi duszy potajemnie miał nadzieję, że jednak tak się stanie, bo miałby wtedy do towarzystwa kogoś ze swojego świata i czułby się trochę mniej samotny.

Daltona i Jennę postanowiono wysłać do króla, więc nawet jeśli ktoś tutaj trafi, to na pewno nie ci, których Cole najbardziej chciał zobaczyć. Wmawiał sobie, że mają szczęście. Może usługiwanie królowi jest bezpieczniejsze od plądrowania podniebnych zamków.

Trzy kolejne misje nie były tak koszmarne jak ta pierwsza ze skorpionogiem. Najgorsze, co go spotkało, to ucieczka przed bezgłowymi pozorami wśród labiryntu ruin dokoła wysokiej samotnej wieży. Cały teren miał jakieś dziesięć stopni nachylenia. Nie był to bynajmniej spacerek, ale dzięki mieczowi skakania Cole uszedł cało.

Jeśli chodzi o plany ucieczki, to poczynił niewielkie postępy. Przełożeni dbali, żeby miał co robić. Kiedy nie walczył o życie jako zwiadowca, wykonywał inne obowiązki. Nieboport leżał na odludziu, a każdego uciekiniera zlokalizowałaby konna straż wyposażona w przedmioty specjalne. Cole zauważył jednak, że osoby, które zyskały już zaufanie, nieraz trafiały do grup wysyłanych w różnych sprawach daleko od Skraju. Wobec tego miał o czym marzyć, szukając tymczasem innych okazji do ucieczki.

Szedł po trapie i ściskał dłonie kolejnych osób. W szeregu dziękujących mu ludzi zastał Mirę i Darny'ego. Przy pasie dziewczynka miała miecz skakania. Cole już miał zapytać, dlaczego weszła na pokład, ale ugryzł się w język. Skorzystał z rady Drgawy, żeby nie drażnić Jace'a, dlatego unikał również Miry. Ona także go nie szukała. Jace wciąż zachowywał się niezbyt przyjaźnie, ale przynajmniej przestał patrzeć na niego ze wściekłością.

Ponieważ Cole stronił od Miry, czuł się niezręcznie, kiedy ściskał jej dłoń. Przyjął jej podziękowanie ruchem głowy. Dziwnie również było mieć na pokładzie Darny'ego, który większość czasu spędzał w warsztacie, gdzie formował przedmioty oraz szkolił uczniów.

Kiedy zwyczajowi stało się zadość, załoganci udali się na swoje miejsca, a Cole jak zwykle usiadł na ławce. Dołączyli do niego Mira i Darny.

– Gdzieś ty się chował? – spytała dziewczynka.

Starał się zachowywać swobodnie. Wzruszył ramionami.

– O to samo chciałem cię zapytać. Ostatnio nigdzie cię nie widziałem.

– W tym tygodniu sporo ćwiczyłam z Darnym.

– Co was sprowadza na pokład?

– Chcemy pozyskać dryfdyski – wyjaśnił Darny.

– Darny nauczy mnie, jak to się robi – dodała Mira.

– To niebezpieczne zadanie – rzekł mężczyzna. – Jeśli usunie się niewłaściwy dryfdysk, może zawalić się cały zamek.

– To po co ryzykować? – zapytał Cole.

Łupieżcy Niebios mieli trzy duże nieboloty – dwa stale wykorzystywane do misji oraz jeden w rezerwie.

– Nie ma naglącego powodu – odparł Darny. – Jedziemy głównie w celach edukacyjnych.

– Łupieżcy nie mają dryfdysków w zapasie – powiedziała Mira – więc zawsze się przydadzą.

– Słuszna uwaga – zgodził się mężczyzna. – Nawet jeśli kapitanowie pilotują bardzo ostrożnie, to w końcu tracimy statki, a przynajmniej ulegają one uszkodzeniom.

Cole zmarszczył brwi.

– Skoro w niebolotach potrzebne są dryfdyski, a do pozyskiwania dryfdysków używa się niebolotów, to skąd wzięły się pierwsze dryfdyski?

Darny postukał się w skroń.

– No proszę, mamy myśliciela. Nie wiemy. Pewnie jacyś dzielni formiści dotarli do zamków na lotniach albo w balonach.

Cole kiwnął głową.

Kiedy Domingo wyfrunął z lądowiska, chłopiec podszedł do relingu, żeby pooglądać niebo. Wysoko i nisko, blisko i daleko pole widzenia przesłaniały kłębiaste białe chmury. Ich faktura oraz kształty były tak wyraźne, że wydawały się prawie namacalne. Cole widział pięć zamków, ale liczne obłoki przykrywały zapewne wiele innych.

Mira dołączyła do niego przy relingu.

– Jeszcze trochę chmur i dzisiaj byśmy nie wypłynęli – powiedziała.

– Czy tutaj bywa mgła?

– Tak. Burze też. Wtedy nieboloty zostają w porcie.

– Dziwne, że nie na każdej chmurze jest zamek.

– Zamki nie spoczywają na chmurach – wyjaśniła dziewczynka. – Podtrzymują je dryfdyski. Chmury po prostu zbierają się wokół fundamentów. Nie wiem dlaczego.

Stali obok siebie w milczeniu. Domingo kluczył wśród powolnie płynących obłoków.

– Jace ci dokuczał? – spytała Mira.

Cole spojrzał na nią gwałtownie.

– Co?

– Ubzdurał sobie, że zrobisz mi jakąś przykrość. Ciągle zawracał mi tym głowę. Powtarzałam, że nie ma racji, ale czasami trudno przemówić mu do rozsądku. Chce być opiekuńczy.

Cole zastanawiał się, czy powinien wspomnieć, że Jace jest w niej strasznie zakochany. Gdyby chłopak o tym usłyszał, wpadłby w furię. Nie warto przysparzać sobie jeszcze większych kłopotów. Zresztą pewnie Mira i tak o tym wiedziała.

– Jace jest w porządku – powiedział. – Nie ma się czym przejmować.

Mira kiwnęła głową. Spojrzała na chmury.

– Denerwujesz się?

– Zamkiem? Jasne.

– Tak samo jak za pierwszym razem?

– Inaczej. Teraz przynajmniej wiem, jak to działa. Chociaż z drugiej strony lepiej się orientuję, co mnie może czekać.

Domingo zaczął krążyć wokół kompleksu budynków połączonych szerokimi patiami. Majestatyczne budowle z białego kamienia miały wiele rowkowanych kolumn. Z licznych marmurowych fontann tryskała woda. Jedynymi śladami roślinności było kilka wąskich trawników oraz zgrabnie przyciętych kanciastych żywopłotów. W dużych kotłach, wiszących misach oraz talerzach trzymanych przez posągi płonął ogień. Cole poczuł zapach dymu.

– Zgiń dzielnie – powiedziała Mira, gdy podszedł do nich kapitan.

– Wygląda obiecująco – rzekł kapitan Pal. – Obserwatorzy też tak uważają. Pójdziesz się przyjrzeć.

– Mam zabrać chustę? – spytał Cole.

Kapitan Pal zachował chustę Mervy. Wysłał z nią kilku zwiadowców, żeby sprawdzić, czy dzięki niej będą niewidoczni dla pozorów. Gdyby okazało się, że materiał ma taką moc, chusta dołączyłaby do przedmiotów specjalnych. Nic na to jednak nie wskazywało.

– Te bestie bez głowy i tak cię goniły. Nie widziałem, żeby w czymś pomogła.

– Może działała tylko w tym zamku, w którym ją znalazłeś – wtrąciła Mira. – Z niektórymi przedmiotami tak właśnie jest.

– Używałem jej za każdym razem – powiedział Cole. – Więc mi nie przeszkadza.

– W takim razie ją weź – rzekł kapitan. – Talizman na szczęście jeszcze nikomu nie zaszkodził. – Przyniósł chustę z pobliskiej skrzyni. – Jeśli chcesz, możesz ją zatrzymać.

– Dziękuję.

Cole zapiął klamrę pod szyją, a potem wsiadł do Oki Doki wraz z Jedem i Elim. Do tej pory właśnie oni zawsze wozili go na misje. Skinęli mu głowami na powitanie. Nie zamienili ani słowa, kiedy Jed wzniósł szalupę w powietrze.

– Gdzie cię posadzić? – zapytał.

Gdy Cole wodził wzrokiem po budynkach i patiach, spomiędzy kolumn jednego z największych gmachów wyszedł jakiś mężczyzna i ruszył szerokimi schodami w stronę fontanny. Był ubrany jak rzymski żołnierz, miał napierśnik dopasowany do masywnego torsu, a w ręku trzymał potężny miecz. Spojrzał na szalupę, osłaniając dłonią oczy.

– Myślicie, że będzie z nim kłopot? – zastanowił się Cole.

– Do siekania warzyw ten jego scyzoryk jest trochę za duży – odparł Eli.

– Zobaczył nas. Równie dobrze możecie mnie wysadzić blisko niego.

– Dobra.

Żołnierz czekał. Szalupa zatrzymała się nad nim, Eli zrzucił drabinkę i Cole zszedł na dół z flagą w dłoni. Tamten obserwował go w milczeniu. Nie wykonywał żadnych groźnych gestów. Mimo to chłopiec, kiedy dotarł na sam dół, zawahał się przed zejściem na ziemię. Żołnierz stał zaledwie kilka kroków dalej.

– Mogę do pana dołączyć? – spytał Cole.

– Jak uważasz.

Rozwichrzone włosy zwisały wojownikowi niemal do ramion. W jednym uchu lśnił jakiś klejnot. Sandały miał zasznurowane skomplikowanymi wiązaniami, które były częściowo przesłonięte przez nagolenniki.

Cole pozostawił flagę pionowo, a potem dobył miecza.

– Nie chcę z panem walczyć.

– Ja też bym nie chciał na twoim miejscu.

Cole stanął na ziemi. Mężczyzna przyglądał mu się z ciekawością. Chłopiec był w każdej chwili gotowy do skoku.

– O co chodzi z flagą?

– To tylko sygnał. Dowód, że tu byłem.

– Mów, po co przyszedłeś. – Głos żołnierza był męski i donośny, ale nie wydawał się nieprzyjazny.

– Jestem zwiadowcą.

– Zwiadowcy nie mają tu czego szukać. To miejsce dla bohaterów.

– Czy pan jest bohaterem?

– Jestem Lyrus. Zasadnicze pytanie brzmi: czy ty jesteś bohaterem?

– A jeśli nie?

– To lepiej prędko wracaj po tej drabince.

– Mam miecz – powiedział Cole i uniósł broń.

Lyrus przewrócił oczami.

– To maleństwo to ma być twój argument?

– Walczyłem ze skorpionogiem.

– Już lepiej. Co to jest skorpionóg? Czy był duży?

– Ogromny. Większy niż te budynki.

Lyrus się rozpromienił.

– Zgładziłeś go?

– No… nie, ale on też mnie nie zabił.

– Zraniłeś go?

– Nie za bardzo. Głównie przed nim uciekałem. – Lyrus był chyba rozczarowany. – Ale uszedłem z życiem – dodał chłopiec. – To był emocjonujący pościg.

– Ratowałeś kogoś?

– Nie.

– Szukałeś skarbu?

– W pewnym sensie.

– Co zdobyłeś?

– Tylko tę chustę. – Cole szarpnął za materiał.

– Hmmm – mruknął Lyrus. – Dlaczego właśnie ją? Czy dzięki niej możesz się zmienić w nietoperza? Albo stać się niewidzialny?

– Nie. Chyba nie ma szczególnych właściwości.

Lyrus w zamyśleniu zmarszczył czoło.

– A jednak tu jesteś.

– Dlaczego to jest miejsce dla bohaterów? – spytał Cole.

Żołnierz z dumą rozejrzał się dokoła.

– Parona to święte miejsce próby.

– Ćwiczą tu bohaterowie?

Lyrus uśmiechnął się półgębkiem.

– Lekcje odbywają się gdzie indziej. To nie szkoła. Herosi przybywają tutaj, żeby się sprawdzić.

Cole ostrożniej rozejrzał się po okolicy.

– Na czym polega sprawdzian?

– To zależy od ich wyboru.

– Czy mogą tu zginąć?

– Cóż to byłby za sprawdzian, gdyby nie mogli? Zostajesz czy odchodzisz?

– A mogę jeszcze odejść?

– Zapewne. Mnie nie pytaj. Nie wiem, jak rozumują tchórze.

– Au! Rzuca mi pan wyzwanie?

– Stwierdzam fakt. Nigdy nie uciekłem przed potyczką i nie cofnąłem się przed wyzwaniem. I nigdy tego nie zrobię. Ale to ja. Nie dostrzegam męstwa w zmuszaniu tchórza, żeby się wykazał, skoro woli uciec. A ty?

– Ja też nie.

Lyrus kiwnął głową.

– Człek, który nie chce stawić czoła próbie, już dowiódł większego tchórzostwa niż ten, który jej nie podoła.

Cole poczuł się trochę urażony.

– A jeśli nie przyszedłem tutaj po to, żeby mierzyć się z wyzwaniem? Bohaterowie muszą być odważni tylko wtedy, kiedy mają ważny powód. Ryzykowanie życia bez celu to głupota.

Lyrus westchnął.

– Każdy tchórz ma swoje wymówki.

– Na czym polegają próby?

– Żeby się przekonać, trzeba podjąć jedną z nich.

– Co dostanę, jeśli ją przejdę?

– Potwierdzenie statusu herosa.

– To znaczy co? Jakiś dyplom?

– Będziesz mógł zatrzymać jedną broń ze zbrojowni, dzieło sztuki z galerii i przedmiot ze skarbca.

Cole zerknął w górę na szalupę.

– Czy mogę panu powiedzieć, po co przyszedłem, i poprosić pana o radę?

– Jeżeli chcesz.

– Jesteśmy zbieraczami. Chcemy wziąć stąd trochę rzeczy, zanim to miejsce ulegnie zniszczeniu. Czy żeby coś zabrać, każdy musiałby przejść test?

Przez chwilę Lyrus milczał.

– Przewidziano pięć prób.

– A jeśli przejdziemy wszystkie?

– Wówczas... urządzę kolejne.

– Nie zabraknie czasu?

Lyrus zamyślił się i spochmurniał.

– To miejsce będzie istnieć jeszcze tylko dzień, może dwa – ostrzegł Cole.

– Nonsens.

– Wie pan, że unosimy się na niebie, prawda?

– Nonsens.

Chłopiec zerknął w górę.

– Przybyłem tu latającym statkiem. Niech się pan rozejrzy.

– Non... – zaczął Lyrus, ale urwał. Spod zmrużonych powiek spojrzał na Oki Doki. Popatrzył dokoła. – Czuję się... dziwnie. – Potarł oczy. – Trudno to wyjaśnić. – Znowu się rozejrzał. – Jak mogłem tego wszystkiego nie widzieć? – Złożył ręce na piersiach. – Zupełnie jakbym celowo nie rozpoznawał tego, co mam przed oczami. Jakbym miał nie zwracać na to uwagi. – Uśmiechnął się z zażenowaniem. – Nigdy nie zastanawiałem się nad tym, czy Parona znajduje się na niebie. Nie przyszło mi do głowy, że przybyłeś tu w dziwny sposób. Teraz jednak widzę to wszystko i choćby nie wiem jaka siła nakazała mi o tym zapomnieć, to nie mogę. Ja nigdy nie uciekam. Nigdy się nie chowam. Przed niczym.

Cole'owi żal zrobiło się wielkiego żołnierza. Wiedział, że właśnie namieszał mu w głowie.

Lyrus wbił wzrok w ziemię.

– Nazywasz siebie zbieraczem. Twierdzisz, że Parona przepadnie?

– To zamek płynący po niebie. Wyłoniliście się z chmuromuru. Lecicie w kierunku drugiego. Nigdy stamtąd nie wrócicie.

Żołnierz zamknął oczy i potarł skronie. Zacisnął zęby.

– Skąd ja się wziąłem? – wymamrotał. – Nie pamiętam, skąd się wziąłem!

– Istnieje pan pewnie od niecałej doby – rzekł Cole. – Nikt nie wie, w jaki sposób pan powstał.

– Ja też tego nie wiem. – Lyrus szeroko otworzył oczy. – Nie! Nie, nie, nie! Mówisz prawdę! Jestem kłamstwem! – Cole był gotów do ucieczki. Żołnierz wydawał się trochę niezrównoważony. – Nie zdawałem sobie z tego sprawy – powiedział nieco spokojniej. – Nie mam przeszłości. Dopóki się nad tym nie skupiłem, myślałem, że ją mam, ale odkąd poważnie zastanowiłem się nad sobą, już wiem, że nie mam historii. Nie mam dzieciństwa. Nie mam wspomnień, które sięgałyby poza to miejsce. Udaję znawcę w dziedzinie bohaterstwa, ale nic nie osiągnąłem.

Cole przyglądał się Lyrusowi. Żołnierz wydawał się bardziej zdezorientowany niż zły albo smutny.

– Moglibyśmy co nieco stąd wziąć? – rzucił chłopiec. – Dzięki temu część Parony istniałaby dalej.

Lyrus przyjrzał się swojemu mieczowi, a potem spojrzał na siebie. Jedną ręką pomacał napierśnik.

– Wyglądam autentycznie. – Spojrzał Cole'owi prosto w oczy. – Równie autentycznie jak ty.

Cole nie za bardzo wiedział, co powiedzieć.

Żołnierz podniósł wzrok, spojrzał na Oki Doki i dalej, na Dominga.

– Są tu wspaniałe skarby. Rozumiem, dlaczego interesują was, zbieraczy. Ale nie mogę pozwolić, żebyście je zabrali, jeżeli nie przejdziecie próby.

Z Cole'a trochę uszło powietrze. A do tej pory Lyrus mówił już tak sensownie.

– Dlaczego nie?

Żołnierz się wyprostował.

– To moja powinność. Mój cel.

– Ale dlaczego? – naciskał chłopiec. – Kto go panu wyznaczył?

Lyrus zacisnął powieki i spuścił głowę.

– Na to pytanie nie znam odpowiedzi.

– Nie może sobie pan darować tego przedstawienia?

– Jestem tu po to, żeby sprawdzać herosów.

– Co daje panu prawo, żeby kogokolwiek sprawdzać?

Lyrus schował miecz do pochwy.

– To jest mój cel. Może nie mam przeszłości, ale wciąż jestem Lyrusem. Nie pozostaję głuchy na twoją prośbę. Potrafię być rozsądny. Nie chcę, żeby skarby Parony bez potrzeby zginęły w nicości. Mogę się zgodzić na pewne negocjacje. Ale próbę trzeba przejść.

– Nie jesteśmy bohaterami – powiedział Cole. – Moja praca polega na tym, żeby uciekać przed niebezpieczeństwem, a nie żeby z nim walczyć.

– Gdyby tylko... – zaczął Lyrus, a potem chyba zaczął się dusić.

– Nic panu nie jest?

Barczysty żołnierz doszedł do siebie i kiwnął głową.

– Może... – zaczął ponownie, ale nie mógł skończyć.

– Coś przeszkadza panu to powiedzieć – zrozumiał Cole.

Lyrus kiwnął głową.

– Chce mi pan pomóc?

– Tak.

Cole'owi przyszła do głowy podstępna myśl.

– Niech pan od tego nie ucieka. Niech się pan nie wycofuje. Jeżeli chce mi pan pomóc, na pewno jest jakiś sposób, żeby to obejść.

Żołnierz miał teraz poważną, zawziętą minę. Kilka razy bezgłośnie poruszył wargami, zanim wreszcie powiedział:

– Zimno mi.

– Co?

Lyrus spokojnie spojrzał na Cole'a.

– Sam nie wiesz, co masz. Zimno mi. – Odrobinę spuścił wzrok.

Chłopiec dotknął palcami chusty.

– O tym pan mówi?

Lyrus zadrżał, lecz się nie odezwał.

Cole schował miecz do pochwy, a potem odpiął klamrę. Żołnierz przyklęknął, a wtedy chłopiec okrył go chustą i zapiął mu klamrę pod szyją.

– Lepiej? – spytał.

Lyrus się uśmiechnął.

– Znacznie.

– Dlaczego?

– Dzięki tej chuście pozór jest posłuszny temu, kto go nią okrył.

Cole zamrugał.

– Pan wie o tym, że jest pan pozorem?

– Nie wiedziałem, dopóki nie dałeś mi chusty. To ona uwolniła we mnie świadomość, której potrzebowałem, żeby móc ci służyć. Mój stwórca sprawił, że musiałem ignorować własną naturę. Wcześniej pomogłeś mi dostrzec ją na mgnienie oka, ale teraz widzę wyraźnie. Zanim dostałem chustę, nie rozumiałem, że jestem sztuczny. To bardzo częste u pozorów. Odgrywamy swoją rolę prawie całkowicie pozbawieni samoświadomości. Dzięki temu wydajemy się bardziej autentyczni.

– Kto pana stworzył? – zapytał Cole ciekaw, czy teraz Lyrus mu odpowie.

Żołnierz zmarszczył czoło.

– Nadal nie wiem. Powiedziałbym ci, gdybym wiedział. Nigdy nie poznałem mego stwórcy. Zacząłem istnieć wraz z Paroną całkiem niedawno.

– Tę chustę dała mi kobieta, która także była pozorem. Jak mogła ją zdjąć, skoro to chusta ją kontrolowała?

Zanim Lyrus odpowiedział, skrzyżował ramiona na piersiach i przez chwilę milczał.

– W miejscu takim jak Parona my, pozory, tworzymy pewien system. Niektóre pozory mają więcej swobody niż inne. Widocznie ten, którego napotkałeś, mógł sam decydować o najlepszym sposobie na zachowanie tego systemu. Ja także cieszę się podobną wolnością.

Takie wyjaśnienie pasowało do zachowania Mervy. Tłumaczyło, dlaczego ona jedna dała Cole'owi chustę.

– Zaraz... Chciał pan dostać ode mnie chustę, żeby mi pomóc?

– Zyskałem większą samoświadomość, niż oczekiwał tego mój stwórca – powiedział Lyrus. – Kiedy pozwoliłeś mi zrozumieć, skąd pochodzę, obróciłem swoje męstwo przeciw granicom poznania nałożonym przez tego, kto mnie uformował. To otworzyło mi oczy na wiele spraw, ale wciąż nie mogłem pokonać pewnych barier umysłowych. Rozpoznałem działanie chusty, gdy tylko cię zobaczyłem. To dlatego o nią zapytałem: chciałem sprawdzić, czy i ty znasz jej moc. Bez niej niewiele mogłem zrobić. Teraz mam więcej możliwości. Mówiąc szczerze, pomoc tobie to tylko niewielka część moich zamiarów.

– To po co w ogóle zwrócił mi pan uwagę na chustę?

Lyrus wyprężył pierś.

– Pragnę udowodnić swą wartość. Jeśli mi rozkażesz, podejmę próbę za ciebie. Stoczę walkę w twoim imieniu.

Rozdział

12

HEROIZM

Może pan stanąć do próby? – spytał Cole.

– Mogę dzięki chuście – odparł Lyrus. – Jeżeli tego chcesz.

– A pan chce?

– Jestem Lyrus. Odkąd zdałem sobie sprawę, że niczym się jeszcze nie wykazałem, pragnę tej okazji jak niczego innego na świecie.

– Jeśli przejdzie pan próbę, dostaniemy skarb?

Żołnierz zabębnił palcami o napierśnik.

– Potrzebne będą negocjacje.

– Nie mogę panu po prostu rozkazać, żeby oddał nam pan łupy?

– Możesz. Ale nie zmuszę innych pozorów Parony do oddania nagrody przed ukończeniem próby. Jeżeli spróbujecie zabrać skarb, nie przechodząc sprawdzianu, uaktywnicie wszystkie zabezpieczenia włącznie z katapultami i dzikimi bestiami. Jeśli jednak dobijemy targu, a ja wystąpię w imieniu całej Parony…

– No to się targujmy – odparł Cole.

– Pozwól mi zdjąć chustę, abym mógł się wypowiadać jako obrońca Parony. Inni nie uznają naszej umowy, jeżeli podczas negocjacji będziesz miał nade mną kontrolę.

– Skąd mam mieć pewność, że potem założy pan ją z powrotem?

– Masz moje słowo.

Cole zastanowił się nad tym. Żołnierz wciąż miał na sobie chustę, więc musiał słuchać rozkazów.

– Rozkazuję, żeby powiedział mi pan, czy może mnie pan okłamać.

– Ja nie potrafię kłamać. Z chustą czy bez, zawsze dotrzymuję danego słowa. Chcę się targować, żeby podejść do próby w twoim imieniu i zapewnić ci dostęp do naszych skarbów.

– W porządku. Niech pan ją zdejmie.

Lyrus ściągnął chustę i przewiesił ją sobie przez ramię.

– Chcesz wynegocjować pełen dostęp do naszych skarbów? – spytał.

– Jeśli zostaną zniszczone, to nikomu na nic się nie przydadzą.

– To prawda. Muszę poznać twoje imię.

– Cole.

– Jakie są szanse na przybycie herosów przed unicestwieniem Parony?

– Żadne. Mogą do was dotrzeć tylko zbieracze. A my uciekamy, gdy tylko pojawią się kłopoty.

– Dobrze więc. Wobec rychłego zniszczenia Parony oraz braku szans na przybycie herosów pragnę w imieniu wszystkich strażników zamieszkujących to miejsce zawrzeć z tobą układ, który zapewni załodze waszego statku pełen dostęp do naszych skarbów, ale pod jednym warunkiem.

– Jakim?

– Musisz mi przysiąc, że oprócz moich pozostałych obowiązków będę mógł pozostać obrońcą Parony niezależnie od tego, czy mam na sobie chustę, czy nie.

Cole się zawahał.

– Czy to znaczy, że przestanie pan mnie chronić?

– Bez względu na to, co się stanie, ślubuję walczyć na śmierć i życie w twojej obronie. Nawet pozostając obrońcą Parony, nie mogę zmienić umowy, którą zawarliśmy. Nie zezwolę jednak waszej załodze na pełen dostęp, nie mając pewności, że ktoś działa w interesie Parony. W przeciwnym razie na mocy tego ustalenia pozostanie ona bez ochrony.

– Nie zaatakuje pan nikogo z nas?

– Przysięgam, że nie zaatakuję ciebie ani innych członków twojej załogi. Tak jak obiecałem, będę cię chronił.

– A inne pozory?

– Inne pozory nie mogą zaatakować was za przybycie tutaj ani zabranie skarbów. Muszą uszanować umowę. Przemawiam w imieniu całej Parony.

Cole był zadowolony, że Lyrus postępuje uczciwie.

– A na czym właściwie polega ta umowa?

– Jeżeli korzystając z wszelkiej dostępnej pomocy, przejdziesz jedną z prób, skarby Parony będą twoje. Po udanym zakończeniu jednego sprawdzianu strażnicy skarbu nie będą mogli wystąpić przeciwko tobie ani innym członkom załogi za wkroczenie na nasz teren ani zabranie stąd czegokolwiek.

– Włącznie z dryfdyskami – upewnił się Cole.

– Czegokolwiek.

– I pomoże mi pan przejść próbę.

– To właśnie przysiągłem.

– Umowa stoi.

– Włącznie z moim warunkiem?

– Tak. Pozostanie pan obrońcą Parony.

Lyrus powoli skinął głową.

– Dobiliśmy targu. Jeśli sobie życzysz, mogę już włożyć chustę.

– Jasne.

Żołnierz uśmiechnął się szeroko, a następnie zapiął klamrę pod szyją.

– Chodź, młody zbieraczu. Wybierzemy sprawdzian.

Cole ruszył za nim po szerokich, niskich stopniach do jednego z większych budynków. W prostokątnym gmachu znajdowała się sala pozbawiona ścian – otaczały ją tylko kolumny, a w górze był dach. Na postumencie na końcu pomieszczenia stało w rzędzie pięć dużych mis.

Lyrus zdjął pochodnię z kolumny i poprowadził Cole'a do tych naczyń.

– Wybierz, z kim mam walczyć.

– Nie wie pan, który sprawdzian chciałby pan przejść?

– Wiem, która misa oznacza którą próbę. Wiem też, która walka będzie najłatwiejsza. Ale tylko tchórz świadomie wybiera najprostsze wyzwanie. Pragnę tego najtrudniejszego, czyli starcia z cyklopem Gromarem. Ale czy to uczciwe wobec ciebie? Byłoby większe prawdopodobieństwo, że przegram. Wybierając Gromara, jako twój reprezentant okazałbym się egoistą. Dlatego zdam się na twoją decyzję.

Cole przyjrzał się pięciu misom. Wyglądały identycznie.

– Druga z lewej – powiedział, wskazując ją palcem.

– Ach – rzekł Lyrus podniośle. Postąpił naprzód i włożył pochodnię do misy. W górę buchnął szkarłatny płomień, czerwony jak krew. – Lew Harano. Mogłem się domyślić, że to właśnie będzie moja próba. Czeka mnie dobra walka.

Bądź gotów do ucieczki. Ten przeciwnik nie wybaczy mi żadnego błędu.

Lyrus zaprowadził Cole'a na duży, pusty plac otoczony ośmioma budynkami. Kiedy chłopiec spojrzał do góry, zobaczył, że Oki Doki podąża za nimi w pewnej odległości. Przyłożył dłonie do ust.

– Jeżeli on przegra, będę musiał szybko zwiewać!

Eli uniósł wyprostowany kciuk.

Lyrus gestem wskazał Cole'owi, dokąd ma się udać.

– Poczekaj na uboczu. – polecił. Potem wyszedł na środek placu, dobył miecza i podniósł głos: – Harano, ukaż się! Zgładź mnie, jeśli potrafisz.

Z jednego z budynków okalających plac wyszedł ogromny lew o czerwonozłotej sierści. Jego grzywa przypominała barwą krwawy ogień w misie. Cole'a ogarnęło instynktowne przerażenie. Od drapieżnika nie odgradzała go żadna przeszkoda. Wyciągnął z pochwy miecz skakania.

Lew z leniwą gracją poczłapał na plac na swych olbrzymich łapach. Szedł z wysoko uniesionym łbem. A jego zakończony kitką ogon kołysał się na boki. Gdy wielki kot stał na czterech łapach, był równie wysoki jak Lyrus. Kiedy się zbliżał, żołnierz uniósł miecz w gotowości i przyjął postawę bojową.

Lew zaryczał. Echo tego wyzwania poniosło się po całej Paronie. Cole poczuł, jak włoski na karku i ramionach stają mu dęba. Zerknął na szalupę. Unosiła się tuż poza zasięgiem skoku.

Lyrus nawet nie drgnął.

– Chodź, Harano – zachęcił bestię. – Zmierz się ze mną.

Lew rzucił się na niego z niespodziewaną prędkością. Cole aż się skrzywił. Harano skoczył. Lyrus zrobił krok naprzód, przykucnął i wycelował miecz w stronę lwa. Przerośnięta bestia wpadła na żołnierza i pchnęła go do tyłu. Upadli na ziemię. Cole usłyszał szczęk zbroi o bruk.

Przez kilka chwil człowiek i zwierz leżeli nieruchomo. Potem Lyrus wstał. Oparł stopę o kudłaty łeb i wyszarpnął miecz spod szczęki lwa.

Kiedy żołnierz wycierał klingę w przepiękną grzywę bestii, ostrożnie podszedł do niego Cole.

– Nic panu nie jest?

Lyrus obrócił się z szerokim uśmiechem.

– Wreszcie mam co wspominać.

– To było niesamowite.

– Po raz pierwszy naprawdę czuję się żywy. Dziękuję ci za ten dar. Sprawdzian zakończył się powodzeniem. Zabezpieczenia nie są już aktywne. Ty i twoi towarzysze możecie wywieźć stąd skarby.

Wszystkie trzy szalupy zwiozły ludzi z Dominga. Lyrus, wciąż owinięty chustą, pokazał, gdzie szukać uzbrojenia, dzieł sztuki i skarbów. Łodzie czekały na placu, na którym żołnierz pokonał Harana, a łupieżcy znosili tam łupy.

Darny podszedł do Cole'a, podpierając się laską. Towarzyszyła mu Mira.

– Dobra robota. Domyślam się, że dzięki chuście przekonałeś żołnierza, żeby walczył w twoim imieniu?

– Kiedy miał ją na sobie, musiał mnie słuchać. Ale go nie oszukałem. Sam chciał, żebym miał nad nim kontrolę. Sam chciał walczyć. Chciał się wykazać.

– Czy wiedziałeś, że chusta ma taką moc?

– Dowiedziałem się dopiero, kiedy mi o tym powiedział. Lyrus miał się za znawcę w dziedzinie bohaterstwa.

Podczas rozmowy zrozumiał, że jest pozorem i że nigdy nie zrobił nic heroicznego. Zwrócił mi uwagę na chustę, bo zależało mu na takiej szansie.

Darny poklepał chłopca po plecach.

– Doskonale się spisałeś. Znacznie lepiej walczyć głową niż rękami. Pomożesz nam znaleźć dryfdyski?

– Chętnie. Co mogę zrobić?

– Idź do Rowly'ego po moje narzędzia. Potrzebuję motyki, łomu, młotka, dłuta i dwóch łopat. Zabierz je, a potem nas dogoń.

– Dobra robota, Cole – powiedziała Mira.

– Dzięki.

Kiedy chłopiec odwrócił się, żeby poszukać Rowly'ego, poczuł, że pieką go policzki. Chyba się zaczerwienił.

Z jednego z budynków wyłonili się dwaj mężczyźni. Powoli zeszli po schodach, niosąc wspólnie olbrzymią srebrną harfę. Postawili ją na ziemi i przystanęli, żeby odpocząć. Inny ściskał w jednej ręce wysadzane klejnotami berło, a w drugiej lustro w zdobnej ramie. Kolejny z trudem dźwigał kamienne popiersie.

Cole wypatrzył Rowly'ego przy szalupie o nazwie Zaklinacz. Był to okrągły, łysiejący mężczyzna w okularach. Za nim, w oddali, chłopiec dostrzegł Lyrusa wspinającego się po schodach do budynku, w którym zapalili płomień.

Po co on tam szedł?

Cole zmarszczył brwi, truchtem minął Rowly'ego, a potem przyspieszył, żeby dogonić wojownika. Kiedy wbiegał po szerokich, niskich stopniach, mówił sobie, że na pewno niepotrzebnie się martwi. Po dotarciu na szczyt popatrzył między kolumny. Żołnierz stał po drugiej stronie sali z pochodnią w dłoni i zapalał czwartą misę.

– Co pan robi?! – krzyknął, ruszając pędem przez salę.

Lyrus się odwrócił. Misa, w której wcześniej płonął czerwony płomień, była pusta. Pozostałe cztery paliły się na zielono, niebiesko, szaro i czarno.

– Dałeś mi prawo pozostać obrońcą Parony – odparł.

– Obiecał mnie pan bronić!

– I będę bronił. Aż do śmierci, jeśli to konieczne.

– Obiecał pan, że strażnicy nas nie zaatakują, jeśli przyjdziemy po skarby.

– Tylko człek niehonorowy złamałby przyrzeczenie. Przysięgałem, że nie zaatakują was za to, że tu przybyliście i zabieracie skarby. I nie zrobią tego. Zaatakują, ponieważ jako obrońca Parony zapoczątkowałem cztery kolejne próby. Dotrzymam słowa i spróbuję cię ochronić. To miejsce próby zasługuje na to, żeby odegrać swoją rolę. – Uśmiechnął się szeroko. – A ja zasługuję na ostatnią szansę sprawdzenia swych zdolności – zakończył i pobiegł w stronę placu.

– Nakazuję panu się zatrzymać! – zawołał Cole.

– Zagwarantowałeś, że mogę działać jako obrońca – rzucił przez ramię Lyrus. – Nie zwalniam cię z tej obietnicy.

Chłopca mdliło z przerażenia. Dał się wystrychnąć na dudka! Lyrus dostanie wszystko, czego chciał: będzie miał kolejną szansę, by dowieść swego męstwa, a jednocześnie zadba o to, żeby Parona wystawiła wszystkich przybyszów na próbę. Żołnierz biegł w stronę placu, na którym stały szalupy. I na którym zaraz pojawią się potwory.

Cole puścił się pędem i wołał ile sił w płucach:

– Uważajcie! Alarm! Do łodzi! Startujemy!

Część łupieżców ruszyła w stronę Lyrusa, który właśnie wpadł na plac. Na jego plecach furkotała chusta. Nie zważał na nikogo, tylko huknął gromkim głosem:

– Chodźcie, Skeloku, Ruladzie, Nimbio, Gromarze!

Stwory wyłoniły się z budynków po trzech stronach gmachu: rozpędzony czarny nosorożec z pochylonym łbem, włochaty szary pająk większy niż szalupa, olbrzymi zielony wąż o łbie wielkości beczki oraz muskularny cyklop dwa razy wyższy niż zwykły człowiek. Lyrus wysoko uniósł miecz.

– Chodź, Ruladzie! Chodź, Skeloku! Chodźcie, Nimbio i Gromarze! Pokonajcie mnie, jeśli potraficie!

Wszystkie bestie skierowały się ku niemu. Jako pierwszy dopadł go nosorożec, ale żołnierz uskoczył na bok i gwałtownie sieknął mieczem, prawie odrąbując mu łeb. Następny przybył wąż. Stanął dęba, górował nad Lyrusem i trzymał się poza zasięgiem jego broni.

Fałszywy brzęk harfy odwrócił uwagę Cole'a od potyczki. Mężczyźni, którzy nieśli ten instrument, teraz go porzucili i wdrapywali się do szalupy. Dwie pozostałe łódki oderwały się już od ziemi. Inni łupieżcy wybiegali z budynków z pustymi rękami. Kilku wskoczyło do ostatniej startującej łodzi.

Kiedy Cole znowu spojrzał w stronę walczących, okazało się, że cyklop nie zwracał już uwagi na Lyrusa, tylko pędził ku szalupom, podobnie jak olbrzymia tarantula. Wąż wił się w powietrzu i kołysał, poruszał łbem to w jedną, to w drugą stronę, szukał okazji do ataku, ale żołnierz nie opuszczał miecza. Próbował napierać, lecz wtedy gad się cofał, ustępując mu pola.

Z góry pomknęła olbrzymia strzała, wbiła się w sam środek cielska tarantuli i wyszła z drugiej strony. Włochaty pająk zwinął się w rozedrgany kłębek.

Już po chwili na dachach i patiach otworzyło się mnóstwo klap, z których wyłoniły się katapulty. Choć nie było widać, żeby ktoś je obsługiwał, zaczęły strzelać w Dominga kulami płonącej smoły. Niebolot wzniósł się i oddalił od Parony, ale wcześniej na pokładzie wybuchły dwa pożary.

Cyklop zbliżał się do szalup z maczugą wzniesioną do ciosu. Z łódek poleciało ku niemu kilka strzał, wbijały się we włochate odzienie, a jedna trafiła go w ramię. Chyba mu to nie przeszkadzało. Wszystkie trzy szalupy zaczęły się oddalać, więc katapulty wzięły je za cel. Cyklop podskoczył i machnął maczugą. Do łodzi znajdującej się najniżej zabrakło mu zaledwie centymetrów. Dwaj mężczyźni, którzy jeszcze przed chwilą pędzili w stronę szalup, teraz próbowali zawrócić i dobiec do budynków, ale cyklop ich dogonił. Pierwszego rozgniótł jednym ciosem, drugi po uderzeniu pofrunął bardzo daleko i pogruchotany runął na ziemię.

Lyrus popędził wprost na węża. Wijący się gad szeroko otworzył pysk, ukazując smukłe kły dłuższe od bananów. Wycofywał się, jednocześnie co chwilę atakował, ale za każdym razem otrzymywał cios mieczem. Wreszcie gwałtownie oplótł ogonem nogi wojownika, a potem owinął się wokół niego całym cielskiem, mocno zacisnął i zaczął wściekle uderzać.

Cyklop ruszył biegiem w stronę Cole'a, który zrozumiał, że nie jest już biernym obserwatorem. Wszystko działo się tak szybko, a on czuł tak ogromną odpowiedzialność, że niemal zapomniał, że sam także musi uciekać.

Uniósł miecz w kierunku najbliższej szalupy, po czym krzyknął:

– Naprzód!

Pomknął w górę jednocześnie z wieloma kulami płonącej smoły. Jedna minęła go w tak niewielkiej odległości, że aż poczuł jej żar. Ogniste pociski nie trafiły w łódkę, on natomiast zwinnie w niej wylądował. Szalupa niosła Jeda, Elego, dwóch innych mężczyzn, a także trochę skarbów.

– Jeśli zostawimy Darny'ego, to obedrą nas ze skóry! – zawołał Eli.

Jed zawrócił i obniżył lot.

– Zaraz się spalimy – burknął

– Daj mu jedną szansę – nalegał Eli.

Cole wychylił się przez burtę i spojrzał przed siebie. Prawie zapomniał o Darnym i Mirze! Oboje na własną rękę oddalili się od szalup.

Biegli teraz brukowaną alejką między dwoma budynkami. Darny poruszał się na chorej nodze najszybciej, jak mógł, dźgając ziemię laską. Gonił ich pająk przebity strzałą z balisty. Cole myślał, że to trafienie było śmiertelne. Jak widać, nie było.

Tarantula prędko ich doganiała. Darny nie nadawał się na sprintera. Mira nie odstępowała go ani na krok i zachęcała do pośpiechu. Machnął ręką na znak, żeby uciekała sama.

W powietrze wystrzeliła kolejna salwa płonącej smoły. Jed pochylił szalupę do przodu oraz nieco na bok. Rozpalone pociski przemknęły z wizgiem. Jedna z łódek, które wspięły się już wyżej, została trafiona i rozleciała się na kawałki. Cole widział, jak wśród odłamków drewna spadają płonące ciała. Zestrzelona szalupa znajdowała się już poza granicami Parony, więc ani jej szczątki, ani pasażerowie nie runęli na ziemię.

Oki Doki doganiał Darny'ego i Mirę. Cole zdążył zobaczyć, jak tarantula wykonuje skok. Wylądowała na Darnym, a jednocześnie podcięła Mirę włochatym odnóżem. Dziewczynka upadła, miecz skakania wyleciał jej z dłoni. Tarantula pochyliła się, jakby kąsała Darny'ego.

Stary formista wrzasnął, a wtedy pająk rozerwał się na pół. Na wszystkie strony chlusnęła czarna jucha. Jed sprowadził szalupę tuż nad ziemię – do tej pory Cole jeszcze nigdy nie widział, żeby łódki poruszały się tak szybko. Eli wychylił się za burtę i wyciągnął rękę do Darny'ego. Otarli się palcami. Eli wrzasnął zrozpaczony.

Cole obejrzał się na Mirę i Darny'ego skąpanych w posoce pająka. Pędził ku nim cyklop z uniesioną maczugą. Mira czołgała się po miecz skakania, ale nie ulegało wątpliwości, że cyklop dopadnie ją wcześniej.

– Leć! – warknął Eli. – Już po nich.

Cyklop był zaledwie parę kroków od Miry i Darny'ego. Za moment miał ich rozgnieść na miazgę.

Nie było czasu na plan ani rozmyślania. Cole wycelował miecz w głowę potwora.

– Naprzód!

Wyskoczył z szalupy i poszybował ku jednookiemu gigantowi. Leciał do celu omiatany pędem powietrza. Cyklop, nieświadomy nadciągającego zagrożenia, patrzył z góry na Mirę i Darny'ego. Kiedy Cole zbliżał się do olbrzymiej głowy, miecz nieco wyhamował. Chłopiec wyciągnął się jak struna i dźgnął stwora w sam środek błękitnego oka. Impet skoku nadał ciosowi sporą siłę. Miecz zniknął, a wraz z nim ręka chłopca – aż po łokieć. Cole czuł się tak, jakby uderzył pięścią w głęboką misę ciepłego budyniu.

Cyklop runął na ziemię i legł na plecach. Cole mimo wstrząsu zdołał nie wypuścić miecza. Oszołomiony leżał na powalonym olbrzymie. Patrzył, jak z okaleczonego oka płynie gęsta krew. Żył. Cyklop wręcz przeciwnie.

Rozdział

13

DRYFDYSKI

Miecz nie wyszedł łatwo, ale kiedy Cole trochę się wysilił, zdołał go wyszarpnąć. Oszołomiony zsunął się z cyklopa i zataczając się, odszedł od powalonej bestii. Jego ramię i miecz ociekały krwią.

Zastał Mirę na nogach, skąpaną w czarnej posoce. W dłoni trzymała miecz, a jej zszokowana twarz przypominała maskę.

– Cole?

Spojrzał za nią, gdzie Oki Doki wyleciał już poza krawędź Parony i teraz nie wznosił się, lecz opadał, umykając przed kolejną salwą płonącej smoły. Wkrótce szalupa, którą mieli uciec, zniknęła im z pola widzenia.

Cole odwrócił się od Miry i ogarnął wzrokiem pustą alejkę.

– Tu jest jeszcze wąż.

– Wąż? – jęknął Darny.

– Darny?! – zawołała Mira.

– Nic panu nie jest? – zaniepokoił się Cole.

– Jaki wąż? – dopytywał się formista.

– Gigantyczny. Z tego, co widziałem, ostatnio był zajęty zabijaniem Lyrusa.

Mira przykucnęła przy starszym mężczyźnie.

– Nic ci nie jest? Możesz wstać?

Darny przygryzł dolną wargę i lekko pokręcił głową.

– Wątpię. Daj mi chwilę.

Zamknął oczy i zaczął gładzić się po torsie, cicho przy tym mamrocząc.

– Co on robi? – spytał cicho Cole.

– Próbuje się wyleczyć przy użyciu formowania – odpowiedziała Mira. – Zwykle to niezbyt mądry pomysł. Musi chodzić o coś poważnego.

Chłopiec rozejrzał się po alejce w obu kierunkach.

– Wąż jest duży. I szybki. Nie możemy z nim walczyć. – Zerknął w górę. – Może zaatakować z dachu.

– Darny? – szepnęła Mira.

– Nie dam rady – wydyszał mężczyzna. – Użyjcie mnie jako przynęty. Cole, kiedy wąż będzie mnie pożerał, zaatakuj go z ukrycia. Obetnij mu głowę.

– Nie – zaprotestowała dziewczynka. – Jeśli ty zginiesz, to my też. Zostawili nas.

– Może wrócą.

– Nic z tego, chyba że katapultom skończyła się amunicja – stwierdził Cole. – Widziałem, jak jedna z szalup została zestrzelona. A Domingo się palił.

Darny spojrzał w niebo. Ponieważ otaczały ich budynki, zobaczył tylko wąski pasek zachmurzonego błękitu. Dominga i szalup nie było już widać.

– Pewnie masz rację. Możemy liczyć tylko na siebie. W tym miejscu jesteśmy bezbronni. Trzeba wejść pod dach. Musicie mnie ciągnąć.

– Aaaa! – wrzasnął gardłowo jakiś głos z głębi alejki. Zobaczyli zataczającego się Lyrusa we wgniecionej, podrapanej zbroi. Zbliżył się chwiejnym krokiem. – Kto zabił Gromara? – zapytał.

– Co z wężem? – odpowiedział pytaniem Cole.

– Unicestwiłem Nimbię, choć spisała się dzielnie.

– Wąż nie żyje? – upewniła się Mira.

– Nie ma głowy, lecz jeszcze się miota.

– To był ostatni ze strażników? – spytał Cole.

– Katapulty będą bronić Parony do samego końca. Nie ja je uruchomiłem. Kiedy wasz statek zaatakował Skeloka, reakcja była nieunikniona. Dostaliście pozwolenie, żeby tu przyjść i zabrać skarb, a nie żeby prowadzić ostrzał z nieba.

– Czy możesz wyłączyć katapulty? – chciał wiedzieć Darny.

– Są poza moją kontrolą.

– Do nas też będą strzelać? – zapytał Cole.

– Tylko jeśli wzbijecie się w powietrze.

Kiedy wojownik się zbliżył, chłopiec dostrzegł szeroko rozstawione otwory w jego napierśniku. Ciekła z nich krew.

– Jesteś ranny.

– Umieram – wydyszał Lyrus. – Niedługo już pociągnę. – Uniósł głowę. – Ale przysiągłem chronić cię do samego końca. – Dotarł do cyklopa i kopnął go w łeb. – Chciałem zmierzyć się z Gromarem. Kto go zgładził?

– Cole – powiedziała Mira.

– Ty?!

Cole uniósł zakrwawiony miecz.

– Tym maleńkim ostrzem?

Chłopiec kiwnął głową.

– Źle cię oceniłem – rzekł wojownik. – Jestem pod wielkim wrażeniem.

– Podejdź tutaj – poprosił Darny.

– Słucham tylko Cole'a.

– Idź – polecił chłopiec.

Lyrus podszedł i przyklęknął obok starszego mężczyzny. Spojrzał na dwie połówki tarantuli.

– Jak to się stało?

– Jestem formistą – odparł Darny. – Pozory silnie na mnie reagują. Kiedy pająk mnie przygwoździł, skupiłem całą moc na tym, żeby go rozerwać. Jeszcze nigdy nie dokonałem czegoś podobnego. Dużo mnie to kosztowało.

– Czy jest pan ciężko ranny? – zapytał Cole.

– Tarantula wylądowała prosto na mnie. Mam złamany kręgosłup. Zgniecione narządy wewnętrzne. Do tego dwa razy mnie ukąsiła. Zneutralizowałem toksynę i odtworzyłem organy, żeby zyskać na czasie. Udało mi się, ale wykonałem pewne czynności, które sprawiły, że moje obrażenia są śmiertelne.

– Mnie także zostało niewiele czasu – powiedział Lyrus.

– Cole – zipnął Darny. – Zapytaj go, czy ma jeszcze jakieś plany mogące pośrednio lub bezpośrednio zagrozić tobie lub Mirze.

Chłopiec żałował, że nie zadał tego pytania wcześniej.

– Co ty na to? – zwrócił się do Lyrusa.

– Nie mam takich zamiarów – odparł wojownik. – Spełniłem już swój obowiązek obrońcy Parony. Wszystkie zabezpieczenia zostały uaktywnione, a ja sam oczywiście dotrzymam przysięgi i nie zrobię ci krzywdy.

– Nie naślesz na nas kolejnych sprawdzianów? – nie ustępował Cole.

– Nie – potwierdził żołnierz.

– Daj mi rękę – polecił Darny.

Kiedy Cole skinął potakująco głową, Lyrus wykonał polecenie. Formista zamknął powieki. Krople potu wystąpiły mu na czoło. Bezgłośnie poruszał ustami.

Żołnierz szeroko otworzył oczy.

– Co pan zrobił?

– Złagodziłem jad, zabliźniłem rany, skleiłem połamane kości – wyjaśnił Darny, cofając rękę. – Znacznie łatwiej majstrować przy pozorach niż przy żywych istotach. Parona cię nie przetrwa.

– Co teraz? – spytała Mira.

– Katapulty przestały strzelać – powiedział Darny, patrząc na Lyrusa.

– Wstrzymują działanie, kiedy w ich zasięgu nie ma żadnych celów – wyjaśnił żołnierz.

– Czy wznowią ogień, kiedy zbliży się jakaś łódź?

– Są aktywne. Wezmą na cel każdego nowego przybysza.

– Ile mają amunicji?

– Wystarczająco dużo, żeby strzelać bez przerwy, dopóki Parona nie zniknie.

– Czy jest szansa, że kapitan Pal spróbuje nas uratować? – spytał Cole.

Darny zamknął oczy.

– Nie w takich okolicznościach. Tylko nieliczne zamki stawiają opór intruzom znajdującym się w powietrzu. Ten walczy zawzięcie. Łupieżcy nie chcą stracić najzdolniejszego formisty, ale przeciwko takim zabezpieczeniom nie wysłaliby misji ratunkowej po nikogo, nawet po Adama.

Cole spojrzał na Mirę. Czy już po nich? Czy odpłyną za chmuromur i przestaną istnieć wraz z resztą Parony?

– Na pewno jest coś, co moglibyśmy zrobić.

Darny otworzył oczy.

– Oczywiście. Nie bez powodu walczę o życie. Musimy zbudować własny niebolot. Potrzebujemy co najmniej pięciu dryfdysków. Najlepiej siedmiu. Oraz czegoś, co posłuży nam za łódź.

– Moglibyśmy skorzystać z twojej pomocy – zwrócił się Cole do Lyrusa.

– Otrzymacie ją.

– Pewnie nie przyniosłeś moich narzędzi? – zapytał chłopca Darny.

– Były w jednej z szalup, które się uratowały.

– A która nie uciekła? – zainteresowała się Mira.

– Katapulta trafiła Melodię – powiedział Cole. – Łódka się rozleciała. Ludzie spadli.

– Czy resztki wylądowały na Paronie? – spytał Darny z nadzieją w głosie.

– Nie, szalupa była za daleko.

Formista zmarszczył czoło.

– Ta misja to nasza największa klęska od lat.

Cole czuł się okropnie.

– Zawaliłem sprawę.

– To nie twoja wina. Pomogłeś nam bardziej, niż wymagała tego twoja rola. Wszyscy łupieżcy są świadomi ryzyka. Sam rozmawiałem z Lyrusem, Rowly także. Nie zadaliśmy właściwego pytania. Twój reprezentant dobrze skrył swe intencje.

– Żal mi, że ponieśliście straty – rzekł wojownik. – Spełniłem tylko swoją powinność.

Darny przyjrzał mu się uważnie.

– Jak dobrze znasz Paronę?

– Prawie tak dobrze, jakbyśmy byli jednym organizmem.

– Czy pomożesz nam znaleźć siedem najłatwiej dostępnych dryfdysków? To znaczy węzłów, które utrzymują Paronę w powietrzu? Potrzebujemy wydobyć je w taki sposób, żeby jak najmniej kopać i żeby budynki nie zawaliły się nam na głowę.

– Kilka znajdziemy w katakumbach – odparł Lyrus. – Z całą pewnością możemy zabrać sześć, pod warunkiem że weźmiemy je z różnych miejsc. Po zabraniu siódmego byłoby już niestabilnie.

– Wystarczy pięć – powiedział Darny. – Trzeba mnie nieść. Jestem sparaliżowany od pasa w dół, a Mira nie umie wydobyć dryfdysków sama.

Lyrus dźwignął rannego formistę z ziemi i wziął go na ręce. Potem spojrzał na Cole'a.

– Zaprowadź nas do pierwszego dryfdysku – polecił chłopiec.

Żołnierz ruszył naprzód. Cole i Mira poszli za nim.

– Miejmy nadzieję, że Parona będzie dziś lecieć powoli – powiedział Darny. – I że nie mam racji co do tamtych chmur.

Zanim wydobyli piąty dryfdysk, zapadła noc, a na Paronę lunął deszcz. Nie zgasł jednak ani ogień pochodni, ani ten palący się w misach, kotłach i talerzach, czy to pod dachem, czy na powietrzu. W kontakcie z płomieniami krople parowały z sykiem.

Zerwał się wiatr, więc deszcz zacinał z ukosa. Na niebie nie było gwiazd. Temperatura znacznie spadła.

Kiedy szukali dryfdysków, Cole czuł się bezużyteczny. Katakumby pod Paroną łączyły się w skomplikowany labirynt, co pozwalało przemieszczać się między kolejnymi dryfdyskami bez konieczności wracania na powierzchnię. W woskowych, obrośniętych pajęczyną ścianach większości krętych korytarzy tkwiły czaszki, niepełne szkielety oraz inne dziwne kości. W każdym punkcie wydobycia Lyrus rozgrzebywał wosk, grzyb i brud, aby wreszcie odsłonić nagą ścianę lub podłogę. Mira pomagała Darny'emu, ale to on wykonywał większość ciężkiej pracy. Mocą umysłu rozdzielał kamień, żeby dziewczynka mogła wyciągnąć dryfdysk, a potem jak najdokładniej ponownie zasklepiał powierzchnię.

Każdy dryfdysk był lustrzaną tarczą nie większą od talerza, miał zaokrąglone krawędzie i grubość około dziesięciu centymetrów. Cole miał je nosić. Po wypuszczeniu z rąk zawisały w powietrzu całkiem nieruchomo. Broniły się przed ruchem. Przekonał się, że stawiają mniejszy opór, jeśli przemieszcza się je powoli.

Kiedy Darny pomógł Mirze wydobyć piąty dryfdysk, osunął się na ziemię. Jego blada twarz zmizerniała i lśniła od potu. Cole wątpił, żeby stary formista zdołał pozyskać siedem dryfdysków, nawet gdyby były dostępne.

Wyłonili się z katakumb już jakiś czas temu. Darny odpoczywał na podłodze z zamkniętymi oczami. Oddychał płytko, ale równo. Czekali na Lyrusa, który miał wrócić z czymś, co posłuży za niebolot. Wszystkie tutejsze budynki umeblowano bardzo skromnie, a prawie cała Parona składała się z kamienia, więc do tej pory nie natknęli się na nic stosownego. Żołnierz zapewnił, że ma kilka pomysłów.

– Ale kanał – westchnął Cole. Patrzył między kolumnami na parę unoszącą się z sykiem znad smaganych deszczem płomieni rozmieszczonych wokół patio. – Przepraszam.

– Uratowałeś mi życie – rzekła Mira. – Darny'emu także.

– Dobra. Skoro tak mówisz.

Cole poczuł jej rękę na ramieniu.

– Dlaczego to zrobiłeś? – zapytała go szczerze. – Dlaczego ryzykowałeś dla mnie życie? Byłeś w szalupie. Mogłeś uciec.

Odwrócił się. Na twarzy Miry malowało się zdumienie. Kiedy krążyli po katakumbach w poszukiwaniu dryfdysków, sam kilkakrotnie zadawał sobie to pytanie. Miał trochę wyrzutów sumienia, że porwał się na taki krok. Bądź co bądź Jenna i Dalton również potrzebowali jego pomocy. Gdyby teraz zginął, to kto by ich uratował?

– Nie mogłem pozwolić, żeby cyklop cię zmiażdżył. To by była moja wina.

Dziewczynka pokręciła głową.

– Cole, przecież jesteśmy niewolnikami. Przybyłeś tutaj, bo cię zmusili. Jeśli chcesz kogoś obwiniać, to właścicieli Łupieżców Niebios. Bez względu na wszystko, co pójdzie źle, ty na to nie zasługujesz.

– Może masz rację – odparł Cole. – Ale i tak nie mógłbym patrzeć, jak giniesz. Po prostu bym nie mógł. Już to sobie wyobraziłem. Zobaczyłem okazję, żeby zapobiec tragedii, więc spróbowałem ją wykorzystać. Nie miałem czasu, żeby dobrze to przemyśleć. Ciągle nie wierzę, że się udało.

– Cóż, jeszcze nigdy nikt nie zrobił dla mnie czegoś tak odważnego. I tak niespodziewanego. Dziękuję. – Nachyliła się i cmoknęła go w policzek.

Nagle Cole nie potrafił normalnie oddychać. Jeszcze nigdy nie czuł się tak zakłopotany i nie było mu tak miło. Kazał ustom nie rozciągać się w szerokim, durnym uśmiechu, ale mięśnie policzków nie chciały go słuchać.

– Ha! – zawołał Lyrus. – Triumfator zbiera łup!

Cole, cały czerwony, próbował nie mieć zaskoczonej i zawstydzonej miny. Tęgi żołnierz wtaszczył do pomieszczenia jakąś skrzynię. Może mówił o potencjalnym niebolocie, który właśnie znalazł.

– Słucham?

– Uratowałeś damę w opałach. Ja pewno nigdy nie będę miał tej przyjemności. Mówisz jak tchórz, ale działasz jak bohater. Szanuję to.

Postawił skrzynię na ziemi. Była to duża trumna o typowym kształcie wydłużonego sześcioboku, szersza na wysokości ramion oraz wąska w stopach. Tylko że ta trumna powstała z myślą o dwuipółmetrowym nieboszczyku.

– Gdzie ją znalazłeś? – spytał Cole.

– W jednej z krypt. Było też mnóstwo mniejszych. Szkoda, że nie widzieliście szkieletu. Miał łeb byka. Pewnie to minotaur.

Mira przesunęła dłonią po ścianie otwartej skrzyni.

– Chyba jest solidna. Nie przegniła.

– Mam nadzieję, że się nada – powiedział Lyrus.

Dziewczynka delikatnie potrząsnęła Darnym. Formista zamlaskał i otworzył oczy. Spojrzał na trumnę, a potem podparł się na łokciu i w skupieniu zmrużył powieki.

– Ojejku. Trochę to ponure, nie sądzicie? Ale musi wystarczyć. – Zerknął na Lyrusa. – Ile czasu nam zostało?

– Nawałnica przyspieszyła ruch Perony. Niecałe dwie godziny.

Darny westchnął.

– Miałem nadzieję, że dzieci będą mogły poczekać z odlotem, aż nawałnica osłabnie. Trzeba działać prędko, a wy dwoje musicie się zmierzyć z gwałtownym wiatrem.

– Nie polecisz z nami? – zapytała Mira błagalnym tonem.

– To nie miałoby sensu – odparł Darny z przekonaniem. – Potrzebuję resztki sił witalnych, aby w tak krótkim czasie sprawić, żeby ta łódź wzbiła się w powietrze. Przede mną niewiele godzin życia. Wolę pożegnać się z godnością, niż spędzić ostatnie chwile jako zbędny balast.

– Musisz chociaż spróbować – powiedziała Mira. – Może cię uleczą. Może…

Darny uniósł dłoń.

– Proszę, nie męcz mnie już. Nie ma czasu do stracenia. Nie pojmujesz zniszczeń, jakie dokonały się w moim organizmie. Uformowałem siebie w nienaturalny sposób. Dzięki temu zyskałem kilka godzin życia, ale teraz nie uleczy mnie nikt. Wcale nie pragnę umrzeć, ale już tego nie uniknę. Dajcie mi dryfdyski. Cole, czy mogę zamienić z tobą słowo na osobności?

– Oczywiście.

Kiedy Mira i Lyrus przeszli w drugi koniec pomieszczenia, Cole przykucnął przy Darnym.

– Musisz się nią opiekować – szepnął stary formista z przejęciem.

– Spróbuję.

– Nie mogę wyjaśnić ci wszystkiego, bo nie do mnie to należy, ale ta dziewczyna ma w sobie coś więcej, niż się wydaje. Moja misja w życiu polegała na tym, żeby ją chronić. Funkcja formisty u Łupieżców Niebios to tylko przykrywka pozwalająca realizować zasadniczy cel. Ale nie będę mógł jej dłużej pilnować. To okropna chwila, żeby ją opuścić. Beze mnie będzie zbyt bezbronna. Inni w Nieboporcie nie ochronią jej tak jak ja. Nikt nie wie, ile ona znaczy. Musisz jej strzec za wszelką cenę.

Zaaferowanie Darny'ego zaskoczyło Cole'a. Wiedział, że Mira to jego uczennica, ale nie miał pojęcia, że aż tak się nią przejmuje.

– Jesteście spokrewnieni?

– Nie więzami krwi – odparł Darny. – Nie mam prawa zdradzić ci nic więcej. Moje życie kończy się tutaj, dziś wieczorem. Obiecaj, że będziesz jej strzegł.

Cole nie wiedział, czy w miejscu takim jak Nieboport potrafi strzec nawet samego siebie. Ale lubił Mirę, a Darny'ego należało podnieść na duchu.

– Zrobię, co w mojej mocy. Obiecuję.

Darny odetchnął z ulgą. Powoli pokiwał głową.

– Dobry z ciebie chłopak. Dziękuję, że po nią wróciłeś. Chroń ją dalej z taką samą odwagą, a będzie w dobrych rękach. – Potem odezwał się głośniej: – Skończyliśmy. Cole, idź może po jeszcze trochę broni albo skarbów. Chciałbym zamienić kilka słów z Mirą.

Rozdział

14

NAWAŁNICA

Zgodnie ze wskazówkami Darny'ego Lyrus przyniósł mu trumnę i postawił ją na bocznej ściance. Potem zabrał Cole'a na stronę.

– Darny dzielnie godzi się ze swym końcem – stwierdził.

– Gdyby nie ty, byłby cały i zdrowy – odparł chłopiec.

– Czy to ja go tu sprowadziłem? A może ciebie? To miejsce próby dla bohaterów.

– Po prostu robiłeś swoje, co? Wybrałeś kiepską porę, żeby być w tym taki dobry.

– Pomogłem wam, jak tylko mogłem.

– Zdziwiłem się, że pokonałeś węża. Myślałem, że już cię załatwił.

– Bo tak było – powiedział Lyrus. – W końcu obciąłem mu głowę, ale wcześniej zadał mi śmiertelne rany. Gdyby nie uleczył mnie Darny, już bym nie żył. Szczerze mówiąc, moje starcie z Nimbią zakończyło się remisem. Ja z kolei jestem zaskoczony, że zwyciężyłeś Gromara.

Cole zdążył już oczyścić miecz, ale na rękawie skórzanej kurtki pozostała zaschnięta krew.

– Ja też się zdziwiłem.

– Wykazałeś się – rzekł Lyrus. – Zasługujesz na nagrodę. Jakiego rodzaju trofeum sobie życzysz?

– Masz może jakieś specjalne bronie? Wiesz, takie uformowane do przydatnych zadań. Albo skarby o tajnych właściwościach, takie jak moja chusta?

– Mądrze, że pytasz. Są tu trzy takie przedmioty: obraz przewidujący pogodę na następny dzień, klejnot, który zawsze powróci do pierwszej osoby, która go ucałuje, oraz łuk niewymagający strzał. Przygotowano je w taki sposób, żeby wynagrodzić spostrzegawczych, ale spytałeś, a ja noszę twoją chustę, więc chętnie ci je dam.

Przemieszczając się katakumbami, żeby ukryć się przed deszczem, odwiedzili trzy różne skarbce, wszystkie oświetlone przez pochodnie i świece. Lyrus starannie owinął obraz suknem. Cole ucałował klejnot, gdy tylko go dostał. Natychmiast również wypróbował łuk. Kiedy dostatecznie naciągnęło się cięciwę, pojawiała się na niej strzała.

Lyrus zaopiekował się obrazem i łukiem, żeby chłopiec mógł zebrać inne skarby. Cole starał się wybierać przedmioty, z których Łupieżcy Niebios byliby zadowoleni, między innymi ciężką skrzynię pełną klejnotów i złotych monet. Wsunął pierścienie na wszystkie palce, a na szyję włożył kilka wisiorków. Lyrus polecił mu także zabranie kilku peleryn z kapturem dla ochrony przed deszczem. Cole'owi niełatwo było oderwać się od penetrowania skarbców, ale w końcu żołnierz oznajmił, że Parona dotrze do chmuromuru za niecałe pół godziny.

Kiedy wrócili do Darny'ego i Miry, stary formista leżał obrócony twarzą do ziemi. Dziewczynka klęczała obok niego. W blasku pochodni Cole widział na jej policzkach lśniące smugi łez. Oczy miała czerwone i opuchnięte.

– Nie żyje.

– Przykro mi – powiedział Cole.

– Czy dokończył niebolot? – zapytał Lyrus.

– Zmarł, gdy tylko to zrobił – odparł Mira. – Ostrzegał, że może się tak zdarzyć. Statkiem nie da się sterować, ale to nie jest konieczne. Poleci wprost na złomowisko. To najbezpieczniejsze miejsce, jakie Darny mógł wybrać. Na noc wloty na urwisku są zamykane.

– Powinniście ruszać – rzekł Lyrus. – Czas się kończy.

– Chcesz lecieć z nami? – spytał Cole.

– Nie przetrwałbym podróży. Wolę zostać tutaj, gdzie moje miejsce.

– Darny mówił, że powinniśmy wystartować ze skraju Parony – oznajmiła Mira.

– Miał rację – przyznał Lyrus. – Gdy tylko wzlecicie w powietrze, katapulty was namierzą. Zawierucha powinna popsuć ich celność, ale po co ryzykować bez potrzeby?

– Serio?! – parsknął Cole. – To jest twoja rada? Przecież właśnie celowo walczyłeś z potworami!

Lyrus wzruszył ramionami.

– To tylko dziewczę. A z kulami ognia nie da się walczyć. Cole, powinienem ci oddać chustę.

– Poczekajmy do startu. Na wszelki wypadek.

– Dobrze.

Włożyli do trumny rzeczy, które chcieli zabrać. Cole i Mira ubrali się w peleryny. Lyrus dźwignął skrzynię z jednej strony i wyciągnął ją na deszcz. Chłopiec ruszył za nim. Krople deszczu bębniły o kaptury peleryn. Wiatr dął tak mocno, że marsz był męczący.

– To nie najlepsza noc na latanie w trumnie minotaura – odezwał się Cole do Miry, przekrzykując nawałnicę.

– Miałam już z Łupieżcami Niebios różne złe dni – odparła – ale ten przebija wszystko.

Szli za Lyrusem, dopóki nie postawił trumny na skraju patio, a potem się cofnął. Dalej mrok nocy był nieprzenikniony.

– Co teraz? – spytał Cole.

Mira weszła do skrzyni.

– Wsiadamy i każemy jej lecieć.

Dołączył do niej. Trumna była dosyć głęboka, co zapewniało pasażerom odrobinę bezpieczeństwa, ale mogli się złapać tylko bocznych ścian. To trochę tak, jakby siedzieli w prymitywnym kajaku.

– Czy chcesz, żebym oddał ci chustę? – spytał Lyrus.

– Tak, poproszę – odparł Cole.

Żołnierz zdjął ją, podał chłopcu i zrobił krok do tyłu.

– Niech szczęście wam dopisuje.

– Zgiń dzielnie – powiedziała Mira.

– Zgiń dzielnie – powtórzył Cole.

Lyrus stanął na baczność.

– Tak będzie. Żyjcie dobrze.

– Nieboport! – krzyknęła Mira.

Trumna wyrwała do przodu. Cole mocno chwycił się burt. Prowizoryczny niebolot poruszał się szybko. Kołysał, trząsł się i podskakiwał uderzany podmuchami raptownego wiatru.

Katapulty rozpoczęły ostrzał. Ogniste komety rozświetlały ciemność, ale żaden z pocisków nie zbliżył się do łodzi. Potem nastąpiły jeszcze trzy salwy, każda coraz bardziej odległa. Wkrótce światła i ognie Perony zniknęły w tyle.

Pozostała tylko mroczna nawałnica.

Prędkość lotu oraz siła wiatru sprawiały, że deszcz okrutnie smagał Cole'a. Chłopiec pochylił głowę i mocno zaparł się o ściany skrzyni. Czuł się jak papierowy samolocik podczas tornada. Chwilami trumna rwała naprzód, chwilami zawisała w powietrzu, chwilami opadała, chwilami się wznosiła, chwilami wirowała. Często przechylała się niemal pionowo na bok, ale nigdy do góry nogami. Nie dało się wyczuć, jak zaraz się zachowa, więc Cole trzymał się ile sił.

Odliczał kolejne sekundy, w których nie runął w nawałnicę ku nieskończonej nicości wśród kropli deszczu. Nie było grzmotów ani błyskawic, ale wiatr ciągle szalał, a ulewa chciała ich chyba utopić.

Nie miał szans zamienić z Mirą ani słowa. Siedziała tak blisko, że czasami o siebie uderzali. Tylko to mu przypominało, że nie jest w tej trumnie sam.

Opętańczy lot ciągnął się w nieskończoność. Cole zaczynał wątpić, czy kiedykolwiek dotrą do celu. Nie dało się ocenić, czy łódka przemieszcza się we właściwą stronę. Możliwe, że każdy powiew wiatru coraz dalej znosił ich z kursu. Cole mógł tylko trzymać się mocno, kiedy trumna podrywała się, spadała, skręcała, wirowała, chwiała się, trzęsła, kołysała, drżała, szarpała, zwalniała, przyspieszała i skakała.

Dłonie zdrętwiały mu z zimna. Mimo peleryny miał przemoczone ubranie. Mięśnie bolały go od wysiłku. Wszystko pulsowało w nim od ciągłych szarpnięć. Lekko się przesuwał, szukając nowych bezpiecznych pozycji.

Nawałnica nie słabła. Nie mieli gdzie się skryć. Zewsząd otaczał ich bezlitosny gniew natury. Czas stracił znaczenie. Cole porzucił nadzieję, że to się kiedyś skończy. Teraz tylko się trzymał.

Nie wiedział, że dotarli na miejsce, dopóki trumna nie grzmotnęła dnem o złomowisko. Rozejrzał się dokoła. Rozświetlone okna Nieboportu znajdowały się może pięćdziesiąt metrów dalej. Deszcz nadal padał rzęsiście, a wiatr wył jak szalony.

Mira wciąż siedziała skulona.

– Dolecieliśmy! – zawołał Cole.

Podniosła głowę, a potem wykaraskała się z trumny.

– Musimy wejść pod dach.

Cole zabrał chustę i łuk. Przed startem celowo na nich usiadł. Rozejrzał się po skrzyni za innymi rzeczami zabranymi z Parony. Było zbyt ciemno, żeby stwierdzić to z całą pewnością, ale chyba stracili wszystko, włącznie ze skrzynią pełną monet i zaczarowanym obrazem.

Poszedł za Mirą przez mroczne, przemoczone złomowisko. Błoto chlupało mu pod nogami, kiedy krążył wśród szop i innych przeszkód tonących w cieniu. Wreszcie dotarli do budynku. Podczas gdy Mira wchodziła po schodkach, on wrzucił pod ganek chustę i łuk. Ciężko zapracował na te przedmioty, więc bynajmniej mu się nie spieszyło, żeby się z nimi rozstać.

Kiedy dogonił Mirę, właśnie waliła pięścią w drzwi.

– Zamknięte – poinformowała, gdy się zbliżył.

Na ganku przynajmniej schronili się przed deszczem, chociaż nadal szarpał ich wiatr. Cole już miał powiedzieć, że w tej wichurze nikt ich nie usłyszy, ale właśnie zgrzytnęły zamki. Drzwi otworzył im Eli.

– Już straciliśmy nadzieję! – zawołał z uśmiechem i usunął się z progu, żeby mogli wejść. – A Darny?

Mira pokręciła głową.

– Tylko my.

Eli spochmurniał. Potem klepnął Cole'a po plecach.

– Dobre miałeś lądowanie na tym cyklopie?

– Dla mnie skończyło się lepiej niż dla niego.

Mężczyzna pokręcił głową.

– Jesteś kompletnie szalony. Ale wróciłeś. Stwórca chroni głupców oraz dzieci. Adam będzie chciał was zobaczyć. Kazał nam czekać na wypadek, gdybyście wrócili.

Zaprowadził ich do świetlicy, gdzie Adam siedział na swym tronie z jadeitu. Dopiero w ciepłym wnętrzu Cole poczuł, jak bardzo jest przemoczony i zmarznięty.

– Oho! – huknął Adam. – Rozbitkowie powracają! Tak właśnie sądziłem, że się pojawicie. Czy jest z wami formista?

– Nie przeżył – poinformował Eli.

Adam zmarszczył brwi.

– Jak to? Zbudował niebolot, a potem zapomniał wsiąść na pokład?

– Zmarł, gdy go stworzył – odparła Mira. – Zmiażdżył go pająk. Dał z siebie wszystko, żeby wytrzymać tak długo.

Adam uderzył pięścią w podłokietnik tronu.

– Właśnie dlatego nie wysyła się po dryfdyski najlepszego formisty. Mamy trzech mniej zdolnych ludzi, którzy poradziliby sobie z tym zadaniem. Ale żaden z nich przez rok nie potrafił stworzyć miecza skakania, nawet kiedy groziłem im śmiercią. To moja wina, że dałem się namówić Darny'emu. Podczas misji wszystko może się zdarzyć. Wyglądacie jak dwa podtopione kociaki. Poza tym nie jesteście ranni?

– Nic nam nie jest – powiedział Cole.

– To musiała być niezła podróż. – Adam zachichotał. – Ledwo ją sobie wyobrażam. Jak udało się wam tutaj trafić?

– Darny tak ustawił trumnę, żeby sama znalazła złomowisko – wyjaśniła Mira.

Adam pokręcił głową.

– Ten człowiek tyle wiedział o formowaniu, że więcej zapomniał, niż większość ludzi kiedykolwiek się nauczy. Trumna, powiadasz? Niezbyt dobry omen.

– Stoi na dworze – wtrącił Cole.

– Przywieźliście coś ze sobą?

Chłopiec starał się nie myśleć o chuście i łuku, które wrzucił pod ganek.

– Próbowaliśmy, ale większość chyba wypadła po drodze. Było zbyt ciemno, żeby coś zobaczyć.

– Masz trochę biżuterii – zauważył Adam.

Cole uśmiechnął się zmieszany.

– Rzeczywiście. – Zapomniał o wisiorkach i pierścieniach. Zaczął je zdejmować.

– Ozdoby godne księcia. Dwie uratowane szalupy również zwiozły niezłe znaleziska. Dopóki nie naprawimy Dominga, na misje będzie latał Sęp. W najgorszym razie z tej waszej trumny wyciągniemy jeszcze parę dryfdysków. Cole, o ile dobrze rozumiem, ruszyłeś na pomoc Darny'emu i Mirze już po tym, gdy wsiadłeś do szalupy.

– Uratował nas – powiedziała Mira. – Pająk nas oszołomił, a cyklop by nas wykończył. Cole go zabił.

– Niezbyt mądre posunięcie – stwierdził Adam. – Zwykle w rezultacie zamiast dwóch trupów są trzy. Ale to taki rodzaj głupoty, który jestem w stanie podziwiać.

– Dziękuję – odparł Cole. – Chyba.

Adam puścił do niego oko.

– Za wami ciężka noc. Jutro weźcie sobie wolne, i to całkiem: żadnych robót, żadnych obowiązków. A teraz wysuszcie się i idźcie spać.

Rozdział

15

MIRA

Cole czuł promienie słońca przez zamknięte powieki. Spało mu się tak dobrze, że nie miał ochoty się budzić, ale najpierw otworzył jedno oko, a potem drugie.

Przez okno wlewało się światło dnia. Pokój był pusty, a reszta łóżek zasłana.

Zeszłej nocy, kiedy wszedł do sali, nie zastał tam Jace'a. Dwaj pozostali chłopcy spali. Cole włożył suche ubranie, przykrył się kołdrą i poszedł spać. Nikt mu nie przeszkadzał.

Spuścił nogi z łóżka i stanął na ziemi. Od przybycia do Nieboportu nie miał jeszcze ani jednego naprawdę wolnego dnia. Kiedy nie wyruszał na misję, poznawał i wykonywał różne zadania. Trochę nie wiedział, co zrobić z całym dniem odpoczynku, ale rozsądek nakazywał zacząć od śniadania.

W kuchni Cole wydrapał lepką owsiankę z dna kotła i nałożył ją sobie do miski. Wziął też owoce: jabłko i jakiś fioletowy cytrus. Ostatnio owoców było w bród.

Nie spieszył się z jedzeniem. W świetlicy nie było żywej duszy. Za oknem na błękitnym niebie słońce świeciło z taką mocą, jakby wczoraj wcale nie szalała burza. Łodzie Pożyczalski i Sęp pewnie wyruszyły na misje.

Fioletowy cytrus okazał się najlepszą częścią posiłku. Cole poszedł po jeszcze jeden. Kiedy wracał do pokoju, dogoniła go Mira.

– Dzień dobry – powiedziała. – Długo spałeś.

– Skąd wiesz? Może wstałem już dawno temu.

– Nie. Zaglądałam do ciebie parę razy. Musimy pogadać.

Mówiła to poważnym tonem. Cole zastanawiał się, czy zrobił coś nie tak. Może wiedziała o łuku i chuście pod gankiem? Nie miał czasu porządnie ich schować.

– O co chodzi?

Dziewczynka podeszła bliżej i ściszyła głos.

– Nikt nie może nas usłyszeć. Chodź ze mną.

Sprowadziła go różnymi schodami poniżej piwnicy, do jaskiń. Chociaż były tam podłogi, sufity i ściany z naturalnego kamienia, to drewniane kładki i stopnie znacznie ułatwiały chodzenie. W niektórych miejscach Cole napotkał tak wiele dywanów, gobelinów i mebli, że prawie zapomniał o tym, że wciąż są pod ziemią.

Od jednej ż głównych kładek odbijała wąska odnoga. Na jej końcu dotarli do drzwi. Mira przystanęła.

– To mój pokój.

– Tu na dole nie ma zbyt wielu drzwi – zauważył Cole.

– Rzeczywiście. To miejsce załatwił mi Darny. Jest odosobnione. Nikogo nie wpuszczam do środka. – Wyjęła klucz, otworzyła zamek i weszła. – Chodź.

Cole ruszył za nią i natychmiast stanął jak wryty.

Pokój był niesamowity.

Najbardziej rzucało się w oczy olbrzymie łoże z baldachimem przykryte jedwabną pościelą i mnóstwem poduszek.

Stały tu również inne meble: zdobione biurko, dwie eleganckie kanapy, dwa okazałe fotele oraz drewniany stół z ławami do kompletu. Na ścianach wisiały piękne obrazy, niektóre szersze niż rozpiętość ramion. Podłogę przykrywały wytworne, miękkie dywany. Figurki zwierząt stały na półkach i kuliły się w kątach. Kryształowe lampy dawały jasny blask.

– Skąd masz tyle bombowych rzeczy?

– Sama zrobiłam – odparła Mira.

– Co?

– Wyplotłam dywany, namalowałam obrazy, wyrzeźbiłam zwierzęta, zbudowałam meble.

Cole przyjrzał się dokładniej jednemu z obrazów. Przedstawiał latającego tygrysa, który pikował nad stawem nieopodal wymyślnego zamku. W pofalowanej tafli wody jego odbicie nieco się załamywało. Dzieło wyglądało na absolutnie profesjonalne.

– Nie ma mowy. Nabijasz się ze mnie.

– Uznam to za komplement – powiedziała Mira. – Proszę, nie mów nikomu o rzeczach, które mam w pokoju. Darny starał się ukryć moje talenty, bo w przeciwnym razie Adam dzień w dzień goniłby mnie do rzemieślniczej roboty.

– Mówisz serio? Sama zrobiłaś to łóżko?

– Pościel, poduszki, wszystko. Darny mi pomagał. No i trochę korzystałam z formowania.

Chłopiec przygryzł dolną wargę.

– Skoro nie obeszło się bez formowania, to może zaczynam ci wierzyć.

Mira westchnęła z rezygnacją.

– Jeśli trudno ci uwierzyć w to, co zobaczyłeś do tej pory, to tylko poczekaj.

– Prawie zapomniałem, że to nie wszystko – powiedział Cole. – Co mi chcesz powiedzieć?

– Usiądź – poprosiła dziewczynka i sama zajęła miejsce na kanapie.

Zwykle była bardzo pewna siebie, ale teraz wydawała się trochę zdenerwowana.

Dwie kanapy stały pod kątem prostym. Cole usiadł na tej drugiej, niedaleko Miry.

– Mam… pewne tajemnice – powiedziała.

– W porządku – odparł cierpliwie. – Pierwszy krok przed wyjawieniem tajemnic to przyznanie, że się je ma.

Dziewczynka spuściła wzrok.

– Cole, moje tajemnice mogą być niebezpieczne. Możesz mieć przez nie kłopoty.

– Ja mam tutaj wyłącznie kłopoty. Nowe nie zrobią na mnie wrażenia. I tak już sporo przeszliśmy.

Mira bacznie mu się przyglądała.

– Wiem o tym. I właśnie dlatego jestem przekonana, że mogę ci zaufać. A muszę być bardzo ostrożna. Na Paronie ryzykowałeś dla mnie życie, chociaż nie musiałeś. Nie zwierzyłabym ci się, gdybyś tego nie zrobił. Zabrakło Darny'ego, a ja potrzebuję sojusznika. Przed śmiercią mówił, że powinieneś być nim ty. Myślę, że miał rację.

– Kiedy rozmawialiśmy sami, poprosił, żebym się tobą opiekował.

– Powiedzieć ci?

– Teraz już musisz. Umieram z ciekawości.

– To nie byle plotki – ostrzegła. – Te tajemnice mają wielkie znaczenie. Z ich powodu ginęli ludzie.

Cole zastanowił się nad tym. Jego życie i tak już było koszmarnie trudne. Czy naprawdę chciał się pakować w nowe niebezpieczeństwo? Ale Mira wyraźnie go potrzebowała. Chyba nie będzie strasznie.

– Dawaj.

Dziewczynka zachichotała nerwowo.

– Jeszcze nigdy nie rozmawiałam o tym z kimś, kto nie znał już większości historii. Ty jesteś tu całkiem nowy. Aż nie wiem, od czego zacząć.

– Po prostu opowiadaj.

– Wiesz o Rozdrożu? O najwyższym formiście?

– Czy to coś jak najwyższy król?

– Najwyższy formista jest najwyższym królem.

– No to wiem, że wziął kilku moich kolegów jako niewolników – odparł Cole z goryczą.

– Naprawdę?

– Trafiłem tutaj, bo moi przyjaciele zostali porwani, pamiętasz?

– Rzeczywiście. Ale skąd wiesz, że jechali do najwyższego króla?

– Kiedy zostałem złapany, zbadała mnie jakaś kobieta. Stwierdziła, że nie nadaję się na formistę. Ale potem niektórych, tych z potencjałem, przeznaczono dla najwyższego króla. Między innymi Daltona i Jennę, dwoje moich najlepszych przyjaciół.

– Hmmm – mruknęła Mira. – Wygląda na to, że potrzebuje nowych niewolników z talentem do formowania. Dla twoich przyjaciół może to być zarówno dobra, jak i zła wiadomość.

– Jak to?

– Niewolników, którzy potrafią formować, traktuje się najlepiej. A skoro już ktoś jest niewolnikiem, to w pałacu królewskim będzie mu wygodniej niż w większości innych miejsc. Ale najwyższy król to szaleniec. Każdemu, kto dla niego pracuje, grozi niebezpieczeństwo.

– Dlaczego?

– To się bezpośrednio wiąże z moimi tajemnicami. Co wiesz o sposobie rządzenia Pięcioma Królestwami?

– Nic. Właściwie to nie wiem nawet, co to za królestwa.

Mira skinęła głową.

– Na Obrzeżach jest pięć ważnych królestw: Sambria, w której teraz jesteśmy, Necronum, Elloweer, Zeropolis i Creon. Rozdroże leży mniej więcej pośrodku. To stolica Obrzeży. Kiedyś Pięcioma Królestwami rządziło pięciu wielkich formistów. Nad nimi stał najwyższy formista, który mieszkał w Mieście na Rozdrożu. Razem tworzyli radę zarządzającą i wspólnie władali Obrzeżami. Tylko że mniej więcej sześćdziesiąt lat temu najwyższy formista stwierdził, że lepiej zagarnąć całą władzę dla siebie. Wielki formista Zeropolis stał się jego marionetką, a czterej pozostali musieli się ukryć.

– Czy to jest ta tajemnica?

– To jest tło. Nie wiedziałeś o tym wszystkim, prawda?

– Nie. Kto jest teraz najwyższym formistą?

– Wciąż ten sam facet. Bardzo uzdolnieni formiści potrafią spowalniać proces starzenia. Mogą żyć nawet kilkaset lat.

– Wielcy formiści są bardzo potężni?

– Zwykle najlepsi z najlepszych.

– I co to wszystko ma wspólnego z tobą?

– Zaraz do tego dojdę. Ponad sześćdziesiąt lat temu najwyższy formista mieszkał z żoną i pięcioma córkami. Wszystkie dziewczynki wykazywały talent do formowania. Natomiast ich ojciec nie za bardzo. Chociaż wywodził się ze starego rodu formistów i sam ożenił się z potężną formistką, to stanowisko piastował raczej dzięki pochodzeniu i gierkom politycznym niż talentowi. W każdym razie pewnego dnia doszło do strasznego wypadku i wszystkie córki zginęły.

– Co się stało?

– Ich powóz zjechał z mostu do wzburzonej rzeki. Wieść rozeszła się po całych Obrzeżach. Wszystkie królestwa pogrążyły się w żałobie. Ale ja znam pewne tajemnice związane z tym wypadkiem. Tajemnice dotyczące najwyższego formisty. Rzeczy, które chciałby zatuszować.

– Był w to zamieszany?

Mira patrzyła na Cole'a w milczeniu.

– Mówimy o najpotężniejszym człowieku w całych Obrzeżach. Tak, to on stał za wypadkiem. Sam go zaplanował.

– Zamach na własne córki?

– Chyba wcale nie widział w nich córek – powiedziała Mira. – Raczej rywalki.

– Facet zamordował własne dzieci?! I jeszcze uszło mu to na sucho?

– Nadal włada Obrzeżami. Prawie nikt nie wie, co się tak naprawdę stało. Najwyższy król jest bezwzględny i egoistyczny. Zniszczył własną rodzinę, żeby osiągnąć cel. Im bardziej wzrasta w potęgę, tym bardziej ludzie dostrzegają tę stronę jego natury. A wzrasta w potęgę z każdym rokiem. Z każdym dniem.

– I moi przyjaciele trafili do tego gościa? – spytał Cole. Miał mdłości.

– Miejmy nadzieję, że nie będą pracować bezpośrednio dla niego – powiedziała Mira. – To jeszcze nie jest cały sekret, ale na razie nie powinnam zdradzać za wiele. Im więcej wiesz, tym większe grozi ci niebezpieczeństwo. Najwyższy formista już wcześniej zabijał, żeby utrzymać to wszystko w tajemnicy, i nie zawaha się zabić znowu. Ale musiałam powiedzieć ci wystarczająco dużo, żebyś zrozumiał powagę mojej sytuacji.

– Skąd tyle wiesz?

– Moja matka jest blisko związana z najwyższym formistą. Kiedyś mieszkałam w jego pałacu. Ona nadal tam jest. Jeżeli powiem coś więcej, to zaraz wygadam wszystko. Matka odesłała mnie stamtąd dla mojego bezpieczeństwa, a potem przysłała Darny'ego, żeby mnie pilnował.

– Byłyście niewolnicami?

– Nie. Zostałam oznaczona dla niepoznaki, żeby łatwiej się ukryć. Ale to nieważne, skąd wziął się mój jarzmoznak. Teraz jestem takim samym niewolnikiem jak ty i wszyscy inni.

Cole potarł podłokietnik kanapy. Już to, że Mira była skłonna zostać niewolnicą, byle tylko się ukryć, świadczyło o jej desperacji.

– Dlaczego mi to mówisz?

Dziewczynka zerknęła na drzwi, a potem zniżyła głos.

– Bo Darny i ja planowaliśmy ucieczkę.

– Z Nieboportu?

Kiwnęła głową.

– W jaki sposób?

– Moja mama ma specjalny sygnał, którym daje mi znać, że nadciągają kłopoty. Ten sam sygnał może skierować do mnie posłańców. Ale mama posługuje się nim tylko w wyjątkowych sytuacjach. Pojawił się niedawno, więc Darny postanowił, że trzeba się przemieścić.

– Jaki sygnał? – dopytywał chłopiec. – Co to za niebezpieczeństwo?

Mira przyjrzała mu się uważnie.

– Nie wolno ci powiedzieć o tym ani słowa. Nikomu. Nigdy.

– Obiecuję.

– Moja mama to formistka. Potrafi umieścić na niebie wyjątkową gwiazdę, dokładnie nade mną. Jest niezbyt jasna, ale ma charakterystyczny różowawy odcień.

– Chwileczkę – przerwał jej Cole. – Potrafi stworzyć gwiazdę?

– Nie tworzy prawdziwej. Zresztą to by było nieprzydatne, bo niebo cały czas się zmienia. Pomyśl, że to raczej iluzja gwiazdy umieszczona tak wysoko, że zlewa się z nocnym niebem. Do tej pory mama skorzystała z niej tylko raz. Gwiazda wisiała nade mną tak długo, aż znalazł mnie Darny, a potem znikła.

– Czy dzięki niej mogliby cię znaleźć wrogowie?

– Gdyby wiedzieli, czego szukać. Właśnie dlatego sekret nie może się wydać. Bez czyjejś pomocy trzeba by świetnie znać niebo, żeby w ogóle ją zauważyć. Moja gwiazda ma szczególny kolor, ale jest dość blada. Prawie nikt nie bada gwiazd, ponieważ niebo tak dziwnie się zachowuje. W tym całym chaosie trudno zauważyć jedną nową gwiazdę. Nawet gdyby kilka osób spostrzegło, że się taka pojawiła i że jest nieruchoma, to gdyby nie znały jej znaczenia, nie miałyby powodu, by ku niej wyruszyć.

– Czy twoja mama wie, że Darny nie żyje? Przyśle kogoś innego, żeby ci pomagał?

Mira zacisnęła dłoń na krawędzi kanapy.

– Sygnał pojawił się przed śmiercią Darny'ego. Nie sądzę, aby mama wiedziała, że straciłam obrońcę. Możliwe, że gwiazda prowadzi do mnie posłańca. A może to wyłącznie ostrzeżenie. Tak długo, jak żyję, mama umieściła ją na niebie tylko raz, żeby wskazać drogę Darny'emu. To wszystko. Ale siedem nocy temu moja gwiazda znowu się pojawiła.

– Zaraz – wtrącił Cole. – To właśnie ją wtedy zobaczyłaś? Wiesz, kiedy byliśmy na ganku.

– Trudno mi było ukryć zaskoczenie. Patrzę w gwiazdy każdej nocy, tak na wszelki wypadek. Nigdy nic tam nie ma, ale i tak sprawdzam. Moja gwiazdka to ostatnia rzecz, którą spodziewałam się zobaczyć. Wystraszyłam się.

– I razem z Darnym postanowiliście uciekać.

– Tak. Można powiedzieć, że to właśnie gwiazda spowodowała jego śmierć. To chyba coś więcej niż tylko ostrzeżenie, bo nadal nie gaśnie. Ostrzeżenie mogłoby zostać na niebie tylko przez kilka nocy. Ale ponieważ gwiazda przemieszcza się razem ze mną, posłaniec znajdzie nas wszędzie. Kiedy powiedziałam o niej Darny'emu, postanowił zebrać dryfdyski i zbudować niebolot.

– Nie mogliście po prostu ukraść szalupy? – zdziwił się Cole.

– Zbiegli niewolnicy są traktowani bardzo surowo – odparła Mira. – Łupieżcy Niebios i tak byliby wściekli, więc lepiej nie dokładać do tego jeszcze kradzieży. Nasz plan zakładał, że podczas zbierania dryfdysków Darny przemyci kilka dodatkowych. Miał zbudować niebolot poza Nieboportem, żebyśmy mogli uciec w każdej chwili. Chcieliśmy polecieć łódką na sam koniec Skraju, w pobliże jednego z chmuromurów, a potem zrzucić ją z krawędzi i ruszyć pieszo w głąb lądu. W ten sposób zniknęlibyśmy bez śladu.

Cole pochylił się na kanapie.

– Nadal chcesz zwiać?

– Wcale nie chcę – odparła. – To bardzo niebezpieczne. Łupieżcy Niebios ruszą za mną w pogoń, a jeśli mnie złapią, zostanę surowo ukarana. Ale zeszłej nocy ostrzeżenie matki wciąż było równie wyraźne jak tydzień temu. Nie pojawiłoby się na niebie, gdyby nie chodziło o coś ważnego. Jeśli ucieknę, być może uniknę zagrożenia, a posłaniec i tak mnie znajdzie.

– A jeśli tu chodzi tylko o jakąś ważną wiadomość? I nie grozi ci nic strasznego?

– W takim razie nie muszę uciekać. Ale wiadomość niemal na pewno oznacza potworne kłopoty. To może być kwestia życia i śmierci. Nie będę ryzykować bezczynności. Darny i tak zbyt długo zwlekał, starając się o zgodę na własnoręczne wydobycie dryfdysków.

Cole zastanowił się nad wszystkim, co usłyszał. Przychodził mu do głowy tylko jeden powód, dla którego Mira mogła mu opowiedzieć całą tę historię.

– Chcesz, żebym uciekł razem z tobą?

Dziewczynka wpatrywała się w niego.

– Za długo już czekałam. Muszę uciekać. Pozostają tylko pytania: kiedy, jak i czy chcesz iść ze mną.

Cole ukrył twarz w dłoniach. Miał teraz dużo do przemyślenia. Chciał uciec, odkąd tylko tu przybył. Musiał przecież odszukać przyjaciół. Świetnie byłoby mieć towarzystwo – a zwłaszcza kogoś, kto tak dużo wie o Obrzeżach. No i Mira najwyraźniej orientowała się, jak dotrzeć do najwyższego króla.

– Czy jeśli uciekniemy, pokażesz mi, jak odnaleźć moich przyjaciół? – zapytał.

– Mogę ci wskazać drogę do Miasta na Rozdrożu – odparła. – Ale tylko szaleniec próbowałby odbić niewolników najwyższego króla na własną rękę. – Mira zniżyła głos. – Znam ludzi, którzy pragną jego upadku. Ludzi, którzy mogą ci pomóc w znalezieniu przyjaciół. Dzięki którym miałbyś szansę powodzenia.

– Naprawdę? – Cole bał się uwierzyć w jej słowa.

– Chcę, żeby najwyższy formista stracił tron – szepnęła dziewczynka. – Jeśli uda nam się uciec, pomogę ci znaleźć wsparcie.

Cole poczuł tak wielką ulgę, że miał ochotę ją uściskać. O czymś takim nie śmiał nawet marzyć! Na samą myśl, że nie musi ratować przyjaciół w pojedynkę i bez przewodnika, ogromny ciężar spadł mu z serca.

Ale na razie jeszcze nie uciekli. Na Mirę ktoś polował, a poza tym oboje byli naznaczonymi niewolnikami. Jak daleko zajdą, zanim ktoś ich znajdzie?

– Jak według ciebie powinniśmy to zrobić? – zapytał.

– Idziesz ze mną? – Ulga i nadzieja w głosie Miry pomogły utwierdzić go w podjętej decyzji.

– Pod warunkiem że obmyślimy porządny plan.

– Pamiętaj, że nie musisz dać się w to wciągnąć. Nadchodzące niebezpieczeństwo raczej ci nie grozi, o ile nie będziesz ze mną.

– Słuszna uwaga. Wobec tego radź sobie sama.

Mira spojrzała na niego skonsternowana.

– Rozumiem.

Cole uśmiechnął się od ucha do ucha.

– Żartuję. Po prostu śmiesznie, że jednocześnie prosisz mnie o pomoc i próbujesz wybić mi ten pomysł z głowy. Miro, zrobię wszystko, żeby uratować przyjaciół. Skoro przy okazji mogę pomóc tobie, tym lepiej.

– Zdecydowanie możemy pomagać sobie nawzajem. Ale musisz pamiętać, że jeśli zaangażujesz się w moją sprawę, możesz zginąć. Najwyższy formista nienawidzi mnie i znanych mi ludzi, którzy mogą coś dla ciebie zrobić. Tajemnice, które poznałam, to dla niego zagrożenie. Jeżeli zaczniesz się ze mną zadawać, znienawidzi również ciebie.

– W sumie właśnie na to liczę – odparł Cole. – Wziął w niewolę moich przyjaciół. Raczej nie będę jego fanem.

Mira odetchnęła głęboko.

– Dobrze. Wobec tego uciekniemy razem.

– Pytanie brzmi, jak to zrobimy.

– Tu sprawy się komplikują. Jesteśmy tak blisko Skraju, że ucieczka nocą na piechotę byłaby lekkomyślna, a jeśli wymkniemy się w ciągu dnia, to szybko nas zauważą. Nieważne, czy uciekniemy pieszo, czy nawet ukradniemy konie, zaraz zaczną nas gonić. W ten sposób raczej nam się nie uda.

– Czy możemy ukraść niebolot?

– Żeby nim sterować, trzeba mieć na szyi kamień operatora. Inaczej nie będzie reagował. Wiem, gdzie Darny ukrył kilka na wszelki wypadek. Ale jeśli ukradniemy statek, Łupieżcy Niebios jeszcze bardziej się wściekną. Będą wiedzieć, jak uciekliśmy, i bezlitośnie na nas zapolują.

– To może pomajstrujesz przy trumnie? – zaproponował Cole. – Żeby dało się nią sterować.

– Spróbuję – westchnęła Mira. – Ale nie wiem, czy mi się uda. Nigdy nie robiłam czegoś takiego sama. Zresztą inni formiści na pewno zabrali już dryfdyski, żeby zbudować nową szalupę. Adam musi jak najprędzej zastąpić tę straconą.

Cole założył ręce na piersiach.

– Jak im uciekniemy, to i tak nieźle się wkurzą. Skoro kradzież szalupy zwiększy nasze szanse, to moim zdaniem warto zdenerwować ich jeszcze bardziej.

Mira kiwnęła głową.

– Brzmi sensownie. To chyba jedyne realne rozwiązanie.

– Kiedy chciałaś wyruszyć?

Dziewczynka się skrzywiła.

– Wkrótce. Pewnie jutro wczesnym rankiem, zaraz po otwarciu lądowiska, jeszcze zanim nieboloty wylecą na misję. Na koniec dnia, po powrocie statków, lądowiska bardzo szybko są zamykane.

– Będą nas gonić – powiedział Cole. – Niebolot nie może poruszać się nad lądem, prawda?

– Przeleci góra kilkaset metrów. Dryfdyski działają tylko na niebie za Skrajem.

– A więc jutro?

Mira ostrożnie zerknęła na drzwi i z poważną miną potwierdziła skinieniem głowy.

– Jutro.

Rozdział

16

POSŁANIEC

Nieznajomy wszedł przez drzwi frontowe, kiedy Cole posilał się w świetlicy. Nieopodal siedział Drgawa, trzymał łokcie na stole i pałaszował spore żeberko wołowe. Mira jadła owoce po drugiej stronie sali.

Cole z osobliwym dystansem patrzył, jak wszyscy jedzą i rozmawiają. To miał być tutaj jego ostatni dzień. Rano razem z Mirą uciekną. Nie będzie już gotowych posiłków. Nie będzie Drgawy, Jace'a, Adama ani pozostałych. No i nie będzie misji, w których stale ryzykuje się życie. Wreszcie pojawi się prawdziwa szansa na odnalezienie Daltona i Jenny. Jeżeli Cole tutaj wróci, to będzie znaczyć, że się nie udało, a wtedy kto wie, jaka czeka ich kara.

Nieznajomego prowadziło dwóch łupieżców. Miał na sobie ciemne dżinsy, wysokie, zakurzone buty oraz szarą skórzaną kurtkę z czarnymi paskami na rękawach. Gdy rozglądał się po sali, wykazywał raczej leniwą ciekawość niż strach. Był średniego wzrostu, miał włosy krótko przycięte, a na brodzie i policzkach – lekki zarost. Mógł niedawno skończyć trzydzieści lat, ale raczej dobiegał czterdziestki.

Wiele osób przerwało jedzenie, żeby popatrzeć na nieznajomego, który stanął przed jadeitowym tronem Adama Jonesa.

– Kto to jest? – zapytał Adam.

– Chciał się z tobą zobaczyć – poinformował jeden z mężczyzn eskortujących przybysza.

– Nie znam go. Chcesz do nas dołączyć?

– Nie – odparł tamten.

– Z kupcami rozmawiają Rowly albo Hollis, z handlarzami Finch.

– Muszę porozmawiać właśnie z panem – rzekł nieznajomy. Powiódł wzrokiem po sali. – Na osobności.

– Ha! – zawołał Adam i pacnął dłonią w podłokietnik tronu. – Wszyscy mamy udziały w tym interesie, przyjacielu, albo będziemy mieli, jeśli pożyjemy dostatecznie długo. Więc to, co mówisz jednemu, możesz powiedzieć nam wszystkim.

– Cóż za demokracja – skomentował tamten z dezaprobatą. – Moje wieści nie są przeznaczone dla wszystkich.

Adam zmrużył oczy.

– A jak się nazywasz, nieznajomy?

– Joe MacFarland.

– Jesteś z Zeropolis?

– Co mnie zdradziło?

– To znaczy oprócz twojego ubrania, zachowania i tej broni pod lewą pachą? Posłuchaj, Joe, znalazłeś się daleko od domu, więc będę wyrozumiały. Ci ludzie na co dzień flirtują ze śmiercią. Twoja wiadomość wcale nie poruszy ich tak bardzo, jak ci się wydaje. Dosyć dreptania w miejscu. Słuchamy.

Joe westchnął.

– Jedzie tutaj duży oddział Legionu Rozdroża. Chcą pojmać jednego z pańskich niewolników.

Cole i Mira wymienili spojrzenia, a potem szybko odwrócili wzrok. Może wcale nie chodziło o nią. Ale w Rozdrożu mieszkał najwyższy formista, a matka Miry wysłała ostrzeżenie.

– Legioniści? – spytał Adam z niedowierzaniem. – Nikt nie wejdzie tu jak gdyby nigdy nic i nie weźmie żadnego z moich niewolników. Najwyższy formista to jeden z moich najważniejszych klientów.

– Najwyższemu formiście zależy na tym niewolniku znacznie bardziej niż na pańskich błyskotkach – odpowiedział Joe. – Mówimy o czterystu świetnie wyszkolonych żołnierzach.

– Czterystu? – huknął Adam. – Czy wiesz, czego potrzeba, żeby wysłać czterystu legionistów z Rozdroża nad Skraj? Przecież po drodze jest prawie samo pustkowie!

– Policzyłem ich – powiedział spokojnie Joe. – Najwyższy formista nie żartuje. Ci ludzie puszczą tu wszystko z dymem, żeby zdobyć to, czego chcą.

– Niech no tylko spróbują – odparł stanowczo Adam.

W sali rozległy się głosy poparcia.

– Jeśli nic nie zrobicie, to wezmą, po co przyszli – ostrzegł Joe. – Nawet się pan nie domyśla, ile ta osoba jest warta. Proszę mi pozwolić zabrać ją stąd ukradkiem. Kiedy przeszukają to miejsce i odkryją, że zwierzyna zbiegła, wasze kłopoty się skończą. – Zawahał się i rozejrzał wkoło. – Możemy dokończyć tę rozmowę w cztery oczy?

– Przeszukają naszą siedzibę? – burknął Adam. – Posłuchaj, przyjacielu. Nikt nie zadziera z najwyższym formistą. Jego wrogowie kiepsko kończą. Wszystko to rozumiem. Ale

Skraj leży na krawędzi mapy, daleko od cywilizacji, a ten interes działa od setek lat. Mam w nosie, ilu ludzi tu przyślą. Nikt nie będzie nas rozstawiał po kątach, a już na pewno nie w naszym domu. Co ty tu kombinujesz? Coś mi się widzi, że masz ochotę buchnąć mi niewolnika.

– Nie jestem oszustem – odparł Joe. – Zysk mnie nie interesuje. Zapłacę dwa razy tyle, ile ten niewolnik jest wart na rynku. Nic pan na tym nie straci. Ale legioniści wkrótce tu będą. Jeśli ma się nam udać, musimy iść natychmiast.

– O którym niewolniku mówimy? – zapytał Adam. – Prawie wszyscy kiedyś nimi byliśmy. Przyszedłeś tu po mnie?

Joe rozejrzał się smętnie po sali.

– Mogę to wyjawić tylko na osobności. To informacja niebezpieczna dla każdego, kto ją usłyszy.

Adam złożył ręce na piersiach.

– W takim razie mnie też do niej nie spieszno.

Joe westchnął.

– Wkrótce i tak będzie pan musiał zmierzyć się z tą sprawą. Legioniści są tuż za mną. Jeśli postanowi pan grać na zwłokę, zostanie panu niewiele opcji. W końcu zdradzi pan jednego ze swoich. Czy zależy panu na tym, by najwyższy formista udowodnił, że może panu zabrać, co tylko zechce? Z początku będą bardzo dyplomatyczni, ale tak czy owak dopną swego.

– O którego niewolnika chodzi? – odezwał się jeden z łupieżców.

– No dalej, gadaj – zawołał inny.

Joe, wsparty pod boki, pokręcił głową i wbił wzrok w podłogę.

– Może o Cole'a? – zgadywał Adam. – Przybył tu jako ostatni.

Wszystkie oczy zwróciły się na chłopca, który skurczył się na swoim krześle. Joe popatrzył tam, gdzie wszyscy, a potem cicho fuknął.

– Nie powiem. Wcale nie chcę być tajemniczy ani kłopotliwy. Po prostu dla wszystkich będzie bezpieczniej, jeśli załatwimy to po cichu.

Adam oparł buty na podnóżku.

– Z byciem tajemniczym radzisz sobie kiepsko, masz za to rzadki talent do bycia kłopotliwym. My się tutaj wszyscy znamy. Jeżeli kogoś zabraknie, to i tak każdy się zorientuje, kto zniknął.

– Nie od razu – odparł Joe. – Poza tym nie będą wiedzieli dlaczego. Dla nas liczy się każda chwila i jak największa dyskrecja.

Adam zmarszczył brwi.

– A kimże to najwyższy formista może się aż tak przejmować? Naszym głównym formistą Darnym? Jeśli tak, to się spóźniłeś. Do niego już nikt nie dotrze.

– Nie chodzi o niego – sprostował Joe.

Cole nie patrzył na Mirę. Mdliło go z nerwów. Na pewno mówili właśnie o niej.

Adam podniósł głos:

– Widać legionistów?

– Zbliża się jakaś duża grupa – odpowiedział ktoś od drzwi. – Bardzo duża. Myśleliśmy, że to stado bizonów. Ale może rzeczywiście jeźdźcy. Jeżeli tak, to jest ich mnóstwo.

– Setki – dodał Joe.

Adam wstał. Był wyższy od przybysza i miał mocniejszą budowę ciała.

– Nie jestem pewien, czy chcesz rozwiązać nasz problem, spowodować go, czy na nim skorzystać.

– Wszystko wyjaśnię na osobności.

– I tak powiem innym, jak tylko skończymy rozmawiać.

– Jestem skłonny zaryzykować.

Adam przyjrzał się Joemu przenikliwie.

– Zbliżają się jeźdźcy! – zawołał ktoś na zewnątrz. – Trzech legionistów.

– Nie mamy czasu – nalegał Joe.

– Wysłali straż przednią – stwierdził Adam. – Może warto wysłuchać obu stron.

– Będą kłamać. Naciskać. Jeśli pan ich wysłucha, w końcu odda im pan niewolnika.

Na zewnątrz zadudniły końskie kopyta. Wszyscy spojrzeli w stronę drzwi.

– Przegapiłeś okazję, żeby przedstawić swój punkt widzenia – powiedział Adam.

Joe zbliżył się do niego i coś mu szepnął. Mężczyźni, którzy eskortowali przybysza, rzucili się, żeby go powstrzymać. Adam szeroko otworzył oczy i uniósł dłoń na znak, by się nie mieszali. Odpowiedział szeptem. Joe wymamrotał coś jeszcze.

– Chcesz się schować? – zapytał go Adam.

– Tylko jeśli dostanę niewolnika.

Adam zmarszczył brwi.

Stukot kopyt urwał się przed drzwiami. Joe oddalił się od tronu i usiadł przy stole. Adam wrócił na swoje miejsce. Do sali wszedł mężczyzna w granatowym mundurze ze złotymi zdobieniami, a za nim dwaj kolejni. Wszyscy maszerowali pewnym krokiem. U pasa mieli miecze, a pod pachą nieśli hełmy.

– Jestem kapitan Scott Pickett. Szukam Adama Jonesa – oznajmił pierwszy z legionistów.

Miał krótkie, starannie przystrzyżone wąsy. Włosy spocone od hełmu kleiły mu się do głowy.

– No to mnie pan znalazł – odparł Adam. – Nie znam pańskiej twarzy, Pickett. Co was sprowadza na kraniec świata?

– Sprawa niewielkiej wagi dla pana, ale bardzo istotna dla naszych przywódców. Czy możemy pomówić na osobności?

– Tutaj wszystkie sprawy załatwiamy publicznie. Większość osób obecnych w tej sali to współwłaściciele tego interesu.

– Jak pan sobie życzy – odrzekł krótko Pickett. Wydawał się nieco zdenerwowany, ale wciąż spoglądał na Adama. – Jakiś czas temu najwyższemu królowi skradziono pewną niewolnicę. Jego Wysokość chce ją odzyskać. Ustaliliśmy, że przebywa ona tutaj. Obecnie nie obarczamy was winą. Nie mogliście wiedzieć, że doszło do kradzieży.

Cole zmuszał się, żeby nie patrzeć na Mirę. Mówiła, że przed opuszczeniem dworu najwyższego formisty nie była niewolnikiem. Na pewno legionista kłamał, żeby dopiąć swego.

Adam przelotnie zerknął na Joego i poprawił się na tronie.

– Wszyscy tutejsi niewolnicy zostali uczciwie kupieni.

Pickett szybko kiwnął głową.

– To zrozumiałe. Zważywszy na tę niedogodność, proponujemy panu pięciokrotność wartości tej niewolnicy.

Adam gwizdnął cicho.

– Niewolnik to nie jest tani towar. Skoro ona już należy do najwyższego formisty, to dlaczego oferuje za nią aż tyle?

– Jest mu bardzo droga, więc najwyższy król pragnie załatwić tę kwestię.

– Macie jej papiery?

– Sprawa jest... delikatna – odrzekł wymijająco Pickett.

– Z pewnością możecie przedstawić dowód własności.

– Ma pan słowo legionu oraz najwyższego króla.

Adam potarł dłonią usta.

– Skoro jesteście gotowi zaproponować pięciokrotność jej wartości, to na pewno możecie zapłacić i dziesięciokrotność.

Pickett zamilkł na chwilę.

– Sądzę, że da się to załatwić.

Cole zacisnął palce na krawędzi stołu. Adam zamierzał się targować? Jeśli tak, Mira natychmiast musiała uciekać.

– Rozumiem – rzekł Adam. – A skoro dziesięć, to dlaczego nie sto?

– Nie bądźmy już... – zaczął kapitan.

Adam Jones uniósł palec w proteście.

– Najwyższy formista ma głębokie kieszenie, sprawa jest delikatna, a ja handluję rzadkimi kosztownościami. Dlaczego nie tysiąc?

Pickett wyprostował się, jego twarz stężała.

– Szanowny panie, proszę sobie nie wyobrażać, że Legion Rozdroża pozwoli się wykorzystywać. Najwyższy król pragnie załatwić rzecz kulturalnie. Docenia znaczenie pańskiego interesu. Ale nie zawaha się wziąć tego, co do niego należy. Generał Rainier nadciąga tu z dużym oddziałem.

– Czterystuosobowym?

– Co najmniej.

Adam zmrużył oczy.

– Po co wysyłać aż tylu ludzi po jedną niewolnicę, skoro nie potraficie nawet dowieść, że do was należy?

– Nie przybyliśmy tu wyłącznie po niewolnicę – odparł Pickett. – Zamierzamy także zająć się Spustoszem.

– Spustoszem? – powtórzył Adam. – Najwyższy król wreszcie się tym zainteresował?

Kapitan Pickett przeczesał włosy dłonią.

– Wieści o potworze są bardzo niepokojące. W Pięciu Królestwach widywano już różne dziwactwa, ale czegoś takiego nie spotkano nigdy. Pustoszy miasta szybciej niż zaraza. Miejscowa straż i niewielkie grupy legionistów nie zdołały nawet zdobyć wiarygodnych informacji.

Adam spoglądał na Picketta, marszcząc czoło.

– Co to za niewolnica?

– Obecnie jest znana jako Mira.

W przeciwieństwie do wszystkich ludzi w sali Cole nie obrócił się, żeby spojrzeć na przyjaciółkę. Nie zszokowała go ta informacja. Teraz przynajmniej miał już pewność.

Jace skoczył na równe nogi.

– Mira? Czego chcecie od Miry?

Pickett oderwał wzrok od dziewczynki i spojrzał na niego.

– Ja nie chcę niczego. Wykonuję rozkazy. Tak naprawdę nikt z was jej nie zna. Udaje kogoś, kim nie jest. Najwyższy król zamierza odzyskać swoją własność.

Z oddali Cole słyszał tętent wielu kopyt. Pozostali również zwrócili na to uwagę. Poza tym panowała zupełna cisza – wszyscy słuchali.

Pickett zasłonił usta dłonią w rękawicy i odchrząknął.

– Proszę mi wierzyć, sprawa zakończy się o wiele przyjemniej, jeśli uporamy się z nią przed przybyciem generała Rainiera.

Cole zaryzykował rzut oka na Mirę. Miała szeroko otwarte oczy. Wydawała się niepewna i spanikowana. Wszystko się sypało. Musieli uciekać. Co mógł teraz zrobić?

– Dziewczynka ma talent do formowania – powiedział Adam. – To oznacza, że pięciokrotnie przewyższa wartością niewolnika, który nic nie potrafi.

– To zrozumiałe.

– I zapłacicie nam dziesięciokrotność tej sumy?

– Czyli pięćdziesiąt razy więcej niż za zwykłego niewolnika? Sądzę, że da się to załatwić.

– Sądzi pan czy wie na pewno? Upoważniono pana do negocjacji czy nie?

Pickett podrapał się po wąsach.

– W porządku. Skoro dzięki temu załatwimy sprawę bez zakłóceń, to umowa stoi.

Cole podniósł się i ruszył w kierunku korytarza, który prowadził do tylnego wyjścia. Miał nadzieję, że jeśli tylko będzie się trzymał z dala od środka sali i przemknie się wzdłuż ścian, to może wyjdzie niezauważony. Drgawa spojrzał na niego pytająco, ale Cole dyskretnie machnął ręką na znak, żeby nie zwracał na niego uwagi. W jego stronę popatrzyło jeszcze paru mężczyzn, ale większość śledziła negocjacje.

Adam zatarł dłonie.

– Hojna oferta. Aż za dobra, żeby była prawdziwa. To się raczej nie zdarza. Zaczynam się zastanawiać, czy coś przegapiłem.

– Najwyższemu królowi zależy na tej dziewczynie i wolałby załatwić sprawę po cichu – odparł Pickett. – Tak czy owak, to moja najlepsza propozycja. Na więcej się nie zgodzę.

Cole tymczasem dotarł do korytarza. Zostawił za sobą negocjujących mężczyzn i ruszył w stronę tylnych drzwi. Już tylko parę kroków, a zniknie z oczu ludziom w świetlicy.

– A dokąd to, chłopcze? – rzucił ostro Pickett.

Cole znieruchomiał. Odwrócił się, próbując zachować spokój. Legionista wpatrywał się w niego, a wraz z nim reszta ludzi w sali.

– Muszę siusiu – odpowiedział Cole przepraszającym tonem. – Próbowałem wytrzymać, ale jak trzeba, to trzeba. – Zmusił się do bladego uśmiechu i skrzyżował nogi.

Pickett lekceważąco machnął dłonią.

– Dobrze. Tylko szybko.

Cole ruszył korytarzem, a gdy tylko stwierdził, że już go nie widzą, rzucił się sprintem. Wypadł na dwór przez tylne drzwi. Dudnienie nadjeżdżających koni stało się znacznie wyraźniejsze. Legioniści jeszcze nie dotarli, ale sądząc po hałasie, pierwsi będą na miejscu za minutę, może dwie.

Znalazł chustę i łuk dokładnie tam, gdzie zostawił je pod gankiem. Czy naprawdę zamierzał strzelać do żołnierzy? Jeśli będzie musiał to zrobić dla Miry, to owszem, chyba tak. Co prawda nadciągała duża armia, ale wątpił, żeby miała konie, które potrafią latać. Mira musiała się dostać na niebolot.

Złapał oba przedmioty, a potem popędził korytarzami do swojego pokoju. Skoro mieli uciekać, potrzebował zabrać swoje rzeczy. Wychodząc z sali sypialnej, przypasał miecz skakania i narzucił chustę na ramiona. Wrócił do świetlicy korytarzem prowadzącym w stronę schodów do hangaru niebolotów. Dudnienie kopyt cichło przed budynkiem.

Tymczasem Adam podniósł się z tronu i właśnie ściskał dłoń kapitana Picketta.

– Kupiliście sobie diabelnie drogą niewolnicę – powiedział.

– Postawił pan twarde warunki – odparł tamten.

Adam puścił jego dłoń i wzruszył ramionami.

– Dzięki temu jakoś sobie radzimy.

Nikt nie zwrócił uwagi na powrót Cole'a. Czy on naprawdę chciał to zrobić? Adam właśnie sprzedał Mirę. Lada chwila wejdą tu żołnierze. Cole nie chciał patrzeć na to, jak ją porywają, i nie mógł stracić jedynej nadziei na odnalezienie przyjaciół. Teraz albo nigdy.

Z bijącym sercem uniósł łuk i naciągnął cięciwę, aż pojawiła się na niej strzała. Przyciągnął lotki do policzka, a potem wycelował w Picketta. Nikt nie patrzył w jego stronę.

– Nie tak prędko! – zawołał.

Wreszcie się nim zainteresowali.

Kapitan Pickett i dwaj inni legioniści oparli dłonie na rękojeściach mieczy. Pickett zerknął na Adama.

– Co to ma znaczyć?

Adam uniósł ręce.

– Nie mam z tym nic wspólnego. Ten chłopak to niewolnik, a nie właściciel. Kiedy już go rozbroimy, pożałuje, że w ogóle się urodził. Dziewczyna jest pańska. Gdyby próbowała uciekać, pomożemy ją gonić. Na zewnątrz jest za dużo waszych kompanów. Nie pozwolę zepsuć tej transakcji.

Po drugiej stronie sali otworzyły się drzwi i ukazało się w nich morze legionistów. Za nimi Cole ujrzał kolejnych – jednych jeszcze konno, innych już zsiadających. Pierwsi żołnierze przestąpili próg.

– Miro, już! – zawołał Cole. – Pora się zmywać.

Rozdział

17

LOT

Na moment zapanowała całkowita cisza. Legioniści zatrzymali się w drzwiach. Cole znalazł się w centrum uwagi. Tu i ówdzie czuło się dezorientację, ale dominował gniew.

Potem Mira zerwała się z krzesła i czar prysł.

Pickett i jego dwaj towarzysze dobyli mieczy, a potem ruszyli naprzód skuleni, wykorzystując łupieżców siedzących przy stołach jako tarcze. Legioniści przy drzwiach również sięgnęli po broń i wpadli do środka.

Joe skoczył z miejsca i gwałtownie powalił Picketta. Potem błyskawicznie się podniósł, wyciągnął jakąś srebrną rurę i wycelował w pozostałych legionistów. Nic się nie wydarzyło, więc w nią klepnął, po czym wymierzył ponownie.

Jeden z żołnierzy poruszał się dostatecznie szybko, żeby odciąć Mirze drogę ucieczki. Cole obrócił się i przygotował do wypuszczenia strzały.

Zanim zdążył zwolnić cięciwę, wystrzelił skądś złoty bicz. Owinął się wokół butów legionisty, poderwał go w powietrze i cisnął nim o drewnianą belkę pod sufitem.

Żołnierz stęknął, zgiął się w pół, a potem runął na ziemię. Drugi koniec złotej liny trzymał Jace.

Mira przebiegła obok Cole'a, który stał nieruchomo z napiętym łukiem i osłaniał jej ucieczkę. Drugiego legionistę Jace sieknął biczem po twarzy, a Joe zanurkował pod stół i zaatakował oszołomionego mężczyznę z zaskoczenia.

– Nie wolno tego zepsuć! – huknął Adam. – Za nią!

Wszyscy łupieżcy zerwali się na równe nogi. Wielu poczłapało w stronę Cole'a. Inna, spora grupa ruszyła w stronę korytarza, który prowadził do tylnego wyjścia. Chłopiec dostrzegł, że Pickett wysforował się przed łupieżców i również się tam wymknął.

Jace i Drgawa wyprzedzili pozostałych i przebiegli obok Cole'a.

– Musimy szybko ją stąd zabrać! – wydyszał Jace, nie zwalniając.

Cole zaczął wycofywać się bokiem, cały czas mierząc za siebie z napiętego łuku. Łupieżcy wpychali się w wąskie gardło korytarza. Zderzali się w ciasnym przejściu, potykali i przewracali, jeszcze bardziej tarasując drogę. Poszturchiwali się łokciami, robili grymasy, przesuwali się bardzo powoli. Jednym z tych pierwszych był Eli. Rzucił Cole'owi porozumiewawcze spojrzenie i dał znak, żeby uciekał.

Nagle chłopiec zrozumiał. Łupieżcy wcale nie zmienili się nagle w bandę gamoni. Celowo blokowali przejścia, żeby dać mu szansę.

Cole obrócił się i czym prędzej pognał korytarzem aż do zejścia do jaskiń. Zeskakiwał po stopniach na łeb na szyję, a potem popędził jedyną podziemną drogą, którą dobrze znał – tą do lądowiska. Słyszał, że przed nim ktoś biegnie, pewnie Jace i Drgawa.

Dlaczego łupieżcy postanowili im pomóc? Czy na długo zatarasują korytarze? Nie znał odpowiedzi, ale wiedział, że jeśli Mira wkrótce nie wzbije się w powietrze, potem raczej nie będzie miała okazji. Było już późne popołudnie. Zdążyły wrócić wszystkie ekipy poszukiwawcze. Czy zamknięto lądowisko? A jeśli tak, to czy zdołają je otworzyć?

Cole biegł w stronę hangaru, gdy nagle za plecami usłyszał kroki. Obejrzał się i zobaczył Mirę. Zwolnił, żeby go dogoniła.

– Skąd się wzięłaś za mną? – zapytał.

– Musiałam wpaść do swojego pokoju – wydyszała. Przebiegła obok niego i pognała dalej. – Żeby kierować niebolotem, potrzebujemy kamienia operatora. – Cole zauważył, że zabrała również miecz skakania.

Biegł ile sił w nogach. Dotrzymanie kroku Mirze okazało się wyzwaniem. Rozpędzona poruszała się trochę szybciej od niego.

Kiedy wpadli do hangaru, wszystkie otwory w skale okazały się zatrzaśnięte. Lądowisko było szczelnie zamknięte. Nieboloty majaczyły w świetle lamp.

Jace właśnie wydzierał się na starszego faceta, Martina.

– Jeśli zaraz nie otworzysz, to Adam łeb ci urwie! – wrzasnął chłopak. – Mamy operację „Zepsuć zabawę". Powtórzył dwa razy.

– A jeżeli kłamiesz? – odparł Martin.

– Wtedy to nam się dostanie! – krzyknął Jace.

– On nie kłamie – powiedział Drgawa.

– Mam kamień! – zawołała Mira.

Dobyła miecza skakania i wskoczyła na pokład Sępa.

Jace cisnął drugi koniec złotej liny w stronę statku. Cole do tej pory nie widział, żeby aż tak się wydłużała. Oplotła się wokół masztu, a potem gwałtownie skurczyła, poderwała Jace'a w powietrze i wciągnęła go na pokład. Kiedy bezpiecznie wylądował, odwinęła się od masztu.

Cole usłyszał kroki dopiero na moment przed tym, zanim kapitan Pickett wpadł do hangaru z mieczem w dłoni. Chłopiec obrócił się w miejscu, naciągnął cięciwę i wycelował nisko, w nogi legionisty. Dzieliły ich niecałe trzy metry. Gdy wypuścił strzałę, Pickett zrobił unik, więc pocisk przemknął obok niego.

Oficer rzucił się naprzód, Cole odskoczył i znowu napiął cięciwę, aż pojawiła się kolejna strzała. Pickett szarżował wprost na niego. Chłopiec wypuścił strzałę. Przebiła udo legionisty, który runął na ziemię, wyjąc z bólu. Cole umknął na bok. Nikt nie wbiegł na lądowisko za Pickettem. Kapitan chwilowo był sam.

Cole dobył miecza skakania, wycelował go w pokład Sępa i zawołał:

– Naprzód!

Podczas lotu jak zwykle wszystko w nim aż furkotało. Mocno ściskał miecz, który poniósł go w górę, ponad relingiem, na pokład statku. Cole wylądował i lekko się zatoczył. Drgawa wbiegł na pokład Sępa po trapie.

Mira i Jace właśnie wdrapywali się do szalupy o nazwie Kapryśny Druh. Tymczasem Martin kręcił kołem zamontowanym w ścianie, otwierając jeden z mniejszych wylotów w skale, niewiele większy niż zwykłe drzwi od garażu. Do hangaru wlał się blask późnego popołudnia, jaśniejszy od światła lamp.

Cole pobiegł do łódki. Jace siedział z tyłu przy rumplu. Na szyi miał łańcuszek z gładkim, ciemnym kamieniem. Rzucił Cole'owi bezbarwne spojrzenie.

– Idziesz?

Drgawa dobiegł do szalupy i wskoczył na pokład w tym samym momencie co Cole.

– Jesteś pewien? – zapytał go Jace.

– Lecę z wami.

– Szybko! – wrzasnął Pickett. – Są na Sępie!

Jace chwycił rumpel i szarpnął jedną z dźwigni. Szalupa wyrwała naprzód tak gwałtownie, że Cole aż bujnął się do tyłu. Rozpaczliwie uczepił się burty. Łódka mocno się przechyliła i o mało z niej nie wypadł. Wyrównała lot po zbyt ostrym starcie, a potem pochyliła dziób w kierunku otworu w skale.

Do hangaru wbiegali legioniści z mieczami w dłoniach. Niektórzy mieli łuki. Stojący na ziemi Pickett szaleńczo gestykulował w stronę uciekającej szalupy.

– Zatrzymać ich! – wołał. – Zamknąć właz!

Kilku innych żołnierzy energicznie powtórzyło ten rozkaz i ruszyło biegiem w stronę coraz szerszego wylotu. Cole przygarbił się, gdy w powietrzu zaczęły śmigać strzały. Kilka uderzyło w rufę obok Jace'a.

– Skończyła ci się amunicja? – zapytał go Jace.

Łódka kołysała się, bo chłopiec próbował sterować nią nisko skulony.

Cole wcale nie miał ochoty unosić głowy, ale wiedział, że posyłając w kierunku legionistów kilka strzał, zmusi ich, żeby się ukryli i nie atakowali tak gwałtownie. Usiadł, naciągnął cięciwę i wystrzelił w stronę żołnierzy, a potem znowu i znowu. Za każdym razem pojawiał się nowy pocisk. Cole starał się nie wychylać zanadto i raczej nie celował. Bardziej zależało mu na prędkości oraz na tym, żeby nikt go nie trafił. Tuż obok przemknęła strzała, tak blisko, że prawie go drasnęła, więc z powrotem schował się za burtą. Następne strzały bębniły o kadłub.

– Wstrzymać ogień! – krzyknął Pickett głosem pełnym napięcia. – Traficie dziewczynę. Zablokować im drogę ucieczki!

Cole z przerażeniem dostrzegł Martina przebitego trzema strzałami. Łupieżca osunął się na podłogę pod ścianą i patrzył na nich bez wyrazu ze zwieszoną głową i otwartymi ustami. Drgała mu dłoń.

Szalupa już prawie dotarła do wrót! Klapa nie zdążyła otworzyć się zbyt szeroko, a w stronę uciekinierów gnało mnóstwo legionistów. Jeśli się uda, to tylko o włos.

– Głowy w dół! – nakazał Jace.

Łódka przecisnęła się przez szparę, skrobiąc kilem po podłożu lądowiska.

Potem Cole podniósł głowę i zobaczył, jak w skalnym otworze pojawiają się legioniści. Kapryśny Druh oddalał się od hangaru z pełną prędkością, a Cole posyłał strzałę za strzałą, zmuszając żołnierzy, żeby się cofnęli. Oni również wystrzelili w stronę niebolotu kilka pocisków, ale żaden nie dosięgnął celu.

– Przestajemy się wznosić? – zdziwił się chłopiec.

– Jeśli wzbijemy się za wysoko, kawaleria będzie do nas strzelać jak do kaczek – odparł Jace. – Wejdziemy wyżej, dopiero kiedy oddalimy się od Skraju.

– Oczywiście właśnie dziś musi być ładna pogoda – stęknął Drgawa.

Cole rozejrzał się wkoło. Słońce zniżało się ku ciemnej masie Zachodniego Chmuromuru. Nieliczne zamki znajdowały się w oddali.

– Nie za bardzo jest się gdzie schować.

– Ile mamy czasu, zanim ruszą w pościg? – zapytała Mira.

– Zażądają niebolotu – odpowiedział Jace. – Adam nie może się im sprzeciwić. Będzie zwlekał, ale niezbyt długo. Operacja „Zepsuć zabawę" nie uzasadnia bezpośredniego oporu.

– Poza tym będą nas śledzić z urwiska – dodał Drgawa. – Nawet przy pełnej prędkości szalupa nie przegoni konia.

– Może nie galopującego – odparł Jace – ale żaden koń nie jest w stanie galopować wiecznie.

– Legioniści mają dobre konie – stwierdził Drgawa. – Pewnie wytrzymają na tyle długo, że nie wylądujemy na Skraju, dopóki nie wyślą za nami niebolotu. Zresztą nawet jeśli ich wyprzedzimy, to przy takiej widoczności zobaczą, gdzie wracamy na ląd, i szybko nas wytropią.

– Skoro mamy przechlapane, to po co się z nami zabrałeś? – warknął zdenerwowany Jace.

Drgawa wzruszył ramionami.

– Mam dość Nieboportu. Na każdej misji ryzykujemy życie. Ucieczka też jest groźna, ale wolę jedno duże ryzyko od tych wszystkich misji, które mi zostały. Jeżeli nie złapią nas do zmroku, to może wymkniemy się po ciemku.

Szalupa znów się wznosiła. Nieboport kurczył się w tyle, a konie i legioniści przeistaczali się w armię mrówek. Powiewał rześki wietrzyk, zachodzące słońce grzało w twarz i Cole niemalże mógłby zapomnieć, że wciąż grozi im niebezpieczeństwo.

– Czym dysponujemy? – spytał Jace. – Ja mam swoją linę, a Mira i Cole miecze skakania. Skąd wytrzasnąłeś ten łuk?

– Zdobyłem na ostatniej misji. Schowałem na wszelki wypadek, gdybym go potrzebował.

Jace gwizdnął.

– Narobiłbyś sobie niezłych kłopotów. Ale nie narzekam. Kiedy skończą mu się strzały?

– Podobno nigdy.

– Przyda się, jeśli tamci się zbliżą. Strzelasz beznadziejnie, ale nadrobisz to tempem. Przy okazji: kiedy ktoś na ciebie idzie, to nie strzelaj mu w nogi. Jeżeli w ogóle warto strzelać, to tak, żeby zabić. Celuj w środek klatki piersiowej. Jak będziesz się ograniczał do ranienia wrogów, w końcu przez to zginiesz.

– Nie chciałem zabijać faceta tylko za to, że wykonuje swoją robotę – odparł Cole, nieco zawstydzony tą reprymendą.

– Jego robota polegała na tym, żeby zabić ciebie. Jak widać, Mira jest im potrzebna żywa, ale nas pozabijają bez mrugnięcia okiem.

– On ma rację, Cole – odezwał się Drgawa. – Legion gra serio.

– A ty? – zwrócił się do niego Jace. – Co masz takiego, co może nam pomóc?

– Chciałbyś wiedzieć – odparł Drgawa.

– To już nie jest zabawa – nie ustępował tamten. – Opowiadaj.

– To nigdy nie była zabawa. Do tej pory utrzymałem swój przedmiot specjalny w tajemnicy i dalej tak zostanie. Ta wiedza nie wpłynęłaby na nasze plany. Dowiecie się, jeżeli będę musiał go użyć.

– Czy to może nas zakamuflować? – dopytywał Jace. – Sprawić, że będziemy niewidzialni? Zestrzelić niebolot?

– Gdyby to było coś takiego, tobym wam powiedział. Moja tajemnica nie zmieni naszej strategii.

– A jaką właściwie mamy strategię? – wtrąciła Mira. – Próbujemy uciekać legionistom, aż zrobi się ciemno? Liczymy na bezksiężycową noc?

– Hangar się otwiera – oznajmił Cole, który spoglądał w stronę urwiska. – Wszystkie trzy duże bramy.

Jace kiwnął głową.

– Odlecimy jak najdalej od Skraju. Szalupa jest trochę szybsza niż duży statek. Skręcimy w stronę Wschodniego Chmuromuru. Jest stąd prawie dwa razy dalej niż Zachodni, więc będzie dużo miejsca do manewru. Zresztą po drodze jest więcej zamków.

– Ile ich jest na wschód od nas? – zapytał Drgawa.

– Pięć – odparł Jace.

– Sześć. – Drgawa wskazał palcem. – Pewnie przegapiłeś ten mały tam w dole.

Jace wychylił się na wschód i zmrużył oczy.

– Masz rację, nie zauważyłem. Zresztą to bez znaczenia. Jest tuż przed chmuromurem. Nie dogonimy go, zanim zniknie.

– Myślicie, że możemy ukryć się w którymś z zamków? – spytał Cole.

– W ostateczności warto spróbować – odrzekła Mira. – Kłopot w tym, że pewnie każdy zamek, który nadaje się na bezpieczną kryjówkę, łatwo zaatakować. Moglibyśmy zostać osaczeni.

– Jeżeli dogonią nas paroma niebolotami, to w powietrzu też nas osaczą – stwierdził Cole. – Może któryś z zamków ma takie instalacje obronne jak te katapulty na Paronie.

– Chyba warto to sprawdzić – przyznał Jace. – Ale tylko dlatego, że mamy tak mało możliwości wyboru.

– Nie będzie łatwo – powiedziała Mira. – Przepraszam.

– Wcale nas nie zmuszałaś, żebyśmy z tobą uciekli – odparł Jace.

– Dlaczego nadstawiłeś za mnie karku?

Wzruszył ramionami i odwrócił wzrok.

– Nie potrafili udowodnić, że należysz do nich. Wściekłem się na samą myśl, że cię zabiorą.

Cole zastanawiał się, czy Mira naprawdę nie rozumie, co Jace do niej czuje. Wydawała się kompletnie nieświadoma.

– Wściekłeś się, więc zaatakowałeś legionistów i uciekłeś razem z nami? – zapytała.

– Ja łatwo wpadam w złość – wymamrotał Jace.

– Naprawdę należałaś do najwyższego formisty? – zapytał Mirę Drgawa.

– A kim ty jesteś, żeby drążyć cudze tajemnice? – skrytykowała go dziewczynka.

Chłopiec zamrugał oczami i zaśmiał się nerwowo.

– Jednym z gości, którzy z tobą uciekli i może ktoś ich za to zabije. Po prostu chcę wiedzieć, czy słusznie się ciebie domagają.

– Najwyższy formista mnie zna. Nigdy nie byłam jego niewolnicą. Nie powinnam mówić nic więcej. Bylibyście w jeszcze większym niebezpieczeństwie.

– Ruszają nieboloty – oznajmił Cole.

Sęp, Pożyczalski, a nawet uszkodzony Domingo wyleciały z otworów hangaru i zaczęły oddalać się od urwiska.

– I tak jesteśmy w niezłych tarapatach – stwierdził Jace. – W końcu pewnie albo nas złapią, albo spadniemy, albo będziemy martwi. Co cię łączy z najwyższym formistą?

– To skomplikowane. Tak naprawdę nie jestem niewolnicą. Mój znak jest prawdziwy, ale to przykrywka. Darny pomagał mi się ukryć. Tyle ci wystarczy?

– Niech będzie, skoro nie chcesz zdradzić nic więcej. Znałaś tego gościa z Zeropolis, Joego?

– Nie widziałam go nigdy wcześniej – odparła Mira, zerkając na Cole'a. – Chyba wie, kim jestem.

– Mam nadzieję. – Jace zarechotał. – Bo chyba dał się dla ciebie zabić. – Zamilkł na chwilę. – Najwyższy formista wysłał po ciebie czterystu legionistów. Właśnie to jest najbardziej nienormalne. Po co aż tylu?

– Chodziło jeszcze o Spustosza – przypomniała Mira.

– No tak, ale Skraj wcale nie jest po drodze. Mogła tu przyjechać mniejsza grupa. A przyjechali wszyscy. Dlaczego?

– Dobre pytanie – mruknął Drgawa, nerwowo obgryzając paznokieć.

Mira spojrzała na chłopców.

– Obecność legionistów oznacza, że mam straszne kłopoty. Im mniej się w to wmieszacie, tym lepiej. Moja tajemnica to żadna zabawa. Stalibyście się celami do końca życia.

– I tak pewnie zginiemy – odparł Jace. – Dobrze byłoby chociaż wiedzieć dlaczego.

Mira westchnęła.

– No dobrze. To będzie krótsza wersja. Najwyższy formista jest potworem. Wiem coś o śmierci jego pięciu córek. To on ją zaplanował. Uszło mu to na sucho. Mam nawet dowody. Zrobi wszystko, żeby utrzymać to w tajemnicy.

– Ty mówisz poważnie – mruknął oszołomiony Jace.

Kiwnęła głową.

– Poważnie jak czterystu legionistów.

Przez długą chwilę nikt się nie odzywał.

– Nieboloty się rozdzielają – poinformował Drgawa. – Legioniści spuścili wszystkie szalupy. Nie tylko lecą w naszą stronę, ale odcinają drogę powrotu na Skraj.

– Czy możemy cały czas się oddalać? – zapytał Cole. – Niebo ciągnie się chyba bez końca.

– Niewykluczone – odparł Jace ponuro. – Ale nie możemy. Jeśli odlecimy za daleko od Skraju, niebo przestanie nas nieść. Tak samo, gdy wzniesiemy się za wysoko, zejdziemy za nisko albo zapuścimy się w głąb lądu. To nie stanie się od razu. Poczujemy, że łódka słabnie, kiedy wypuścimy się za daleko, tam gdzie nie ma już zamków i kończą się chmuromury.

– Chmuromury gdzieś się kończą?! – zawołał Cole. – Możemy je oblecieć?

– Tam przestają działać nieboloty – rzekł Drgawa. – Nie da się przelecieć ani górą, ani dołem, ani dokoła.

Cole zmarszczył czoło.

– Jesteśmy w potrzasku.

– Coś w tym stylu – zgodził się Jace.

– Myślicie, że damy radę uciekać aż do zmroku? – zastanawiał się Cole.

Jace spojrzał na nadciągające statki.

– To się zaraz okaże.

Rozdział

18

CHMUROMUR

Podczas gdy słońce chowało się za Zachodnim Chmuromurem, Jace starał się tak sterować Kapryśnym Druhem, żeby trzymać się jak najdalej od nadciągającej chmary niebolotów, na którą składały się trzy duże statki oraz siedem łódek. Plan ucieczki przed legionistami w szalupie z każdą chwilą przedstawiał się coraz gorzej. Wytrwała armada odcinała wszelką drogę odwrotu i gnała zbiegów coraz dalej od Skraju, ku ślepemu zaułkowi Wschodniego Chmuromuru. Jeśli Cole dobrze widział, nieboloty niosły głównie umundurowanych legionistów. Łupieżcy siedzieli za sterami i obsługiwali część uzbrojenia większych jednostek. Pościg był bezwzględnie skoordynowany. Cała formacja wzlatywała, gdy uciekinierzy wzbijali się wyżej, opadała, kiedy nurkowali, i pędziła ich w kąt, z którego nie było odwrotu.

Cole i towarzysze przyjrzeli się zamkom, do których mogli dotrzeć przed resztą łodzi. Jeden zbudowano z czarnego metalu i już z daleka wyglądał na śmiertelną pułapkę. Z innego została tylko ruina, która prawie nie dawała schronienia. Trzeci był kryształowy, więc i tam nie mogli się schować. Nieboloty goniły ich bez ustanku, więc nie mieli czasu snuć planów. Mogli tylko uciekać i modlić się o zmrok.

Kapryśny Druh był coraz dalej od lądu i w końcu zaczął się trząść. Nagle gwałtownie opadł i przechylił się mocno w prawo. Jace zawrócił łódkę w stronę odległego Skraju.

– Nie możemy lecieć dalej, bo spadniemy.

Cole zerknął w kierunku Zachodniego Chmuromuru, za którym zniknęło słońce. Tamta część nieba wciąż była jasna, czerwonopomarańczowa. Do zapadnięcia prawdziwego nocnego mroku brakowało jeszcze prawie godziny. Chłopiec obejrzał się na inne nieboloty. Były coraz bliżej i nie pozwalały na żaden manewr.

– Mają nas – powiedział. – Zostało nam za mało miejsca, żeby uciekać aż do zmroku. Musimy spróbować przedrzeć się między nimi.

Jace pokręcił głową.

– Jeżeli ruszymy środkiem, to po prostu nas otoczą. Mają haki i mnóstwo broni. Nie przebijemy się, nie ma szans.

– Jace ma rację – powiedział Drgawa, oblizując usta. – Unikanie ryzyka to moja specjalność. Taki plan nie wypali.

Wschodni Chmuromur był bliżej niż kiedykolwiek. Ciemny, nieprzenikniony i nienaturalnie płaski zwał chmur ciągnął się w górę i w dół, w lewo i w prawo. Cole zacisnął dłoń na łuku. Żaden ze ścigających niebolotów nie znalazł się jeszcze w zasięgu strzału, ale najbliższemu niewiele już brakowało.

– Zostało nam może dziesięć minut.

– Drgawa – odezwał się Jace. – Czego jeszcze możemy spróbować?

– Zależy im na Mirze. – Chłopiec bębnił palcami w kolano. – A gdyby tak zablefować? Jeśli zagrozimy, że wlecimy w chmuromur, to może się wycofają.

– Chcesz zyskać czas do zmroku? – zapytała Mira.

– Warto spróbować – przyznał Jace. – Chyba że ktoś ma lepszy pomysł.

Cole nie widział innego rozwiązania. Jeśli spróbują przecisnąć się między przeciwnikami, na pewno się to nie uda. Jeżeli spróbują walczyć, będzie jeszcze gorzej. Jedyny sposób to lecieć dalej w stronę chmuromuru.

– A jak nie dadzą się nabrać? – martwił się chłopiec.

Jace zmarszczył brwi.

– To nie będzie ucieczki. Jeśli zignorują nasz blef, a my nie wlecimy w chmuromur, to z pewnością rzucą się na nas w mgnieniu oka.

– Kiepska sprawa, skoro nie chcemy dotrzymać słowa – stwierdził Drgawa.

– Jeśli wlecimy w chmuromur, zginiemy – powiedział Cole. – A jak nas złapią, może przeżyjemy.

– Ja pewnie przeżyję – odparła Mira. – Przynajmniej na trochę. Jako więzień. Będą mnie przesłuchiwać, żeby sprawdzić, ile wiem i komu to powiedziałam. Ale wy jesteście zbiegłymi niewolnikami. Jace zranił paru żołnierzy. Cole strzelał do oficera. Wszyscy mi pomagaliście. Wiedzą, że mogłam wam zdradzić tajemnicę. Zostaniecie straceni.

– Właściwie to nie mamy pewności, że wlatując w chmuromur, zginiemy – powiedział cicho Drgawa. – Wiemy tylko tyle, że nikt stamtąd nie wrócił.

– Teraz to gadasz jak wariat – odparł Jace.

– Czyżby? – Drgawa stuknął pięścią o pięść. – Tam nie będą nas ścigać. Moglibyśmy wlecieć tylko kawałek, tak by zniknąć im z oczu. Instynkt mi podpowiada, że to lepsze niż dać się złapać.

– Ale najpierw blefujemy – upewnił się Cole.

– Oczywiście – powiedziała Mira. – A jeśli mimo to się nie zatrzymają, schowamy się w chmuromurze. Gdyby się okazało, że nie da się wrócić, spróbujemy to przeżyć.

Jace zaśmiał się gorzko.

– Skoro już trzeba zginąć, to równie dobrze można zginąć, robiąc coś strasznie głupiego.

Cole wyjrzał przez burtę na nieskończoną przepaść. Nie mieli spadochronów – zabrakło czasu, żeby je zabrać. Popatrzył przed siebie na imponujący chmuromur. Jakie krył niebezpieczeństwa? Czy ścierał ludzi na atomy? Mieszkały tam zabójcze potwory? A może z całkiem innego powodu nikt stamtąd nie wrócił? Może to jednokierunkowy portal do innego miejsca?

Zbliżali się do chmuromuru, a nieboloty nadciągały. Cole trzymał łuk w pogotowiu. Sęp był już chyba w zasięgu strzału, podobnie jak dwie szalupy. Ale wielu legionistów również miało łuki. Gdyby wszyscy zaczęli strzelać, Cole i jego przyjaciele raczej nie wyszliby z tego z życiem.

Mira wstała.

– Nie zbliżajcie się! – zawołała. – Zostawcie nas w spokoju albo wlecimy w chmuromur!

Odpowiedział jej jakiś mężczyzna na pokładzie Sępa. Miał siwe włosy i wydatny nos.

– Wolelibyśmy wziąć cię żywcem, dziecko, ale nic nie poradzimy, jeśli chcesz się zabić. Rób to, co musisz.

– Wlatujemy – mruknęła Mira. – Szybko.

– Jesteś pewna? – szepnął Jace. – Nawet jak nas pozabijają, to może ty przeżyjesz.

– Wątpię. Wolę zaryzykować z chmuromurem. Nie pozwól im się zbliżyć. Naprzód.

Zaciskając palce na łuku, Cole zerknął na chmuromur. Została niecała minuta drogi. Im bardziej zbliżali się do mglistej bariery, tym wyraźniej widział, że wcale nie jest idealnie płaska – w zachodzącym słońcu lśniły niewyraźne opary na powierzchni. Czy to znaczyło, że przed właściwym chmuromurem znajduje się rozmyta przestrzeń, w której można by się schować?

– Nie bądźcie głupcami! – zawołał mężczyzna z Sępa. – Przecież nie chcecie zginąć okropną śmiercią w ciemności. Miro, jeśli pójdziesz ze mną, oszczędzę życie tych trzech niewolników, którzy ci towarzyszą.

– Nie wierzę panu! – odpowiedziała głośno Mira.

– Jestem generał Rainier, najwyższy rangą oficer Legionu Rozdroża. Mam pełne uprawnienia do takich negocjacji. Przysięgam na swój urząd oraz moje dobre imię, biorąc wszystkich tu obecnych na świadków, że jeśli przerwiesz to szaleństwo i oddasz się w nasze ręce, twoi trzej towarzysze cali i zdrowi zostaną zwróceni swoim właścicielom.

Mira przycisnęła ramiona do piersi i spojrzała w dół na swoich kolegów.

– Nie poddawaj się ze względu na mnie – odezwał się Jace, wciąż kierując łódkę z pełną prędkością w stronę chmuromuru.

– Ani na mnie – dodał Cole, choć wcale nie był pewien, czy rzeczywiście tak myśli.

– Decyduj sama – powiedział Drgawa.

Mira zmarszczyła brwi i spuściła wzrok.

– Ja jestem gotowa zaryzykować, ale to nie w porządku, żebym was w to wciągała.

– Ten facet chce ci zagrać na emocjach – odparł Jace. – Nie pozwól, żeby wykorzystał nas przeciwko tobie. Jeżeli poddasz się przeze mnie, to przysięgam, że skoczę. Poza tym możliwe, że kłamie. Kto wie? Może przeżyjemy zetknięcie z chmuromurem. Zapomnij o nas. Rób to, co sama uważasz za właściwe.

– Nie, dziękuję! – zawołała Mira w stronę statku.

– Zatrzymać ich! – ryknął generał Rainier. – Zatrzymać za wszelką cenę!

W powietrze wystrzeliły haki: trzy z Sępa i jeden z szalupy. Jeden chybił. Drugi, który spadłby na rufę, Jace odtrącił nogą. Dwa pozostałe wylądowały w łódce i mocno szarpnęły za burtę. Gwałtownie zwolnili i zakręcili.

Cole odrzucił łuk i dobył miecza skakania. Rozciął nim linę przymocowaną do jednego z haków. Mira przecięła drugą.

Wszystkie jednostki nadciągały z pełną prędkością. W stronę szalupy frunęły kolejne haki. Jeden Cole odtrącił mieczem w powietrzu. Drgawa zwinnie chwycił inny i wyrzucił za burtę. Kilka kolejnych nie doleciało. Kiedy któryś znowu zaczepił o łódkę, Mira natychmiast przecięła linę.

– Głupcy! – krzyknął generał Rainier.

Cole obejrzał się przez ramię. Do mrocznej powierzchni chmuromuru zostało może pięć sekund. Czy właśnie w ten sposób umrze? Czy będzie bolało? Czy w ogóle zorientuje się, że zginął? Musiał zachować nadzieję, że schowają się we mgle na skraju chmur i przeczekają tam do zmroku.

Odwrócił się z powrotem w stronę Sępa. Generał Rainier stał z dłonią wyciągniętą w ich kierunku, a jego twarz wykrzywiał grymas gniewu i paniki. Cole zrozumiał, że pokład Sępa znajduje się w zasięgu miecza skakania. Co by było, gdyby zmierzył się z legionistami? Nie, to nie skończyłoby się dobrze. Po ucieczce Miry przykładnie by go ukarali.

Mira i Drgawa pociągnęli Cole'a w dół. Dopiero wtedy zorientował się, że jego towarzysze już nie stoją. Wszyscy mocno zapierali się nogami o burty. Schował miecz i zrobił to samo co oni.

– Trzymaj się! – krzyknął Jace. – Wlatujemy!

Dziób Kapryśnego Druha wpłynął w mgłę. Dokoła wszystko zrobiło się niewyraźne. Cole ledwo widział Mirę, która była przecież tuż obok. Po chwili całkowicie pochłonęła ich wilgotna ciemność. Kiedy obejrzał się za siebie, świat poza chmuromurem był już niewidoczny. Chłopiec nie widział nawet własnych dłoni.

– Zakręcaj! – przynaglał w mroku Drgawa. – Zwolnij! Nie możemy wlecieć za daleko.

– Próbuję – odparł Jace z przejęciem. – Łódka nie reaguje.

Przyspieszali. Owiewał ich pęd wilgotnego powietrza. Szalupa chybotała się i drżała.

– Trzymajcie się! – powiedziała Mira.

Cole kurczowo ścisnął krawędź burty, pochylił się jak najniżej i ułożył najbezpieczniej, jak mógł. Wiatr wył mu w uszach. Zmienił się w mokrą wichurę. Łódka podskakiwała, drżała i terkotała. To było jak koszmarna jazda bobslejem bez toru i linii mety.

Cole zastanawiał się, co się stanie, jeśli spadnie. Czy będzie leciał przez wilgotny mrok, dopóki nie umrze z głodu? A jeśli utrzyma się w łódce, czy czeka go inny los?

Szalupa frunęła naprzód. Chyba prawie nie zakręcali. Cole widział tylko czerń. Ubranie i włosy miał przemoczone od mgły. Jace chyba coś krzyczał, ale wicher zagłuszał jego słowa. Kapryśny Druh trząsł się i trzeszczał.

A potem nagle rozwiała się chmurna ciemność. Jednak łódka nie zwalniała.

Cole mrużył oczy przed mokrym wiatrem. Przez przymknięte powieki dostrzegł w półmroku odległy zamek otoczony przez rozległe błonia. Były tam mury i płoty, fontanny i posągi, drzewa i trawniki.

Jego umysł w ułamku sekundy zarejestrował ten pocieszający widok, a zaraz potem dziób szalupy pochylił się w stronę wirującego leja, większego niż stadion piłkarski. Cole czuł się tak, jakby oglądał tornado od wewnątrz – wyjący odmęt zasysał wszystko w dół, w dół, w dół, ku nieskończonej ciemności. W kierunku rozszalałej otchłani płynęły cienkie smugi mgły z krawędzi chmuromuru, a wraz z nimi Kapryśny Druh.

Jace utrzymywał się na nogach i szarpał z dźwigniami.

– Nic z tego! – wrzasnął, zrozpaczony, cały czerwony z wysiłku.

Szalupa pędziła szybciej niż kiedykolwiek wcześniej. Dotarła na skraj leja i zaczęła wirować, opadając ku ziejącemu kraterowi. Cole gorączkowo rozglądał się wkoło, ale nie widział ratunku. Znajdowali się już tak nisko, że zamek znikł im z oczu. Z każdym obrotem łódka zanurzała się w głąb leja. Chociaż pokonywali po obwodzie długą drogę, to pędzili na tyle szybko, że stale czuli potężne działanie siły odśrodkowej.

Mira coś krzyczała, Jace również, ale wszystkie słowa ginęły w kakofonii huku wody i pędzącego powietrza. Razem z szalupą opadały rożne przedmioty przyciśnięte do rozmytych ścian bezkresnego wiru – uszkodzony wóz, haftowany dywan, wypchany tygrys, bezładny stos drewna, miedziane poidełko dla ptaków. Niektóre zdawały się pozostawać w miejscu albo nawet wznosić, ale łódka mknęła w dół po spiralnym torze.

Niespodziewanie uderzyła w olbrzymi dzwon kościelny, który zmiażdżył jej dziób, wydając przy tym łagodny brzęk. Impet wyrzucił Jace'a za burtę i chłopiec runął wprost w mroczną gardziel leja.

Drgawa natychmiast wyskoczył z łódki. Na jego plecach pojawiły się skrzydła. Zanurkował w ślad za przyjacielem i dopadł go, zanim Jace wpadł na wzburzoną ścianę wiru. Trzepocząc skrzydłami i stopniowo tracąc wysokość, Drgawa zaniósł go na środek leja. Szalupa błyskawicznie zostawiła ich w tyle i szaleńczo mknęła dalej.

– Widziałaś to?! – zawołał Cole do Miry.

Nie usłyszała go albo nie zrozumiała. Coś krzyczała, wskazując dno łódki. Cole podążył wzrokiem za jej palcem i zobaczył pęknięcie w kadłubie, które rozszerzało się z każdą chwilą.

– O nie – zdążył powiedzieć, zanim Kapryśny Druh pękł w połowie długości i każda część poleciała w inną stronę.

Cole przez moment szybował w powietrzu, a przed nim unosił się jego łuk. Chwycił go, a zaraz potem runął w kipiącą ścianę leja.

Zupełnie stracił dech w piersiach. Kiedy próbował odetchnąć, do nozdrzy wdarły mu się opary, zacząć się dusić i kasłać. Koziołkował jak surfer, który wywalił się na falach tsunami. Huk ogłuszał, siła wiatru i wody oślepiały. Wszelkie próby ruchu nie zdawały się na nic – Cole był na łasce olbrzymiego wiru.

Zasłonił ręką nos i usta, dzięki czemu mógł łykać powietrze krótkimi haustami. Nie miał pojęcia, gdzie się znajduje względem przyjaciół albo czegokolwiek innego. Wiedział tylko, że porusza się bardzo szybko. Gdyby teraz zderzył się z dzwonem albo kawałkiem szalupy, byłoby po nim.

Nagle zaplątał się w jakąś sieć. Otoczyła go i gwałtownie ograniczyła swobodę ruchów. Zacisnęła się, a potem wyszarpnęła Cole'a ze ściany wiru i wciągnęła w pustkę pośrodku.

Bujając się jak wahadło, spoglądał w dół, w głąb bezdennej studni mroku. Od przeraźliwego huku dudniło mu w głowie, a serce łomotało. Hałas przypominał wycie chóru potępieńców. To nie było zwyczajne tornado, normalny lej wodny, przeciętny huragan. To kosmiczny spust, który wszystko, co istnieje, wsysa w wieczną nicość.

Kiedy Cole popatrzył do góry, okazało się, że jego sieć zwisa z latającej maszyny podobnej do insekta. Trochę przypominała pszczołę, a trochę chrabąszcza. Jej skrzydła poruszały się tak szybko, że zlewały się w ledwie widoczną smugę. Chociaż była zbudowana ze srebrzystego metalu, to znaczą część jej powierzchni ozdabiała mozaika wykonana z muszli ślimaków, barwnych szkiełek oraz makaronu.

Ciągle się kołysząc, Cole wyciągnął szyję i zobaczył, że trzy inne takie maszyny pochwyciły Mirę, Jace'a oraz Drgawę. Dwie kolejne miały puste sieci. Każda była niewiele większa od człowieka. Nie widział, żeby ktoś je pilotował albo kontrolował w inny sposób. Jeśli nie liczyć skrzydeł, wydawały się niezbyt żywe. W miejscu oczu miały mosiężne pierścienie.

Zgromadziły się w środku wiru, a potem jednocześnie zaczęły się wznosić. Towarzyszom Cole'a musiało być niewygodnie – Mira leżała wygięta na plecach, Drgawa skulony na boku, a Jace wisiał do góry nogami i usiłował się wyprostować.

Cole poczuł, że sam również jest częściowo obrócony. Większość jego ciężaru spoczywała na lewym boku i ramieniu. Uczepił się siatki i spróbował się poprawić. Zakołysał się, ale niewiele osiągnął, bo ciasna sieć prawie nie pozwalała na ruch.

Choć znaleźli się w niewygodnych pozycjach, to cieszyli się na widok przyjaciół. Dziwili się, że jeszcze żyją. Cole wprost nie mógł w to uwierzyć, bo wpadając w wir, czuł, że to już koniec. Spróbował zapytać, co się dzieje, inni też coś krzyczeli, ale wszystko zagłuszał dziki huk.

Maszyny latające stopniowo wzbijały się ponad oko wiru. Przez jakiś czas wznosiły się pionowo, a potem zaczęły się oddalać od chmuromuru. W górze, na gasnącym niebie, pojawiły się gwiazdy. Gdy opuścili rozszalały lej, znowu ujrzeli zamek. W kilku oknach paliły się światła, ale większość była ciemna.

Kto tam mieszkał? Ludzie, którzy sterowali tymi maszynami? Kimkolwiek byli, spotkanie z nimi chyba nie będzie gorsze od śmierci w wirze.

Maszyny leciały w stronę zamku. W miarę zbliżania się do rozległych terenów zniżały pułap. Krajobraz kojarzył się Cole'owi ze Skrajem – chmury, niebo w dole, a potem nagle zaczynał się ląd.

Kiedy hałas wiru ucichł, Cole znowu zawołał do Miry:

– Gdzie jesteśmy?

Dziewczynka popatrzyła na niego niepewnie.

– Poza mapą! To nie powinno istnieć!

Chociaż krzyczała, ledwo ją słyszał.

Jace ruchem ręki pokazał, żeby spojrzeli przed siebie.

W dole, na rozległym trawniku, czekała jakaś postać w otoczeniu grupy kanciastych olbrzymów o grubych kończynach. Kiedy podlecieli bliżej, okazało się, że to kobieta, a olbrzymy wykonano z ostrego, zerodowanego kamienia, jaki zwykle widuje się nad morzem. Kolosy stały w równym kręgu, a maszyny latające zawisły w samym jego środku.

Wszystkie jednocześnie wypuściły sieci. Cole spadł z wysokości kilkudziesięciu centymetrów. Niezdarnie wylądował na boku na krótko przystrzyżonej trawie. Zaczął się szarpać z siecią, usiłując się z niej wydostać.

– Nie ruszajcie się – rozkazała kobieta ostrym tonem. Podeszła bliżej, trzymając ręce za plecami. Miała włosy mocno ściągnięte z tyłu, surowe rysy, ostro zarysowane brwi oraz wydatny podbródek. Lśniące czarne buty sięgały jej prawie do kolan, a przy pasie wisiał smukły miecz. – To prywatna posiadłość. Osoby postronne są niemile widziane. Wasze życie zależy od odpowiedzi na dwa pytania: kim jesteście i co tutaj robicie.

Rozdział

19

AZJA I LIAM

Cole leżał na ziemi i patrzył na kobietę przez siatkę. Jak powinien odpowiedzieć? Wahał się, pozostali również. Nieznajoma zatrzymała się tuż przed nim i spiorunowała go wzrokiem.

– Nie kłamcie – powiedziała posępnie. – Poznam to. Gadajcie.

– Mam na imię Cole. Nie jestem stąd. To znaczy z Obrzeży. Przybyłem tu, żeby pomóc kolegom, których porwano, ale potem sam zostałem złapany, oznaczony jako niewolnik i sprzedany Łupieżcom Niebios. Właśnie od nich uciekałem razem z przyjaciółmi.

Kobieta podeszła do Drgawy.

– Ty nie jesteś taki, jak się wydaje – stwierdziła.

Cole zauważył, że skrzydła Drgawy zniknęły. Czy to jego przedmiot specjalny? Skrzydła?

– Nie jestem. Pochodzę z Elloweer. Ja też zostałem niewolnikiem.

– Jak odzyskałeś prawdziwą postać? – naciskała kobieta.

– Mam pierścień.

– A ty? – zwróciła się do Jace'a.

– A co to panią obchodzi?

– Wszyscy jesteście intruzami – burknęła. – A intruzami zajmuję się ja.

– Ma pani jakieś imię? – zapytał Jace.

– Mam trzy: sędzia, przysięgły i kat. Odpowiesz mi albo zginiesz. Kim jesteś? Dlaczego tu przybyłeś?

Chłopiec westchnął z niechęcią.

– Jestem niewolnikiem, odkąd tylko pamiętam. Nie znałem swoich rodziców. Zostałem sprzedany Łupieżcom Niebios, bo moi właściciele mnie nienawidzili. Właśnie uciekałem razem z nimi. – Ruchem głowy wskazał towarzyszy.

– Uciekliście do chmuromuru? Czy wy o niczym nie macie pojęcia?

– Byliśmy osaczeni – powiedział Jace.

Kobieta kiwnęła głową, a potem podeszła do Miry.

– A ty?

– Pewnie już się pani domyśla – odrzekła dziewczynka.

– Nie, nie domyślam się. Nie jesteś taka, jak się wydaje. Naznaczono cię silnym formowaniem. Czymś, czego nie mogę łatwo zidentyfikować. Wyczuwam w tobie pewną moc.

– Pani jest formistką?

Warga nieznajomej wygięła się w szyderczym uśmieszku.

– Najpotężniejszą, jaką w życiu spotkałaś.

– Umiem trochę formować – przyznała Mira. – Może właśnie to pani wyczuwa.

– Unikasz odpowiedzi na własne ryzyko – odparła kobieta i pstryknęła palcami.

Jeden z kamiennych olbrzymów postąpił krok naprzód i uniósł niekształtną pięść nad głową Miry. Jego ręka była na tyle duża, żeby zmiażdżyć dziewczynkę jednym ciosem.

Złota lina Jace'a wystrzeliła z jego sieci i owinęła się wokół gardła obcej kobiety.

– Niech pani odwoła olbrzyma – warknął chłopak.

Nadleciał młody mężczyzna na srebrnym dysku wielkości pokrywy od studzienki kanalizacyjnej. Miał nie więcej niż dwadzieścia lat, chłopięce rysy i psotny wzrok. Był ubrany we włochatą brązową kurtkę oraz buty ze skóry aligatora, a w każdej dłoni trzymał coś, co wyglądało jak srebrna solniczka. Stał na lekko ugiętych nogach. Zawisł jakieś trzy metry nad ziemią, chociaż dysk nie miał żadnego widocznego napędu.

– Już wystarczy – powiedział przyjaznym tonem.

Wskazał dłonią linę, a wtedy odwinęła się z szyi kobiety i luźno spadła na trawę. Potem machnął ręką w stronę kamiennego olbrzyma, który zmienił się w kartonowego i cofnął o kilka kroków.

Kobieta odwróciła się do przybysza i rzuciła mu gniewne spojrzenie.

– To nie twoja sprawa – warknęła.

– Owszem, to ja stworzyłem latawki – poprawił ją młodzieniec. – I usłyszałem rozmowę.

Jace poruszał dłonią, ale jego złota lina zachowywała się jak taka zwykła.

– Co ty z nią zrobiłeś?

– Odciąłem od ciebie – odparł młody człowiek od niechcenia. – Nie martw się. Jeśli nam się spodobacie, mogę to naprawić. Całkiem niezły artefakt. Znalazłeś ją w zamku na niebie?

– Psujesz przesłuchanie – syknęła kobieta.

– Azjo, bądź szczera, to przesłuchanie robiło się problematyczne.

– Właśnie miałam odciąć linę…

– I w ten sposób ją zniszczyć.

– Miałam wszystko pod…

– Azjo, proste podziękowanie zupełnie by…

– Mówiłam ci, żebyś nie posługiwał się moim imieniem w obecności obcych.

– Może to twój pseudonim? – odparł młody człowiek i mrugnął okiem.

Cole próbował stłumić śmiech. Młodzieniec na dysku zerknął w jego stronę.

– Nie mogą być tacy źli. Ten tutaj ma poczucie humoru, i to nawet leżąc w sieci zaraz po tym, jak o mało nie wciągnęło go w krańcową pustkę.

Azja zacisnęła zęby i odetchnęła bardzo powoli.

– Pozwól mi wykonywać moją pracę.

– A co z naszym nowym kapitanem straży?

– Posłałam go po posiłki. Nadaje się do kontrolowania pozorów, ale to są pierwsi żywi intruzi od wielu lat.

Młodzieniec machnął ręką w stronę czwórki przyjaciół.

– To zbiegli niewolnicy. Pasuje do nich. Brzmi prawdopodobnie.

– Musimy zweryfikować…

– Przecież widać, że nie są przednią strażą armii najeźdźców.

– Może to szpiedzy.

Młodzieniec zamilkł na chwilę.

– Fakt.

– Zbliżają się tu setki legionistów – powiedziała Azja.

Mężczyzna w zamyśleniu przekrzywił głowę.

– Też fakt.

– Nie możemy ryzykować, że zostaniemy odkryci.

Młody człowiek odwrócił się do przybyszów.

– Mam na imię Liam. Czy ktoś z was jest szpiegiem? Odpowiadać głośno.

– Nie – powiedział Cole.

Pozostali powtórzyli to samo. Ich odpowiedzi nałożyły się na siebie.

– A ty? – Liam od niechcenia zwrócił się do Miry. – Rzeczywiście jesteś powiązana z bardzo niezwykłym formowaniem. Co nam o sobie powiesz?

– Co to ma być? – wtrącił Cole. – Zabawa w dobrego i złego gliniarza?

– Co?! – zawołał Liam, odchylił się i zakrył oczy. – Wiesz o zabawie w dobrego i złego gliniarza? Kto ci powiedział? Azjo, on wie!

Kobieta spojrzała na niego błagalnie.

– Czy mógłbyś mi pozwolić…

– Wbić ich w ziemię? – przerwał jej młodzieniec. Zamilkł, jakby rozważał tę opcję. – Może byłby z nich niezły nawóz… Ale nie, chyba dość już usłyszeliśmy. Niech Wiesz-Kto osądzi sam.

– Chcesz zaprowadzić do niego potencjalnych szpiegów?

– Jeżeli to szpiedzy, przerobimy ich na nawóz. Albo nie, jeszcze lepiej: pomyślimy jakieś życzenie, a potem wrzucimy ich w krańcową pustkę.

– A jeśli to dziwne formowanie pozwala dziewczynce komunikować się ze światem za chmuromurem? – Azja nie dawała za wygraną.

– Czy wyczułaś transmisje pochodzące od któregoś z nich?

– To formowanie ma dziwne więzi z czymś, co znajduje się poza nią.

– Owszem, ale nie stwierdziłaś żadnej łączności. To nie szpiedzy. A jeśli jednak, to on się zorientuje i wtedy ich ukarzemy. Wezmę winę na siebie.

Azja westchnęła zrezygnowana.

– Dlaczego ja cię toleruję?

– Bo to nie twój wybór.

– Tutaj się nie mylisz – fuknęła.

Liam odwrócił się do Cole'a i jego przyjaciół.

– Jeśli oddacie wszystkie swoje bronie, artefakty i ulepszone przedmioty, wyplączę was z tych sieci.

– A jeśli odmówimy? – odparł Jace.

– Nie martw się. Jeśli on was polubi, wszystko odzyskacie. Nic mi po waszych… No dobrze, tę linę to nawet bym chciał, ale mi przejdzie. No dalej, oddawajcie, co macie. Późno się robi.

Miał rację. Na niebie pozostały ostatnie ślady zmierzchu. Widać już było wiele gwiazd.

Cole miał kłopoty z wyciągnięciem z pochwy miecza skakania.

– Trochę trudno to zrobić w tej sieci.

– Słuszna uwaga – zgodził się Liam. – Obiecujesz, że będziesz spokojny? Jeśli po zdjęciu sieci zaczniesz coś kombinować, poszczujemy was gorylami. – Wskazał na kartonowego olbrzyma, który zmienił się z powrotem w kamiennego.

– Będziemy grzeczni – powiedział Cole.

– A ty, kolego od liny?

– Jak wy z nami nie zadrzecie, to i ja nie zadrę z wami – odparł Jace.

– To chyba jest uczciwy układ. Przysięgasz? Przysięgasz wniebogłosy?

– Mówi się „krzyczeć wniebogłosy" – wtrącił Cole.

Liam spojrzał na niego zaskoczony.

– No tak. A jaka jest taka bardzo mocna przysięga?

– „Na wszystkie świętości" – powiedział Cole.

– O, podoba mi się. – Liam zerknął na Azję i ruchem głowy wskazał na chłopca. – Ten to nam się jeszcze przyda.

Kobieta przewróciła oczami.

– Przysięgacie, że będziecie grzeczni? – zapytał Liam. – Na wszystkie świętości? Musicie to głośno potwierdzić.

Wszyscy się zgodzili.

Liam machnął dłonią, a wtedy sieci się uniosły, ulotniły i prędko rozwiały w powietrzu.

– Niezły jesteś – powiedziała Mira.

Liam wzruszył ramionami.

– Na coś tam się przydaję. No dalej, poproszę o te przedmioty.

Cole wręczył mu chustę, łuk i miecz. Drgawa wahał się, czy oddać pierścień.

– On bardzo dużo dla mnie znaczy.

– Dobrze się nim zaopiekuję – zapewnił Liam. – Zresztą i tak by mi się nie przydał. Nie jestem z Elloweer.

Drgawa przekazał mu pierścień, Jace bezwładną linę, a Mira miecz skakania.

Liam wrócił do Cole'a.

– Masz jeszcze coś małego.

– Zapomniałem – przyznał chłopiec, wyjmując z kieszeni klejnot, który zabrał z Parony.

Mężczyzna wziął go do ręki i przyjrzał mu się uważnie.

– Mniejsza z tym. Nie będę sobie tym zawracał głowy. – Oddał klejnot Cole'owi. – Zatrzymaj go. Albo nie. W każdym razie na pewno go nie stracisz.

– Idzie – oznajmiła Azja.

Nieco dalej barczysty wojownik prowadził przez trawnik kilku innych, odzianych w pełne zbroje. Choć było już ciemno, Cole natychmiast rozpoznał przywódcę.

– Lyrus?

Rosły żołnierz przyspieszył i ruszył truchtem.

– Cole? To ty?

Liam był zdezorientowany.

– Wy się znacie?

– Spotkaliśmy się już wcześniej – powiedział Cole.

Lyrus lekko skłonił się chłopcu.

– Jestem oszołomiony. Jak tu dotarłeś?

– Przez chmuromur – odparł Cole.

– Znasz ich? – spytała Azja. – Czy to Łupieżcy Niebios?

– Owszem, poszukiwacze – odparł Lyrus. – A Cole jest prawdziwym bohaterem.

– Czy mają w sobie coś podejrzanego? – dopytywała się Azja.

Lyrus pokręcił głową.

– Dotąd poznałem tylko Cole'a i Mirę, ale wierzę, że wszyscy są dobrzy. Cole pomógł mi obudzić w sobie moją prawdziwą naturę.

– Dlaczego nie zginąłeś? – zapytał chłopiec.

– Byłem już pogodzony ze śmiercią – odparł wojownik – ale zostałem uratowany. Oni zaleczyli moje obrażenia.

– W krańcową pustkę wpada wiele pozorów – wyjaśnił Liam. – Pomagamy tylko nielicznym. U Lyrusa nasz mistrz wyczuł nadzwyczajną samoświadomość. Uratowaliśmy go i stwierdziliśmy, że nadaje się na kapitana straży.

– Czy możemy przenieść to spotkanie do zamku? – nalegała Azja.

Liam przyłożył palec do skroni i szybko się skłonił.

– Jak sobie życzysz. Za mną!

Pochylił swój dysk i pofrunął naprzód z prędkością, której nie mógł dorównać nikt z pozostałych. Latające insekty Liama pomknęły za nim, ale zostawały coraz bardziej w tyle.

– Trzymajcie się blisko mnie – mruknęła Azja. – Jeszcze nie zostaliście ocenieni. Idziemy zobaczyć się z naszym mistrzem.

Rozdział

20

DECLAN

Zamek wyrastał wysoko nad ziemię, a w jego niezwykłej architekturze wyróżniały się wklęsłe krzywizny. Gładkie ściany pochylały się do środka, a wyżej nagle wystrzeliwały na zewnątrz. Wieże się zwężały, a potem rozszerzały ku górze. Subtelny motyw klepsydrowych kształtów powtarzał się też na blankach oraz w kształtach okien.

Przez większość długiego marszu Cole milczał. Lyrus unikał rozmowy. Tłumaczył, że formalnie rzecz biorąc, chłopiec wciąż jest więźniem, dopóki pan zamku nie zdecyduje inaczej. Ilekroć Cole odzywał się do przyjaciół, Azja była w pobliżu i nasłuchiwała.

Pozostawiony sam na sam z własnymi myślami zastanawiał się, komu służą Azja, Liam i Lyrus. Jeśli pan zamku nie sprzyjał legionistom, mogli liczyć, że stanie po ich stronie. Ale niekoniecznie. Może to samotnik, który nie cierpi intruzów. Z całą pewnością chciał pozostać w ukryciu. Inaczej po co mieszkałby za chmuromurem, otaczał się mnóstwem straży i odgradzał gigantycznym wirem, który wsysa wszystkich przybyszów?

Na tereny zamkowe padało niewiele światła. Chociaż gwiazdy jasno lśniły, na niebie nie było księżyca, więc niewyraźne kształty żywopłotów, trawników, drzew i fontann ledwo majaczyły w ciemności. Lepiej widoczny był sam zamek – dzięki rozświetlonym oknom i pochodniom na murach.

Zanim dotarli do olbrzymich bram, zapadła już noc. Kiedy zbliżyli się do pochylonych obwarowań, wrota się rozwarły, a krata ruszyła w górę. Weszli na duży dziedziniec oświetlony wymyślnymi fontannami wody i ognia. Na niebotycznych ścianach tańczyły plamy światła i rozedrgane cienie. Wkoło przechadzały się uzbrojone postacie, pobrzękując zbrojami, lśniącymi w blasku ognia.

Kiedy Azja zaprowadziła czwórkę przyjaciół w stronę głównych drzwi zamku, te otworzyły się i wyłonił się stamtąd jakiś człowiek. Był przysadzisty, ale nie kluchowaty, a jego głowę ozdabiały kręcone brązowe włosy. Miał na sobie zieloną szatę oraz sandały. Wyglądał na trzydzieści parę lat.

– Witajcie – odezwał się z taktownym półukłonem. – Jak dawno już żadni goście nie zaszczycili nas swoją obecnością.

– Nie zgrywaj przed więźniami gospodarza, Jamarze – skarciła go Azja.

Mężczyzna uniósł brwi.

– Więźniami? Liam inaczej o nich mówił.

– Od kiedy Liam zna się na czymkolwiek poza formowaniem? – odparła zaczepnie.

Jamar uśmiechnął się przepraszająco do przybyszów.

– Azja traktuje obronę tego zamku bardzo poważnie. – Kolejno przyjrzał się Cole'owi i pozostałym. – Może nadejdzie taki dzień, kiedy jej czujności będziemy wiele zawdzięczać, sądzę jednak, że to jeszcze nie dziś. Ostatnie słowo będzie miał nasz mistrz. Wie o waszym przybyciu i pragnie natychmiast się z wami spotkać.

Jamar usunął się na bok, a Azja dała znak Mirze, żeby weszła do środka. Cole ruszył za nią. Znalazł się w wielkim holu, wysokim na kilka pięter. Na przeciwległym końcu znajdowały się schody, a wzdłuż ścian biegło kilka poziomów balkonów i galerii. Rozmieszczone w całym pomieszczeniu żarzące się kule dawały równe światło. Kryształowe drzewa z witrażowymi liśćmi zmieniały tę przestrzeń w lśniący gaj.

Nieopodal Jamara stał tuzin postaci z białego wosku. Miały ludzkie proporcje i kształty, były jednak gładkie i pozbawione twarzy – zupełnie jak manekiny, które Cole widział w pewnym domu towarowym. Choć różniły się wzrostem i posturą, wszystkie nosiły zielone szaty, a w dłoniach trzymały różne bronie – miecze, włócznie i noże. Większość stała nieruchomo, niektóre jednak lekko zmieniały pozycję, co oznaczało, że potrafią się ruszać. Jedna się nawet rozciągnęła, uniosła ramiona i wygięła plecy.

– Co za miejsce! – wydyszał Jace, szeroko otwierając oczy.

Rzeczywiście, było na co popatrzeć. We wnękach stały kunsztownie rzeźbione posągi z marmuru, sufit zdobiły freski, posadzkę ożywiały mozaiki, a ściany rozjaśniały gobeliny. Każdą balustradę oraz meble dekorowały złocone akcenty i olbrzymie klejnoty.

Pozostawiwszy resztę eskorty na zewnątrz, Azja dołączyła do dzieci. Odezwała się do Jamara:

– Gdzie przyjmie ich mistrz?

– W Sali Ciszy.

Uniosła brew.

– Czy życzy sobie naszej obecności?

– Tylko na początku.

Azja pokręciła głową.

– Robi się nieostrożny.

Jamar rzucił jej karcące spojrzenie.

– To on tu rządzi. My mamy nie kwestionować jego decyzji.

– Ja mam go chronić – odparła stanowczo Azja.

– Nie tutaj – sprostował Jamar. – Odpowiadasz za obronę na zewnątrz. Sprawami w zamku zajmuję się ja.

– A co w takim razie należy do Liama? – rozległ się głęboki kobiecy głos.

Z sąsiedniego pomieszczenia przyczłapała olbrzymia świnia zrobiona z pikowanych kołder. Krótkie nóżki dźwigały pękate ciało. Była masywna i niezgrabna, ale także dość wysoka. Cole musiałby podskoczyć, żeby dosięgnąć jej ryjka.

– Zajmowanie się niebem i szpiegami – odparła Azja. – Liam przyjdzie?

– Pracuje – odparła świnia.

– Czy aby nie wykonuje tej pracy w łóżku? – skomentowała kobieta. – Przy zgaszonym świetle? Chrapiąc?

– Może odrobinę – przyznała świnia. – Wysłał mnie, żebym go reprezentowała i pomogła przetransportować naszych gości.

Cole wymienił spojrzenia z Mirą. Musiał szybko odwrócić wzrok, bo bał się, że na widok jej miny parsknie śmiechem. Ta świnia była kompletnie niedorzeczna.

Azja westchnęła jadowicie.

– Oni jeszcze nie są naszymi gośćmi. To potencjalni wrogowie. Jakoś mnie nie dziwi, że Liam się nie pofatygował.

– Pofatygował się, żeby mnie przysłać – odparła świnia.

– Nasz mistrz czeka – przypomniał wszystkim Jamar.

Pikowana świnia przyklęknęła.

– Na imię mi Lola. Wsiadajcie, zapraszam.

Jace założył ręce na piersiach.

– Cały czas czekam, aż zrobi się mniej dziwnie, i ciągle nic z tego.

Cole musiał się z nim zgodzić. W zamkach na niebie oglądał już różne zaskakujące rzeczy, ale chyba nic nie przygotowało go na przejażdżkę na grzbiecie pikowanej świni przez najbardziej luksusowe pomieszczenia pałacowe, jakie w życiu widział.

– To uzdolnieni formiści – powiedziała Mira, szturchając Jace'a łokciem. – Potrafią stworzyć różne osobliwe pozory.

– W tej kwestii zgadzam się z chłopakiem – stwierdziła Azja. – Liam nie potrafi powściągnąć wyobraźni.

– Przecież ja tu jestem i wszystko słyszę – powiedziała Lola.

– I jesteś urocza – odezwał się Jamar. – Jak przytulna świńska poducha.

– Już trochę lepiej – fuknęła świnia. – Właźcie, dzieciaki, zanim znowu ktoś zrani moje uczucia.

Cole chwycił materiał w dłonie i zaczął wdrapywać się po boku świni, wbijając kolana i stopy w jej puchaty tułów. Czuł się tak, jakby wspinał się na miękki puf wielkości stogu siana. Kiedy już dotarł na górę, usiadł okrakiem na szerokim grzbiecie tuż za głową świni. Chociaż ze względu na komfort pasażerów była niezbyt wypchana, to i tak wydawała się dość stabilna. Cała czwórka zmieściła się na niej bez trudu – Cole usiadł z przodu, Mira przyklęknęła za nim, potem Jace, a na końcu Drgawa. Żeby zrobić miejsce dla kogoś jeszcze, musieliby się ścisnąć.

– Wygodnie wam? – zapytała Azja głosem, który wprost ociekał sarkazmem.

Cole pogładził dłońmi grzbiet świni.

– Właściwie to tak. Co to za materiał? Bardzo miękki, prawie jak jedwab.

– Chłopak ma dobry gust – stwierdziła świnia.

– Miejmy to już za sobą – burknęła Azja.

Wraz z Jamarem wyprowadzili ich z olbrzymiego holu. Świnia trochę się kołysała, człapiąc, ale Cole czuł się na niej dosyć bezpiecznie. Przemierzyli pomieszczenie pełne instrumentów muzycznych, między innymi bębnów wielkości wanny oraz lśniących organów, które zajmowały całą ścianę. Przeszli przez kilka pobrzękujących kurtyn wykonanych z długich sznurków z maleńkimi dzwonkami i znaleźli się w chłodnej sali, gdzie wszystko wycięte było z lodu: meble, posągi, kominek, nawet dywany.

– Tak jak mówiłem – mruknął Jace. – Coraz dziwniej i dziwniej.

– Ale fajnie – odparł Cole. Z ust buchnął mu obłok pary.

Za kolejnymi dźwięczącymi kurtynami trafili do przestronnej sali balowej z wypolerowaną drewnianą posadzką i monstrualnym żyrandolem. Jamar machnął ręką, a wtedy rozpłynął się środek podłogi, ukazując szerokie schody, które biegły w dół i znikały z pola widzenia.

– O rany! – zawołał Cole, kiedy świnia podreptała na skraj stopni. Na płaskiej podłodze dobrze sobie radziła, ale teraz bał się, że polecą do przodu. – Mamy zsiąść?

– Nie martw się – odparła Lola. – Schody to moja specjalność.

Pochyliła się naprzód i zaczęła sunąć na brzuchu. Cole zaparł się nogami najmocniej, jak mógł, chwycił w dłonie pikowany materiał i odchylił się do tyłu. Kiedy jechali po stopniach, przeszły go ciarki, ale podróż okazała się zaskakująco szybka i płynna. Po dotarciu na sam dół świnia jeszcze przez chwilę mknęła ślizgiem po wypolerowanej marmurowej posadzce korytarza.

– Nie ma Drgawy – oznajmił Jace.

Cole spojrzał za siebie. Rzeczywiście nie było go widać.

– Zsunął mi się z grzbietu na szczycie schodów – powiedziała świnia. – Będzie musiał zejść powoli razem z pozostałymi.

Drgawa pojawił się po kilku chwilach. Szedł razem z Jamarem, Azją i czterema woskowymi strażnikami w zielonych szatach. Kiedy zobaczył, że przyjaciele mu się przyglądają, pomachał im trochę zmieszany.

– Szkoda, że nie zostałeś! – zawołała Mira. – Było super.

– Nie przepadam za zbędnym ryzykiem – odpowiedział.

Kiedy wszyscy byli znowu razem, Lola przyklęknęła, żeby Drgawa mógł z powrotem wdrapać się na jej grzbiet. Jamar ruszył przodem.

Na końcu korytarza znajdowały się duże, rzeźbione drzwi. Otworzyły się przed nimi i weszli do podłużnej komnaty. Wysoki sklepiony sufit podpierały dwa rzędy kolumn. Wyrzeźbiono w nich ułożone pionowo głowy o czterech twarzach, po jednej z każdej strony. Podłogi z czerwonego marmuru pokrywała splątana sieć czarnych żyłek, a powierzchnię ścian zmiękczały ciemne draperie.

Pośrodku komnaty siedział drobny staruszek na skromnym krześle. Kiedy weszli, wstał, pomagając sobie dwiema laskami. Pikowana świnia zatrzymała się dziesięć kroków od niego i przykucnęła.

– Mamy zsiąść? – zapytał Jace.

– Tak – powiedziała.

Cała czwórka zsunęła się z tej samej strony. Marmurowa posadzka pod ich stopami była twarda i gładka. Lola się wycofała.

Filigranowy mężczyzna podszedł bliżej, mocno wspierając się na laskach. Jego poznaczoną plamkami, niemal łysą głowę okalała obwódka rzadkich siwych włosów. Twarz miał pełną zmarszczek i wydawał się bardzo wątły, jak ktoś, kogo należałoby ubrać w szpitalną koszulę. Zamiast niej jednak miał na sobie gładki zielony sweter i brązowe spodnie, a na stopach kapcie, więc można się było przyjrzeć jego bladym, kościstym kostkom.

Staruszek przystanął.

– Czy mógłbyś zamknąć drzwi, Jamarze? – powiedział pozbawionym energii głosem.

Drzwi zostały zatrzaśnięte.

Mężczyzna uśmiechnął się zmieszany. Miał bardzo równe zęby.

– Cóż, odkryliście nasz mały sekret, nieprawdaż? To się czasem zdarza, ale nieczęsto, nieczęsto.

Chyba czekał na odpowiedź.

– To pan tutaj rządzi? – spytała Mira.

Starzec uśmiechnął się szerzej i cicho zachichotał.

– Chyba można tak powiedzieć, zwłaszcza jeśli wciąż dbamy o zachowanie tajemnicy. Witajcie w Chmurnej Dolinie, jednej z najmniej znanych kryjówek w Pięciu Królestwach. To enklawa niewielka, ale za to wolna. Chcielibyśmy, żeby tak zostało.

– Nie jesteśmy szpiegami – powiedział Cole.

– Teraz, gdy już was zobaczyłem, chyba w to wierzę – przyznał staruszek, a jego uśmiech trochę zbladł. – Jedyna osoba spośród was, która mogłaby przesyłać stąd informacje, z całą pewnością nie jest sprzymierzona z najwyższym formistą. Chłopcy, czy wiecie, komu pomagacie?

– Wiemy wystarczająco dużo – odparł Jace.

– Jak dużo? – Mężczyzna zwrócił się do Miry.

– Nie wszystko – powiedziała. – Pan wie, kim jestem?

– Tak. Jak bardzo im ufasz?

– Jak nikomu innemu. Wszyscy ryzykowali dla mnie życie.

Starzec kiwnął głową.

– Domyśliłaś się już, kim ja jestem?

– Chyba tak.

Na moment uniósł jedną laskę i wycelował ją w Mirę.

– No to słucham, młoda damo. Z kim teraz rozmawiasz?

– Z Declanem Pierce'em, wielkim formistą Sambrii.

Mężczyzna uśmiechnął się jeszcze szerzej, lekko mrużąc oczy.

– Przyznaję się do winy. Czy zamierzasz nadal przebywać w towarzystwie tych trzech chłopców?

Cole przyglądał się Mirze, patrzyli na nią także Drgawa i Jace. Ona również na nich spojrzała.

– Nie musicie mi dalej towarzyszyć. Wszędzie, gdzie pójdę, zawsze będą kłopoty.

– Nie zostawię cię bez ochrony – odparł Jace.

– Ani ja – powiedział Cole.

– Zaszliśmy już za daleko – dodał Drgawa.

Mira odwróciła się do Declana.

– W takim razie owszem, pozostaną przy mnie.

– Chcesz, żeby uczestniczyli w naszej rozmowie? – spytał starzec. – Musiałabyś wyjawić im swoją tożsamość.

– Tak.

Uśmiech Declana zgasł.

– Azjo, Jamarze, zostawcie nas. Lolu, przekaż swojemu stwórcy, że powinien wykazywać więcej zainteresowania sprawami bieżącymi.

– Jesteś pewny, mistrzu? – spytała Azja.

Przez twarz Declana przemknął wyraz rozdrażnienia.

– Mamy do omówienia bardzo delikatne sprawy. Nie spotykamy się tutaj tylko dlatego, że uwielbiam podziemia, przeciągi i dramatyczną scenerię. Zostaniecie wtajemniczeni, kiedy przyjdzie na to pora. Pilnujcie naszych zabezpieczeń. Od tej chwili musimy stale utrzymywać najwyższą czujność. To wszystko.

Drzwi się otworzyły. Jamar wyszedł z komnaty ze swymi ludźmi z wosku, a Azja razem ze świnią, po czym wrota znów się zamknęły.

Declan wrócił do krzesła, podpierając się laskami. Usiadł, wytarł pot z czoła i płytko dyszał.

– Okropnie się z tym czuję, że ja siedzę, a wy stoicie.

– Nie ma sprawy – powiedział Cole.

– To niegrzeczne z mojej strony – odparł Declan. – Stare kości. Nic się na to nie poradzi. To znaczy pewnie można by było, gdyby to lepiej zaplanować. Ale nie spodziewałem się gości, a potrzebujemy całkowitej ciszy.

– Nie może pan po prostu uformować paru krzeseł? – zapytał Jace.

– Owszem, ale nie tutaj. Nie będę ryzykował. Każda nowa próba formowania może zakłócić równowagę, która sprawia, że ta komnata jest nieprzenikniona z zewnątrz.

– Nikt nas nie podsłucha? – chciała upewnić się Mira.

– Prawdopodobnie jest to niemożliwe w całej Chmurnej Dolinie, ale tu już z całą pewnością. Młoda damo, czas zdradzić twoją prawdziwą tożsamość. Chcesz to zrobić sama czy mogę mieć ten zaszczyt?

– Proszę bardzo – odrzekła uprzejmie dziewczynka.

– Pięć córek Stafforda Pembertona, najwyższego formisty Pięciu Królestw, to: Elegancja, Konstancja, Honorata, Miraclea i Destynea. Nie miał męskiego potomka. Dziewczęta rzekomo zginęły w wypadku ponad sześćdziesiąt lat temu. Tylko że to nieprawda. Przeżyły.

– Skąd pan to wie? – spytała Mira.

– Harmonia była ze mną w kontakcie. Stafford upozorował ich śmierć, żeby je uwięzić. Jakimś sposobem skradł im moce, ale musiały zostać przy życiu, bo w przeciwnym razie straciłby nowo zdobyte talenty. Tak oto powóz dramatycznie runął do wzburzonej rzeki, a najwyższy formista zamknął córki w lochu i udawał, że przeżywa żałobę wraz z nami wszystkimi.

– Kiedy pozbawił dziewczęta zdolności formowania, przestało im przybywać lat – powiedziała Mira. – Proces starzenia nie został spowolniony, ale wręcz zatrzymany. Są dziś równie młode jak w dniu, kiedy zdradził je ojciec.

– Ich matka, Harmonia, obmyśliła sprytny plan i pomogła córkom w ucieczce – opowiadał dalej Declan. – Pięć księżniczek ukrywa się na wygnaniu po dziś dzień: Elegancja, Konstancja, Honorata, Miraclea i Destynea. Niektóre nie zawracają sobie nawet głowy sprytnymi przydomkami.

Kiedy Cole wreszcie wszystko zrozumiał, dosłownie zabrakło mu tchu.

– Ty jesteś Miraclea.

Mira uniosła brwi.

– Przez pierwsze dwadzieścia lat używałam mniej oczywistego imienia. W rodzinie zawsze mówili na mnie Mira.

Z czasem ludzie zapomnieli o mojej śmierci. Gdybym przeżyła, powinnam być teraz dorosłą kobietą, a nie dziewczynką w niewoli. Trzymałam się z dala od wszystkich, którzy mogli zapamiętać moją twarz. Powrót do dawnego zdrobnienia nie spowodował żadnych kłopotów.

– Niemożliwe – odezwał się Jace. – Naprawdę jesteś księżniczką Miracleą?

Uśmiechnęła się zmieszana i kiwnęła głową.

– Pięć księżniczek nazywa się zaginionym skarbem Rozdroża – powiedział Drgawa. – Ich historię znają wszyscy. Odkąd zniknęły, najwyższy król już nigdy nie był taki jak kiedyś.

Declan zaśmiał się gorzko.

– Święta prawda. Odebrał dziewczynkom ich dar i dzięki nowej mocy nabrał odwagi, żeby pokazać, jaki jest naprawdę.

– Nie wierzę – wymamrotał Drgawa i padł na jedno kolano. – Powinienem okazywać ci więcej szacunku. Powinienem…

– Nie – przerwała mu Mira. – Bez takich. Wstawaj. Byliście dokładnie tym, kogo mi potrzeba: prawdziwymi przyjaciółmi w trudnej chwili.

Cole zmrużył oczy i szybko policzył w myślach.

– To znaczy, że teraz jesteś po siedemdziesiątce?

– Nie, mam jedenaście lat. – Mira się zaczerwieniła. – Tyle tylko, że od bardzo dawna.

– Mogłabyś używać przezwiska „Babcia" – powiedział Jace.

– Ha, ha, strasznie śmieszne. Nie jestem dorosłą osobą, która wygląda jak dziecko. Jestem dzieckiem, które nigdy nie wydoroślało. Upływ lat to nie to samo co bycie coraz starszym. Ja się nie zmieniam. Zawsze traktowano mnie jak jedenastolatkę. Zawsze wyglądałam jak jedenastolatka. Nigdy nie czułam się starsza.

– Ale przecież żyjesz już tak długo – wtrącił Drgawa.

– Na pewno wiem więcej niż większość dzieci w tym wieku – przyznała Mira. – Ale po prostu nie czuję się starsza. Zresztą dlaczego? Nigdy starsza nie byłam.

– Ale musiałaś widzieć, jak starzeją się inni – powiedział Cole.

Dziewczynka odgarnęła niesforne włosy z oczu.

– Niezbyt długo. Często się przemieszczaliśmy. Wspominanie przeszłości jest dziwne. Dziesięć lat miałam tak bardzo dawno temu. Od niepamiętnych czasów nie widziałam nikogo z mojej rodziny. Ale rzeczywiście patrzyłam, jak starzeje się Darny, odkąd ze mną był.

– Darny był twoim ochroniarzem? – zapytał Jace.

– Moim drugim obrońcą. Pierwszy, Roderick, zestarzał się i zmarł. Chociaż często byliśmy w ruchu, moja mama zawsze potrafi mnie znaleźć. Wielu formistów ma jakąś specjalność. Ona ma dwie: wizje i gwiazdy. Obie się uzupełniają. Umie odnaleźć swoje córki, gdziekolwiek się znajdziemy. Wysłała do mnie Darny'ego, kiedy wyczuła, że Roderick nie żyje.

– Wiesz – odezwał się Declan – kiedyś poznałem twoje dwie starsze siostry, Elegancję i Honoratę, wtedy jeszcze dosyć młode. To było podczas mojej ostatniej wizyty w Rozdrożu, kiedy zacząłem podejrzewać, że twojemu ojcu nie można ufać. Powinienem był wtedy zawierzyć swemu instynktowi.

– Jak pan rozpoznał Mirę? – zapytał Jace.

– Trochę wiem o formowaniu, chłopcze. Wyczuwam moc formisty. Mira została jej pozbawiona, ale ta moc jest powiązana z masą energii, która narasta w innym miejscu Sambrii. Ale cząstka tego daru powoli powraca. Na całych Obrzeżach tylko jedna dziewczynka pasuje do tego opisu. – Twarz starca złagodniała. – Biedne dziecko. Masz za sobą ciężkie lata. Obawiam się, że teraz niestety będzie już tylko gorzej.

– Co powinnam robić?

– Oto jest pytanie. Nie powinnaś tu zostać, ale nie powinnaś też opuszczać tego zamku. A jednak na coś musimy się zdecydować. Jak dużo wiesz o tym, co zrobił ci ojciec?

– Wiem, że pozbawił mnie mocy. Ale wciąż nie rozumiem jak.

– Nie ty jedna. To przeczy wszystkiemu, co wiemy o formowaniu.

– Wiem, że przestało mi przybywać lat. I że powoli wraca do mnie moc. I że teraz ojciec wysłał za mną setki legionistów.

– Wiesz tak niewiele? – odrzekł Declan smutnym tonem. – Koniecznie musimy pomówić.

Drgawa usiadł na podłodze ze skrzyżowanymi nogami. Cole również, a po nim Jace.

– Jeszcze raz przepraszam za brak miejsc siedzących – powiedział formista.

– Wcale nie jest tak źle – zapewnił Cole.

Declan pokręcił głową.

– Podłoga jest zimna i twarda.

– Co może mi pan powiedzieć o moim ojcu? – zapytała Mira.

Wpatrywała się w niego z przejęciem i nie usiadła.

– Nie wszystko, ale mogę rzucić nieco światła na pewne sprawy. Spocznij, proszę. To nam zajmie trochę czasu.

Rozdział

21

ODPOWIEDZI

Jak często korespondujesz z Harmonią? – zapytał Declan, kiedy Mira usiadła.

– Matka kontaktuje się ze mną tylko pośrednio.

– Czyli żadnych wiadomości.

– Raczej nie. Niedawno próbowała. Ma sygnał, którym informuje mnie o zagrożeniu. Jednocześnie może dzięki niemu doprowadzić do mnie posłańców albo nowych obrońców.

– Gdzie jest twój obecny obrońca?

– Nie żyje od kilku dni. Napotkaliśmy kłopoty w jednym z zamków na niebie. Matka wysłała sygnał ostrzegawczy, więc mój obrońca chciał zdobyć dryfdyski do zbudowania nowego niebolotu, żebyśmy mogli uciec z Nieboportu, ale zginął. A dziś, tuż przed przybyciem dużej grupy legionistów, pojawił się posłaniec. Nie zdążył przekazać mi wiadomości. Pewnie miał mnie ostrzec, że ojciec mnie znalazł. Nie uciekłabym z Nieboportu bez pomocy przyjaciół.

– A więc do akcji wkroczyli ci chłopcy – rzekł Declan, mierząc ich wzrokiem. – Domyślam się, że macie jakieś imiona?

– Jace.

– Ja mam na imię Cole.

– Na mnie mówią Drgawa.

– Trzej młodzi niewolnicy, którzy uciekli od Łupieżców Niebios – powiedział starzec. – Trudno was uznać za oczywistych kandydatów do eskortowania księżniczki najwyższego rodu Pięciu Królestw. Czy wszyscy urodziliście się w Sambrii?

– Ja tak – odrzekł Jace. – Jestem niewolnikiem, odkąd pamiętam.

– Ja urodziłem się w Elloweer – powiedział Drgawa.

– A ja jestem z Ziemi – poinformował Cole.

– Liam wspominał o tobie. Jak tu trafiłeś?

– Handlarze niewolników porwali moich przyjaciół. Poszedłem za nimi, żeby im pomóc, ale dałem się złapać.

– Przybyłeś tu dobrowolnie? – zapytał Declan.

– Nikt mnie nie zmuszał. Ale nie wiedziałem, w co się pakuję.

– Ciekawe. A zatem jesteś niewolnikiem od niedawna?

– Tak, od paru tygodni. Dwoje moich najlepszych przyjaciół zabrano jako niewolników do najwyższego króla. Mira obiecała, że pomoże mi ich znaleźć.

– I dotrzymam tej obietnicy – wtrąciła dziewczynka.

Na twarzy staruszka zagościł półuśmiech.

– Porozmawiamy później, młody człowieku. – Potem Declan przyjrzał się Mirze. – Czy wiesz, co się działo, odkąd zaczęłaś się ukrywać?

– Z grubsza – powiedziała. – Staraliśmy się być na bieżąco. Ojciec wygnał wielkich formistów. Wszystkich poza Paulusem, który do niego dołączył. Na ich miejsce w czterech pozostałych królestwach powołał zarządców.

– Zgadza się – potwierdził Declan. – Twój ojciec udaje, że dobrowolnie zrzekliśmy się stanowisk. Że się wycofaliśmy.

– Ludzie nie wierzą w te bzdury – powiedział Jace.

– Mógłbyś się zdziwić – odparł starzec. – Z upływem czasu coraz łatwiej wierzyć w to, co mówi obecna władza. Ta, którą masz przed sobą, która kontroluje teraźniejszość. Na przykład zarządcy mianowani przez Stafforda zaczęli zwać się królami. Nawet wielcy formiści rzadko posługiwali się tym tytułem.

– Jak pan tu trafił? – chciała wiedzieć Mira.

Declan rozejrzał się dokoła, jakby musiał sobie przypomnieć, gdzie się znajduje.

– Znałem to miejsce, jeszcze zanim twój ojciec pozbawił mnie urzędu. Ze wszystkich charakterystycznych cech Sambrii zawsze najbardziej fascynowały mnie chmuromury. Podczas moich badań za Wschodnim Chmuromurem odkryłem tę przestrzeń. Dotarłem tu okrężną drogą i uznałem, że to dobre schronienie w chwili zagrożenia. Kiedy Stafford przystąpił do działania, zbiegłem tutaj z najważniejszymi członkami służby i dwojgiem moich najbardziej obiecujących uczniów. Wszystko, co tu widzicie, uformowaliśmy od zera.

– Czy Azja, Jamar i Liam byli z panem od początku? – zapytał Cole.

– Azja i Jamar owszem. Liam dołączył później. Wszyscy troje mają ogromny potencjał i duże zdolności, ale żadne z nich nie jest gotowe, żeby przejąć ode mnie powinności wielkiego formisty. Azja jest zbyt surowa, a jej talent do formowania zbyt ograniczony. Jamarowi za bardzo zależy na tym, żeby dogodzić innym. A Liam, zdecydowanie najbardziej uzdolniony, jest przy tym najmniej poważny. Nie wiem, czy kiedykolwiek nauczy się koncentrować, planować i przewodzić.

– Mówi pan tak, jakby chciał przejść na emeryturę – powiedział Jace.

Declan zarechotał chrapliwie.

– Spójrz na mnie! Nigdy nie należałem do siłaczy. Moje ciało odmawia posłuszeństwa. Zdecydowanie za długo już żyję, wielokrotnie dłużej niż zwykły śmiertelnik. Nawet mój umysł słabnie. Pomyślmy. Ty jesteś Cole, kojarzy się z „kolega". Ty Drgawa, to od twoich nawyków. A ty, przepraszam, jak masz na imię?

– Jace.

– No tak, oczywiście. Zdążyłem już zapomnieć. Nie tak dawno wystarczyło mi raz usłyszeć setkę imion, a tydzień później mogłem ją bezbłędnie wyrecytować. Zawodzi mnie pamięć krótkotrwała. Zbyt długo już piastuję to stanowisko, ale jak miałbym znaleźć i wyszkolić godnego następcę, tkwiąc tutaj? Moja kryjówka to jednocześnie moje więzienie. Niczego bardziej nie pragnę niż zostać emerytowanym wielkim formistą. Ale rzeczywistość nie zawsze dostosowuje się do naszej woli.

– Ile osób tu mieszka? – zapytała Mira.

Declan zamrugał.

– Prawdziwych? Wszystkich już poznaliście. Ja, Jamar, Azja i Liam. Reszta to pozory.

– A inni ludzie, którzy przybyli tu razem z panem? – spytał Jace.

– Wszyscy już nie żyją. Tylko jednostki o dużych zdolnościach do formowania potrafią spowolnić proces starzenia, tak jak zrobili to moi uczniowie. Gdybym był bardziej przewidujący, wziąłbym więcej par, ale miałem mało czasu.

Związało się ze sobą dwoje ludzi, których zabrałem, ale nie mogli mieć dzieci. Ostatni członek mojej regularnej służby zmarł prawie dziesięć lat temu.

– Na pewno przed nami inni przekraczali chmuromur – powiedział Drgawa.

– Ostatni znani nam odkrywcy trafili tu ponad pięćdziesiąt lat temu. Uratowaliśmy wtedy troje z dwunastu pasażerów dużego niebolotu. W owym czasie nie było z nami jeszcze Liama, więc nasze latające pozory były znacznie mniej złożone. Cała trójka już nie żyje.

– Kiedy przybył tu Liam? – zapytał Cole.

Declan splótł dłonie i zmarszczył brwi. Wyglądał teraz jak stary pacjent w szpitalu, któremu nie podoba się to, co podano na lunch.

– Odszukał mnie tutaj przed niemal dwudziestu laty. Dotarł tu tak samo jak ja, przez Bumerangową Puszczę.

– Dlaczego pana szukał? – spytała Mira. – Był posłańcem?

– Nie, młodym, potężnym formistą, który potrzebował nauczyciela. Wzięto go do niewoli, ale wykorzystał swoje umiejętności, żeby uciec.

– Zaraz, zaraz – wtrącił Cole. – Liam? Czy to on zostawił uśmiechniętą buźkę w wozie handlarzy niewolników?

– Możliwe. Już w bardzo młodym wieku był ogromnie uzdolniony. Zrobiłem, co w mojej mocy, żeby go wyszkolić, choć zupełnie różnimy się stylem. Wielu rzeczy, które robi, nie da się nauczyć. Formuje instynktownie. Ale gadam bez ładu i składu. Przekleństwo starych ludzi. Człowiek robi się samotny, a jego umysł leniwy, więc zaczyna mówić o wszystkim i o niczym. Powinniśmy rozmawiać o Miraclei i jej ojcu, Staffordzie Pembertonie.

– Co jeszcze może mi pan powiedzieć? – zapytała Mira.

– Zanim pozbawiono was mocy, nie przyszłoby mi do głowy, że to w ogóle jest możliwe. Kiedy Harmonia mi o tym powiedziała, nie chciałem wierzyć. Choć twój ojciec wywodzi się z rodziny potężnych formistów, talent najwyraźniej ominął jedno pokolenie. Kiedy był młody, miałem okazję ocenić jego potencjał. Wykazywał zwyczajne zdolności formistyczne, nic więcej. Co przeoczyłem? Nie miałem pojęcia, że można manipulować samą mocą formowania, więc być może w jego przypadku nie wiedziałem, czego szukać.

– Rzadko widziałam, jak formował – powiedziała Mira. – Uczyłam się od matki i prywatnych nauczycieli.

– Stafford nie był uzdolniony w zwyczajny sposób – odrzekł Declan. – To mogę potwierdzić. Ale sprawnie ukrywał swoją przeciętność, przede wszystkim unikając formowania na oczach innych. Wszystkie przekazy mówią o tym, że żona i córki zdecydowanie go przewyższały. Osobiście przekonałem się o tym, że Harmonia, Elegancja i Honorata dosłownie promieniały mocą. Jaki z tego wniosek? Albo twój ojciec ma wyjątkowy talent, albo dostęp do tajemnej wiedzy nieosiągalnej dla nas wszystkich.

– Domyśla się pan, jak mógł się tego nauczyć? – dociekała dziewczynka.

Declan lekko wzruszył ramionami.

– Wkraczamy w sferę przypuszczeń. Szepcze się o jego elitarnych agentach. Podobno posiadają nietypowe zdolności formistyczne. Czy znają tę samą tajemnicę? Dysponuję talentami w każdej znanej dziedzinie formowania, a jednak, chociaż nauczyłem się wszystkiego, czego tylko mogłem się nauczyć, nie udało mi się dotknąć samej istoty tej mocy.

A poświęciłem temu zagadnieniu lata badań i prób. Stafford albo jest ode mnie bez porównania lepszy, albo zna technikę, o której nic mi nie wiadomo.

– Czy rozmawiał pan z innymi wielkimi formistami? – zainteresowała się Mira. – Może wyjaśnienia tajemnicy należy szukać w jakiejś innej dyscyplinie?

Declan potarł koniec laski.

– Możliwe. W każdym królestwie formowanie działa inaczej. W Creonie praktycznie w niczym nie przypomina tutejszego. Unikamy zbyt śmiałego kontaktu, bo nie chcemy się ujawnić. Jeśli mam być szczery, to bez względu na różnice nie wyobrażam sobie, żeby style formowania w Zeropolis, Elloweer, Creonie czy Necronum pozwalały zapanować nad samą zdolnością w większym stopniu niż sztuka, którą praktykujemy tutaj, w Sambrii.

– To co mamy robić? – zapytała Mira.

– Mieć oczy szeroko otwarte i nie tracić głowy. Musi istnieć rozwiązanie tej zagadki. Może jeśli odkryjemy, w jaki sposób ojciec pozbawił was mocy, pomoże nam to w walce.

Mira fuknęła sarkastycznie.

– Na walkę chyba już za późno. Wolałabym po prostu go unikać.

– Rozumiem. Stafford ma większą władzę nad Obrzeżami niż ktokolwiek przed nim. Ukrywam się tu od lat: badam, planuję, snuję intrygi i niewiele robię. Ale staremu człowiekowi wolno marzyć.

– Dlaczego po tylu latach powracają moje moce? – zastanawiała się Mira.

Declan się uśmiechnął. Wokół jego oczu pojawiła się siatka zmarszczek. Wycelował w dziewczynkę kościsty, sękaty palec.

– Wreszcie docieramy do najważniejszego. Czy odzyskałaś już dużo dawnych zdolności?

– Bardzo niewiele. Tylko podstawowe umiejętności formowania. To nic w porównaniu z mocami, które straciłam.

– A przecież wtedy dopiero zaczynałaś zgłębiać swój potencjał. Twój ojciec wykorzystał zabrane wam moce, żeby zapanować nad Pięcioma Królestwami. Kiedy zniknęłyście, zaczął stopniowo ujawniać swoje nowe zdolności. Większość ludzi nie miała powodu przypuszczać, że nie dysponował nimi od początku. Kto śmiałby sprzeciwić się człowiekowi, który nie tylko jest najwyższym formistą, nie tylko dowodzi Legionem Rozdroża, lecz także biegle włada wszystkimi pięcioma głównymi stylami formowania? Ostro rozprawił się z każdym, kto mu się sprzeciwiał. Ale teraz... krążą słuchy, że jego moce nagle zaczęły słabnąć.

– Dlaczego? – zapytała Mira.

– Rozsypuje się to nietypowe formowanie, dzięki któremu przejął wasze zdolności. Ale powraca do ciebie tylko ułamek mocy. Większość gromadzi się w innym miejscu Sambrii.

– Przechodzi na kogoś innego? – spytała dziewczynka ze złością.

– Wygląda na to, że nie. Wraz z Liamem dokładnie prześledziliśmy te powiązania. Miro, twoja moc jest na wolności. Rozwija się w potężny pozór.

– Słucham?!

– No właśnie. – Declan uniósł obie dłonie. Tam jego skóra była najbardziej gładka i wyglądała najmłodziej. – To rzecz bez precedensu. Twoja moc zespoliła się w jakąś istotę.

– To, że ojciec mi ją ukradł, to jedno – odparła Mira. – Ale jak moc może egzystować poza ciałem człowieka?

– Wciąż jest z tobą związana. Bądź co bądź, to twoja moc. Jeżeli zginiesz, ona zginie z tobą. To dlatego ojciec chciał cię uwięzić, a nie zabić. Gdybyś umarła, straciłby tę część zdolności, którą ci ukradł. Teraz jest tak samo, z tym że twoja moc działa niezależnie.

– Jakim cudem może mieć własny rozum?

Declan rozłożył ręce.

– Nie wiem, w jaki sposób w ogóle ją od ciebie oddzielono, więc trudno mi spekulować, co się teraz dzieje. Zakładam tu pewną analogię do tego, jak tworzymy umysły pozorów. Może pewien aspekt twojego ojca zespolił się z twoją mocą i przemienił ją w coś całkiem nowego. Albo kiedy zostałaś od niej odłączona, stopniowo zyskała możliwość kształtowania samej siebie. Mogę się tylko domyślać. Z całą pewnością wiemy tylko tyle, że ostatnio twoja moc siała spustoszenie nieopodal miasta Alvindale.

– Co robiła? – spytał Cole.

– Żadni świadkowie, którzy się do niej zbliżyli, nie zdołali uciec, żeby o tym opowiedzieć – odrzekł Declan. – To samo z pozorami, które Liam wysłał na przeszpiegi: większość nie wróciła. Te, którym się udało, dostarczyły nam tylko anegdot. Ludzie zwą ją Spustoszem.

– Co?! – wykrzyknęła Mira. – Spustosz to moja moc?!

– Słyszałaś o tym potworze? – spytał starzec.

– Wszyscy o nim słyszeli! – odparła. – W Sambrii wrze.

– Nic dziwnego – mruknął Declan. – Krąży z tuzin błędnych teorii na temat jego pochodzenia. Wszyscy, którzy widzieli to z bezpiecznej odległości, jednogłośnie donoszą, że twoja moc zrównuje domy z ziemią, rozgania stada zwierząt, wyrywa drzewa z korzeniami i chaotycznie przeobraża krajobraz. Zniknęło już wielu ludzi.

Mira zakryła usta dłonią. Była przerażona.

– Czy to przeze mnie? To ja robię ludziom krzywdę? To ja niszczę osady? Moja moc sieje spustoszenie tak samo, jak wcześniej pomogła ojcu zapanować nad Pięcioma Królestwami.

– To nie zależy od ciebie – uspokoił ją Declan.

– Możliwe, ale to i tak moja wina.

– Wszystko wywołał twój ojciec. Nie ty.

– Nie doszłoby do tego, gdybym nie żyła.

Declan przewrócił oczami i pokręcił głową.

– Dlaczego młodzi zawsze tak dramatyzują? I dlaczego są tacy lekkomyślni?

Mira była poirytowana.

– A jak mam się czuć?

– Masz myśleć. Rozwiązać problem. A nie uciekać się do samobójstwa jako najlepszego rozwiązania.

– Jest jakieś inne wyjście?

– Mam nadzieję. W grę wchodzi mnóstwo energii, i to nie takiej biernej, którą ewentualnie mogłabyś przywołać. Po królestwie krąży czynna energia, która oddziałuje na świat. Uwolniła się od fizycznych ograniczeń narzuconych przez twoje ciało i umysł. Jest czysta, nieokiełznana i wybuchowa. Odcięcie jej od źródła mogłoby wywołać niesłychaną katastrofę. Gdybyś się zabiła, z całą pewnością zniszczyłabyś swoją moc. Pytanie, jak duża część Sambrii uległaby zniszczeniu razem z nią.

– Energia by eksplodowała? – zapytał Jace.

– Albo stałoby się coś jeszcze gorszego – odparł Declan. – Taka ilość nieujarzmionej mocy nie zniknęłaby tak po prostu.

– To co mogę zrobić? – naciskała Mira.

Declan złożył dłonie i postukał palcami o palce.

– W tym momencie musimy dokonać pewnych wyborów. Twój ojciec za wszelką cenę pragnie odnaleźć ciebie i twoje siostry. Zależy mu na odzyskaniu waszych mocy i na pewno nie chce, żebyście wykorzystały je przeciwko niemu. Może wie, że twoja energia gromadzi się poza twoim ciałem, a może nie.

– Wysłał po Mirę setki żołnierzy – zauważył Cole. – Mówili, że potem zajmą się Spustoszem.

Declan spojrzał na Mirę.

– Twój ojciec szukał was już wcześniej. Ale może nie robił tego desperacko. Dysponował waszą mocą, a wy nie mieszałyście mu szyków, więc przez całe dziesięciolecia wszystko przebiegało gładko. Sprawa była niezbyt pilna. Oczywiście czułby się bezpieczniej, trzymając was pod kluczem, ale miał ważniejsze sprawy. Teraz, kiedy jego zawłaszczone zdolności zaczęły słabnąć, sytuacja uległa zmianie. Od tej pory wszystkie środki przeznaczy na poszukiwanie ciebie i twoich sióstr.

– Gdzie Mira może się schować? – zapytał Jace.

Declan znów rozłożył ręce.

– To jedna z najlepszych kryjówek w Pięciu Królestwach. Niestety legioniści widzieli, że tu wlecieliście. Ojciec Miry wciąż dysponuje cząstką jej mocy. Ta cząstka stale się kurczy, ale jeszcze nie zniknęła. Dopóki Stafford całkiem jej nie utraci, będzie wiedział, że jego córka żyje. Nie spocznie, dopóki nie odkryje, dokąd się udała.

– I w ten sposób trafi do pana – powiedziała Mira.

Starzec uśmiechnął się blado.

– Grupa legionistów niewątpliwie przemierzy chmuromur wkrótce po świcie. Zginą. Wszystko, co przedostaje się przez chmuromur, zostaje wciągnięte w pustkę. Właśnie po to powstała. Możemy interweniować, zapuszczając się w wir z naszej strony, ale oczywiście nie będziemy ratować waszych wrogów.

– Czy to pan ją stworzył? – zapytał Drgawa.

Declan odpowiedział śmiechem, którzy przerodził się w chrapliwy kaszel. Odkrztusił flegmę, drżącą dłonią wyciągnął jakiś woreczek i splunął do niego.

– Gdybym to potrafił, niestraszna byłaby mi żadna istota na Obrzeżach i poza nimi. Nie mam pojęcia, kto stworzył Wschodni Chmuromur i krańcową pustkę, ani Zachodni Chmuromur wraz z jego oszałamiającymi produktami. Nie pojmuję, jaki umysł mógł coś takiego obmyślić, a co dopiero wykonać.

– Czy ten ktoś może się chować za Zachodnim Chmuromurem? – dociekał Cole.

– Szczerze w to wątpię. Latami badałem Zachodni Chmuromur i wiem, że każda próba przebycia go lub dostania się do środka kończy się unicestwieniem w piecu twórczym, z którego pochodzą zamki. Chmuromury istnieją od zarania dziejów. Przypuszczam, że ich twórca zadbał o to, żeby były samowystarczalne.

Jace odchrząknął.

– Skoro wir wsysa każdego, kto tutaj dotrze, to może Mira powinna zostać w tym zamku.

Declan zmarszczył czoło i pokręcił głową.

– Legioniści, którzy przedrą się przez chmuromur, polegną. Ale istnieje inna droga. Chmurna Dolina nie jest wyspą na niebie. To półwysep wystający ze Skraju. Dostęp jest trudny, ale ja tu dotarłem, Liam też. Teraz, kiedy Stafford wie, gdzie szukać, jego ludzie również znajdą drogę.

Mira się skrzywiła.

– Przepraszam, że ściągnęłam na pana takie kłopoty.

– Nic się na to nie poradzi – odparł starzec. – Nie zrobiłaś tego celowo. Wcześniej czy później twój ojciec musiał nas wywęszyć. Nawet w tej kryjówce nie moglibyśmy chować się wiecznie. Staffordowi pomagają potężni formiści. Ma też szpiegów i najemników. Dysponuje nie tylko Legionem Rozdroża, lecz także tajną policją: agentami. Było tylko kwestią czasu, kiedy zacznie mnie szukać z pełnym zaangażowaniem.

– Dokąd powinnam się udać? – zapytała Mira.

Declan westchnął ze smutną miną.

– Jeśli zostaniesz tutaj, osaczą cię i porwą. Jeśli uciekniesz, to dopadną cię wcześniej czy później. Sugeruję przejść do ofensywy. Wytropić twoją moc.

– Tę moc, która szaleje na wolności? – upewnił się Jace. – Która nie zostawia żywych świadków?

– To jej moc – podkreślił Declan. – Miro, może to właśnie jest szansa, na którą czekałaś. Odzyskaj swoją moc. Pomóż siostrom zrobić to samo. Skoro teraz wszystkie oczy są zwrócone na mnie, nie zaryzykuję ponownej łączności z twoją matką, ale jeśli dobrze rozumiem, tego właśnie by chciała. Nie wystarczy uciekać przed Staffordem. Nie wystarczy się ukrywać. Musisz go pokonać.

Mira popatrzyła mu w oczy.

– Jak mam odzyskać moc?

– Nie jestem pewien – odrzekł formista i lekko zmarszczył czoło. – Nie rozumiem, jak ci ją odebrano. Nie do końca pojmuję, w jaki sposób może ona działać niezależnie. Wiem jednak, że to twoja moc. Bez ciebie nie przetrwa. Więc ją pokonaj. Zmuś, żeby ci się podporządkowała. Jeśli to konieczne, zabij postać, którą przyjęła. Zapanuj nad swoją mocą, a powinna do ciebie wrócić.

– Skąd mamy wiedzieć, że nie mówi pan Mirze dokładnie tego, co dla pana najkorzystniejsze? – spytał Jace zaczepnie. – Jeśli stąd odejdzie, odwróci uwagę od pańskiego zamku. Kiedy wróci na drugą stronę, tamci zaczną się zastanawiać, czy w ogóle pokonała chmuromur. Może jakoś go obeszła albo chwilowo schowała się w chmurach, tak jak zamierzaliśmy. A potem Mira zaatakuje swoją moc. Jeśli wygra, to super. A jak moc ją zabije, to jednocześnie sama się unicestwi. Tak czy owak będzie miał pan problem z głowy.

Declan lekko uśmiechnął się do dziewczynki.

– Trzymaj go przy sobie. Widać, że twoje dobro leży mu na sercu. Rada, której ci udzieliłem, rzeczywiście jest korzystna również dla mnie. Nie oznacza to jednak, że była nieszczera. Tylko od ciebie zależy, na ile mnie posłuchasz. Przed tobą droga, którą ja za ciebie nie podążę.

– Jak możemy stąd odejść? – zapytała Mira.

– To akurat nie będzie trudne. Liam wskaże wam drogę. Ja wesprę cię w tym przedsięwzięciu, na ile tylko zdołam. Może prześpisz się z tym i zdecydujesz rano?

– Dobrze. Dziękuję panu za gościnę.

– Żałuję, że nie mogę ci bardziej ulżyć – odrzekł Declan. Zastukał laską w podłogę, a wtedy otworzyły się drzwi. – Odpocznijcie. Na zewnątrz czeka Jamar, zaprowadzi was do pokojów.

– Dziękujemy – powiedział Cole.

Jace i Drgawa również wymamrotali wyrazy wdzięczności. Cole był ciekaw, czy mając tyle do przemyślenia, będą mogli się wyspać.

Rozdział

22

GOŚCIE

W pokoju Cole'a każdy mebel balansował na jednej nodze. I to nie tylko krzesła czy stół, ale nawet kanapa i łóżko. Chyba właśnie tak popisywali się formiści.

Szczególnie chwiejne wydawało się duże łóżko wsparte na jednym cienkim słupku. Cole na próbę oparł się o gruby materac i mocno nim potrząsnął. Co prawda łóżko lekko się zakołysało, ale okazało się nadspodziewanie stabilne.

Chłopiec usiadł na jednonogim krześle. Nie było przymocowane do ziemi – sprawdził to, przesuwając je po podłodze. Choćby jednak nie wiadomo jak się wychylał, nie chciało się przewrócić.

Ktoś zapukał do drzwi, więc Cole ruszył przez pokój. Zastanawiał się, czy to Mira chce go zapytać, jaką decyzję powinna podjąć. Ciągle nie mógł uwierzyć, że jest księżniczką.

Kiedy otworzył drzwi, za progiem stał Jace. Wydawał się zmęczony. Na rozerwanym rękawie miał plamy z trawy.

– Cześć – powiedział.

– Co jest?

– Możemy chwilę pogadać? – Jace wszedł do środka i rozejrzał się po pokoju. – Wszystko stoi na jednej nodze?

– I wcale się nie przewraca – odparł Cole.

– U mnie wszystko jest jadalne.

– Zawsze próbujesz zjeść meble?

– Jamar mi powiedział.

– Smaczne są?

– Nie za bardzo. Zasłony mogą być. Słuchaj, musimy pogadać o jutrze.

– Dobra – zgodził się Cole. – Usiądziesz?

– Dziękuję, postoję. Rano Mira zacznie polowanie na swoją moc.

– Mówiła ci to?

– Nie musiała. Sam się zorientowałem. Słyszałeś, co powiedział Declan. Mira w zasadzie nie ma innego wyboru.

– Może postanowi uciekać.

Jace pokręcił głową.

– Nie ma mowy. Declan mówił, że mogłaby odzyskać moc. I powstrzymać ją przed krzywdzeniem ludzi. I że to lepsza strategia niż ukrywanie się albo ucieczka. Widziałem, jaką wtedy miała minę. Posłucha jego rady.

Cole milczał przez chwilę.

– No to chyba musimy z nią iść.

– Niekoniecznie – odparł powoli Jace. – Ja jej nie zostawię. Ale ty nie musisz nam towarzyszyć. Będzie miała wsparcie. Nie jesteś stąd. To nie twoja walka.

Cole zmarszczył czoło. Jace proponował mu wyjście z sytuacji. Czy rzeczywiście tego potrzebował? Możliwe. No bo jak mieli pokonać wielką istotę złożoną z czystej mocy formistycznej? Nie chciał zawieść Miry, ale martwił się o Daltona i Jennę i bardzo pragnął odnaleźć drogę do domu.

Declan miał chyba pewne pomysły, które mogły naprowadzić Cole'a na właściwy kierunek. Jutro koniecznie trzeba o to spytać.

Jace nigdy nie był dla niego zbyt miły. Co kombinował tym razem?

– Chcesz się mnie pozbyć? – zapytał Cole.

– Wszystko mi jedno – odparł Jace, chociaż brzmiało to trochę tak, jakby było wręcz przeciwnie. – Twój wybór. Po prostu mówię, że nie musisz się czuć jak w pułapce.

– A Drgawa?

– Już z nim rozmawiałem. Niezbyt mu się to uśmiecha, ale chyba pójdzie z nami, głównie z poczucia obowiązku. Nie chce, żeby najwyższemu formiście uszło na sucho to, co zrobił. Ale myślę, że poza wszystkim innym nie ma ochoty zostać samotnym uciekinierem, ściganym przez legionistów i Łupieżców Niebios. Jeśli pójdziesz swoją drogą, może do ciebie dołączy.

– Po prostu chcesz zostać z nią sam – zrozumiał Cole.

Jace poczerwieniał.

– O czym ty mówisz?

– Nie mogę! Po tym wszystkim, co się stało, ciągle najbardziej przejmujesz się tym, że się w niej bujasz.

Jace ze złością głęboko wciągnął powietrze.

– Nie próbuj wmawiać mi swoich uczuć. Tylko dlatego…

– Moich uczuć? Żarty sobie robisz?

– Cole, w tej sprawie ze mną nie zadzieraj.

– Może będę musiał, skoro chcesz mnie namówić, żebym was zostawił.

– Nie ja o tym decyduję. Sam wybieraj. Po prostu nie wiem, czy na twoim miejscu pchałbym się tam, gdzie nie jestem mile widziany.

– Co?! – krzyknął Cole. – Wiesz, że Mira miała ze mną uciec, prawda? Chcieliśmy się wymknąć jutro rano, tylko że przyjechali legioniści.

Jace całkiem znieruchomiał.

– Ale z ciebie kłamca!

– A myślisz, że skąd wiedziała o moich przyjaciołach, których wziął do niewoli najwyższy król? Miała pomóc mi ich znaleźć. Słyszałeś, jak o tym rozmawialiśmy. Idź i sam ją spytaj.

Jace odwrócił wzrok i wykrzywił usta. Rozprostował palce.

– To jakiś żart. Co niby chcesz powiedzieć? Że to ja jestem intruzem?

– Nie. Że Mira i ja mieliśmy razem uciec i pomóc sobie nawzajem. Zdradziła mi swoją tajemnicę, bo uratowałem jej życie. Postanowiła, że może mi zaufać.

Jace sztywno kiwnął głową.

– Więc chcesz nam towarzyszyć?

– Nie za bardzo – odparł Cole. – Nie wiem, jak mamy pokonać tę istotę. A jeśli to ona zabije Mirę, chyba przekonamy się, jak eksplozje wyglądają z bliska.

– Najpierw musiałaby się uporać ze mną.

– Kumam, jesteś odważny. Naprawdę. Mira ma szczęście, że jesteś przy niej. Potrzebuje każdej pomocy. Dzięki współpracy zaszliśmy aż tutaj.

– Czyli idziesz z nami?

Cole się zastanowił. Czy chciał zostawić Mirę samą z jej problemami? To jedyny prawdziwy przyjaciel, jakiego znalazł na Obrzeżach. A Jace i Drgawa byli następni w kolejności. Czy mógł powierzyć ją ich trosce? Obiecał Darny'emu, że się nią zaopiekuje, ale ona sama pozwoliła mu odejść.

Czy chciał uciekać samotnie? Raczej nie. Ale co z Jenną? Co z Daltonem?

– Nie wiem – powiedział. – Moim przyjaciołom nikt nie pomaga.

– Dobra. To co z tego wynika?

– Że potrzebuję więcej informacji. Chcę się dowiedzieć, co wie Declan. Oni naprawdę mnie potrzebują.

– Jasne. Dobrze wiedzieć, na czym stoimy.

– Przecież przed chwilą sam chciałeś się mnie pozbyć.

– Może. Cole, wcale nie czuję do Miry tego, co myślisz. Właśnie dowiedzieliśmy się, że jest kimś, o kim żaden z nas nie ma prawa marzyć. To prawdziwa przyjaciółka. Szanuję ją. To nie tak, że... Po prostu nie chcę, żeby coś jej się stało.

– Okej.

– Tylko nic nie mów.

– Jasne – odparł Cole. – Nie powiem.

Jace trochę się uspokoił.

– W porządku. Do zobaczenia rano. – Potem wyszedł z pokoju.

Cole rzucił się na łóżko. Nie mógł uwierzyć, że po tym, co dzisiaj przeżyli, Jace robił z tego wszystkiego jeszcze większy dramat. Widać, że strasznie zadurzył się w Mirze, ale co z tego? Chwilowo wszyscy mieli znacznie większe problemy.

Cole ukrył twarz w poduszce. Czy naprawdę zostawi Mirę? Może tak... jeśli oznaczałoby to uratowanie Jenny i Daltona. A co, jeśli nie spotkało ich nic złego? Jeśli stają się coraz lepszymi formistami? Jeśli praca w pałacu naprawdę im się podoba? Wątpliwości nie dawały mu spokoju. Wszystko go bolało na samą myśl o tym, że musi podjąć decyzję.

Znowu ktoś zapukał do drzwi. Cole usiadł na łóżku. Czy tym razem to Mira? A może Jace wrócił z kolejnymi natchnionymi myślami?

Otworzył drzwi. Po drugiej stronie zastał Liama.

– Mogę wejść?

– Jasne. – Cole usunął się z progu.

Liam wszedł do środka. Miał na sobie luźną niebieską piżamę. Cole po raz pierwszy widział go nie na dysku.

– To ja zrobiłem ten pokój.

– Jest dziwny.

– Dziękuję. Mogę usiąść?

– Proszę.

Liam klapnął na kanapę, aż się zachwiała.

– Jak się ma Wesołek?

– Ta buźka w klatce? Więc to rzeczywiście byłeś ty!

– To jeden z moich pierwszych pozorów. Ucieszyłem się, kiedy usłyszałem, że ciągle tam jest. Ciekawe, ile osób znalazło go przez te wszystkie lata.

– Wciąż o tobie mówi.

– A teraz my mówimy o nim. Rozweselił cię?

– W sumie to tak. Miałem kiepski dzień.

– Każdy, kto trafi do tego wozu, ma kiepski dzień.

– Fakt. – Cole usiadł na krześle obok kanapy. – Declan opowiedział ci o naszej rozmowie?

– Nie, podsłuchiwałem.

– Co? Podobno rozmów w tamtej sali nie da się podsłuchiwać.

– Nie da się z zewnątrz. Kazałem Loli zostawić tam malutki artefakt. Przesyłał wibracje do mojej słuchawki. Nikt inny nie mógł usłyszeć tej rozmowy. Interesuję się sprawami bieżącymi bardziej, niż to się Declanowi wydaje.

– Wobec tego wiesz o Mirze.

– O Miraclei, owszem. Domyślałem się, że to ona, gdy tylko zobaczyłem ją z bliska i zauważyłem potężne formowanie, które izoluje ją od jej zdolności. Pomagałem Declanowi wyśledzić ucieleśnienie jej mocy. Niezła zagadka. Nawet kiedy zobaczyłem wszystko na własne oczy, wciąż nie miałem pojęcia, jak oni to zrobili. Niesamowita robota, słowo daję.

– Dla Miry to nic zabawnego.

Liam wskazał palcem krzesło Cole'a, które natychmiast przewróciło się na bok.

– Nie bądź takim ponurakiem. Oczywiście, że dla niej to nie zabawa. Ale to i tak jest niezwykłe.

Cole, upadając, zdołał podeprzeć się rękami.

– Wielkie dzięki – powiedział.

– Staram się udzielać skromnych lekcji, kiedy tylko mam okazję – odparł Liam.

Machnął dłonią w stronę kanapy, na której siedział, a wtedy znikła pod nią podpórka. Kanapa wcale jednak nie spadła, tylko zaczęła unosić się w powietrzu.

– Po co tu przyszedłeś? – zapytał Cole, podnosząc się na kolana.

– Głębokie pytanie. Nie wiem, czy potrafię się dostatecznie skoncentrować, żeby na nie odpowiedzieć.

– Słyszałeś, co mówił na twój temat Declan – zrozumiał chłopiec.

Liam lekko wzruszył ramionami.

– Przynajmniej kiedy gada o mnie za moimi plecami, powtarza to samo co wtedy, kiedy ze mną rozmawia. W sumie to godne podziwu.

– Naprawdę nie umiesz się koncentrować?

– Oczywiście. Declan mówił prawdę. Jestem niezbyt poważny. Ale wątpię, żeby to była aż taka słabość, jak mu się wydaje. Kiedy ktoś jest zbyt poważny, to się blokuje. Może brak mi koncentracji, ale niektóre ważne rzeczy zwracają moją uwagę.

– Na przykład?

– Migające światła. Domino. Flipery.

– We fliperach są migające światła – zwrócił uwagę Cole.

Liam uśmiechnął się szeroko.

– Dostrzegam prawidłowość.

– Gracie na fliperach?

– W Zeropolis. Byłem tam niewolnikiem. Wiemy o wielu sprawach z twojego świata. Większość z nas ma tam korzenie. Sporo rzeczy stamtąd zauważam w zamkach, które spadają w pustkę. Nie wiem, skąd się w nich biorą.

Cole wstał.

– Naprawisz mi krzesło?

Liam pstryknął palcami i krzesło stanęło prosto.

– Na pewno strasznie ci się tutaj nie podoba – powiedział.

– Sam nie wiem – odparł Cole.

Usiadł ostrożnie i upewnił się, że mebel go utrzyma.

– Przecież wzięli cię do niewoli! To raczej kiepska zachęta dla turystów.

– A jak ty zostałeś niewolnikiem?

Kanapa uniosła się pod sufit. Liam odepchnął się lekko, a wtedy łagodnie opadła.

– Uratowałem gromadę sierot z pożaru i mój wolnoznak się zmazał. Wzięto mnie do niewoli następnego dnia, kiedy dochodziłem do siebie.

– Żartujesz.

– Oczywiście. Jesteś gotów poznać prawdę? Sprzedali mnie rodzice. Nie ci prawdziwi. Ich nigdy nie poznałem. Podobno zginęli w zamieszkach. Postanowili mnie sprzedać rodzice, którzy mnie wychowywali.

– Naprawdę?

– Tak. Mieszkaliśmy na granicy między Rozdrożem a Sambrią. Rodzicom nie podobało się, że umiem formować. Chcieli, żebym się z tym ukrywał. Ale ja nie miałem zamiaru. Tylko w tym jednym byłem dobry! Pewnego dnia zostałem sprzedany, naznaczony i wpakowany do klatki handlarzy niewolników. Dzięki, mamo! Dzięki, tato! Mam nadzieję, że dobrze zainwestowaliście tę forsę!

Liam mówił tak, jakby żartował, ale Cole wyczuwał w jego słowach prawdziwe rozgoryczenie.

– Więc przybyłeś tutaj.

– Nie od razu. Najpierw musiałem uciec. A odnalezienie Declana wymagało trochę wysiłku. To długa i nudna historia.

– Trudno było tutaj trafić?

– Znacznie trudniej trafić, niż się wydostać. Odkryłem, którędy przybył Declan, i ruszyłem nikłym śladem, który po sobie zostawił.

– Zaraz, przecież on dotarł tutaj wiele lat przed tobą, prawda?

– Las, przez który trzeba przejść, zmusza do zawrócenia, tak że nawet o tym nie wiesz. To Bumerangowa Puszcza. Idziesz cały czas przed siebie, a potem wychodzisz tam, gdzie wszedłeś, chociaż wcale nie skręcałeś.

– Serio?

– Tak. Ale Declan wykonywał kontrformowanie, ilekroć las próbował zmienić kierunek jego marszu. Modyfikował niektóre miejsca tak, żeby mógł przemieszczać się po skosie albo w bok, zamiast do tyłu. Jego formowanie tam pozostało, więc podążyłem tym szlakiem.

– Jak ci się tu podoba?

– Lepsze to niż niewola. Albo rodzice, którzy sprzedają cię handlarzom niewolników. Dużo się nauczyłem. To trochę jak dobrowolne więzienie, w którym cały czas mogę formować niesamowite rzeczy. Nie zostanę tu na zawsze. A ty chyba tylko do jutra.

Cole kiwnął głową.

– Na to wygląda.

– Będziesz się dobrze bawił. Czekają cię nowe doświadczenia. Walka z potworem, który składa się z czystej mocy formistycznej. Tego jeszcze nikt nie próbował! Nikt nawet się nie domyśla, jak to będzie. Rewolucyjna idea.

– Myślisz, że przeżyjemy?

Liam skrzywił twarz w zamyśleniu.

– Chyba powinienem przygotować grób. Wiesz, taki symboliczny, jakie robi się wtedy, kiedy nie można pochować ciał. Moglibyśmy urządzić pogrzeb przed waszym odejściem. Skołuję czarne ciuchy.

– Zapowiada się aż tak źle?

– Kto wie? To rzecz bez precedensu. Moim zdaniem nie brzmi dobrze.

– Moim też.

Liam pokiwał palcami, a wtedy kanapa wróciła na dawne miejsce. Znów pojawił się pod nią pojedynczy słupek.

– Chyba już pójdę. Powinieneś odpocząć. – Wstał i ruszył do drzwi.

– Liam – zawołał za nim Cole, podnosząc się z krzesła. – Po co przyszedłeś?

– Byłem ciekaw, co z Wesołkiem. Jaki ten świat mały!

– I to wszystko?

– Nie mogłem zasnąć i trochę się nudziłem.

– Aha. Dobranoc.

– Dziś w nocy będziemy czuwać. Jesteście bezpieczni. Spróbuj się odprężyć. Wyglądasz tak, jakbyś zobaczył ducha.

– Zobaczyłem. Mojego.

Liam się zaśmiał.

– Nieźle. Szkoda, że nie możesz zostać dłużej.

Wyszedł i pstryknął palcami. Drzwi same się zatrzasnęły.

Cole rozebrał się i wszedł do łóżka. Przynajmniej w jednym Liam miał rację: trzeba się wyspać. Kto wie, kiedy znów nadarzy się okazja do porządnego odpoczynku? Wtulił głowę w poduszkę i próbował nie przejmować się za bardzo tym, co przyniesie jutro.

Rozdział 23

DARY

Nazajutrz rano śniadanie było niesamowite. Podano jajka przyrządzone na wiele sposobów – na twardo, na miękko, smażone, faszerowane, pieczone, marynowane i w koszulkach. Grube, chrupiące paski bekonu lśniły cudownie. O uwagę rywalizowały różne rodzaje tostów i bułeczek z masłem, miodem i dżemem. Wielką misę owsianki dosłodzono jagodami i cukrem. Tarty pęczniały od pikantnych ziemniaków, warzyw, jajek i kiełbasek. Czekały także mleko, sok owocowy i rozmaite ciepłe napoje.

Cole czuł się trochę jak skazany na śmierć podczas ostatniego posiłku przed egzekucją. Tuczyli go, żeby mogły go pożreć rozszalałe moce Miry.

Jace zachowywał się tak, jakby niczym się nie przejmował. Podrzucał jagody i łapał je ustami. Mira i Drgawa byli bardziej przygaszeni. Declan z Jamarem towarzyszyli im przy posiłku – Declan pogryzał suchego tosta, a Jamar zajadał się najostrzejszym plackiem i marynowanymi jajkami. Jego biali, woskowi pomocnicy podawali dania oraz napoje.

Kiedy Cole się obudził, w pokoju czekało ładne ubranie – dokładnie w jego rozmiarze. Jace i Drgawa również mieli na sobie nowe rzeczy. Mira pojawiła się w znacznie bardziej twarzowym stroju, składającym się między innymi z cienkiego srebrnego naszyjnika oraz lśniących spinek do włosów.

Cole nadal nie bardzo wiedział, co zamierza zrobić. Chciał poprosić Declana o radę, ale było mu niezręcznie poruszać temat przy posiłku. Uznał, że jeśli stary formista nie przedstawi mu innej atrakcyjnej opcji, opuści zamek ze wszystkimi, a potem ewentualnie odłączy się od grupy, kiedy znajdą się w drodze do Rozdroża.

Po śniadaniu Declan wstał, przytrzymując się stołu.

– Rozumiem, że już postanowiłaś, co zrobisz – zwrócił się do Miry.

– Opuszczamy zamek. Wyruszam zmierzyć się z moimi mocami. Inni mogą mi towarzyszyć albo pójść własną drogą.

Cole i Drgawa wymienili szybkie spojrzenia. Cole był ciekaw, czy Drgawę bardzo korci, żeby spróbować szczęścia na własną rękę.

– Dobrze – rzekł Declan. – Tego się właśnie spodziewałem. W tych okolicznościach to w zasadzie jedyne rozwiązanie. Nie wypuszczę was stąd bez wsparcia. Większość pozorów i artefaktów, które tutaj tworzymy, działa wyłącznie w sąsiedztwie Skraju. Atmosfera w pobliżu chmuromurów o wiele bardziej sprzyja formowaniu niż w innych miejscach Sambrii. Mimo to poleciłem moim uczniom przygotować po jednym przedmiocie, który pomoże wam w tej wyprawie. Te dary będą działać w całej Sambrii. Od tej chwili należą one do Miry. Ci, którzy postanowią jej towarzyszyć, również z nich skorzystają. Azjo! Liamie!

Do sali weszła Azja, a za nią Lyrus z wiklinowym koszem. Kiedy dała znak, wyrzucił jego zawartość na ziemię. Zebrani zobaczyli plątaninę łańcuchów i żelaznych kul.

– Nazywam tę broń cepem formisty – powiedziała Azja. – Reaguje na kilka komend. Cepie, baczność!

Na ten sygnał łańcuchy się rozplątały. Pięć żelaznych kul wzniosło się w powietrze niczym węże gotowe do ataku, jedne wyżej, inne trochę niżej, a każdej towarzyszył gruby łańcuch. Jedna kula została na ziemi. Musiały ważyć po dziesięć albo i piętnaście kilogramów. Wszystkie łańcuchy łączyły się z centralnym żelaznym pierścieniem.

– Słucha też innych poleceń. Na hasło „powrót" wraca do koszyka. Po komendzie „za mną" będzie się za tobą ciągnąć. Gdy usłyszy „broń", zacznie bronić osoby lub przedmiotu. Polecenia „atak" należy użyć, tylko jeśli to naprawdę konieczne. Żeby komenda zadziałała, trzeba ją poprzedzić słowem „cepie". Cepie, powrót!

Gąszcz łańcuchów zabrzęczał i gładko wrócił do koszyka. Cole i Drgawa wymienili spojrzenia. Nowa broń z całą pewnością mogła im zagwarantować pewną ochronę.

– Cep jest powiązany z Mirą i zareaguje wyłącznie na jej polecenia – powiedziała Azja. – Trzeba nakierować go myślami na cel, ale określenie sposobu ataku nie wymaga wysiłku. Cep reaguje również na komendy „schwytaj" i „zagroź". Nie należy próbować chwytać delikatnych przedmiotów. To nie jest subtelny artefakt.

– Dziękuję, Azjo – powiedział Declan. – Jamarze?

Kędzierzawy formista wstał. Trzymał w dłoni aksamitny czerwony worek ze złotym sznurkiem.

– Zebrałem dla was jeden z naszych najobficiej występujących surowców naturalnych. Codziennie do krańcowej pustki zostają wessane duże ilości pary wodnej, co oznacza, że chmuromur stale się uzupełnia. W tym worku znajduje się piętnaście tysięcy metrów sześciennych mgły. Można go opróżnić w dwadzieścia sekund. Jeśli pusty worek wywrócicie na drugą stronę, pochłonie tę samą ilość mgły w takim samym tempie. W razie potrzeby można go używać wielokrotnie.

– Czy są jakieś komendy? – zapytała Mira.

– „Opróżnij się wolno", „opróżnij się szybciej", „opróżnij się najszybciej" – wyrecytował Jamar. – Działają, kiedy worek jest otwarty. A po wywróceniu go na drugą stronę: „napełnij się wolno", „napełnij się szybciej", „napełnij się najszybciej". Działanie takiego przedmiotu nie musi być skomplikowane.

– Ani przydatne – odparł Liam, który właśnie wleciał do sali na swoim lewitującym dysku. – Chyba że chcieliby zepsuć komuś pobyt na niewielkiej plaży.

– Może będzie trzeba zdezorientować przeciwników – powiedział Jamar.

– Czy Mira i jej przyjaciele widzą we mgle lepiej niż inni ludzie? – zapytał Liam.

– Przecież mogą wypuścić ją za sobą podczas ucieczki. – Jamar zaczął tracić cierpliwość. – Albo wprowadzić zamieszanie na dziedzińcu.

– Chyba rzeczywiście znajdzie się jakieś zastosowanie – przyznał Liam. – A prezent Azji jest równie subtelny jak ona sama.

– Nie sądzę, żeby właśnie subtelności najbardziej potrzebowali – odparła kobieta.

– Cóż, tak czy owak ja im jej trochę zapewnię. – Liam zagwizdał cicho, a wtedy na ramieniu usiadła mu papuga, biało-szara nimfa z żółtym czubkiem i pomarańczowymi policzkami. – To Mango.

– Jesteście moimi nowymi panami – odezwała się nimfa ochoczym tonem, który tylko odrobinę przypominał głos ptaka. – Będę dla was szpiegować i zrobię wszystko, żebyście byli bezpieczni i dobrze poinformowani.

– Słucha was wszystkich – wyjaśnił Liam. – Dzięki temu, jeśli Mira straci przytomność albo z innej przyczyny będzie niedysponowana, wciąż możecie wydawać Mango polecenia. Ale jeśli się rozdzielicie, Mango zostanie z Mirą.

Papuga przefrunęła na ramię dziewczynki. Nie licząc długiego ogona, miała piętnaście centymetrów wysokości. Przekrzywiła łebek i zagwizdała. Mira łagodnie ją pogłaskała.

– Jej skrzydła są jakieś dziwne – powiedziała.

– Dziwne? – powtórzyła zaczepnie Mango, strosząc piórka.

Skoro już Mira o tym wspomniała, Cole przyjrzał się dokładniej i stwierdził, że z ptakiem rzeczywiście jest coś nie tak. Pióra wydawały się zbyt gładkie i lśniące.

– Mango jest wykonana z lekkiej substancji, którą sam opracowałem – powiedział Liam. – Nazwałem ją ristolotium. Dzięki niej wytrzymuje o wiele więcej, niż gdyby była z krwi i kości. Lata szybciej i widzi lepiej niż większość ptaków. Nie potrzebuje jedzenia i picia, nie śpi, nie wypróżnia się, a pod wodą radzi sobie równie dobrze jak na powierzchni.

– Widzisz, jaka jestem przydatna? – powiedziała papuga. – A ty to podsumowałaś jednym słowem: „dziwne".

– Przepraszam. Nie chciałam cię urazić.

Azja parsknęła pogardliwie.

– Pozór, który domaga się przeprosin? Doskonała robota, Liam. Niezwykle subtelna.

– Jestem bardzo subtelna – prychnęła Mango. Zbliżyła się do ucha Miry. – Nie pozwolę, żeby ktoś zaszedł cię od tyłu. Poprowadzę cię z dala od niebezpieczeństw. I możesz mi wydać każde polecenie. Dam znać, jeśli nie zrozumiem.

– Stworzyłeś ją w ciągu jednej nocy? – zapytała Mira Liama.

– Mniej więcej – odparł. – Wykorzystałem jednego z moich najlepszych ptaków szpiegowskich. Ale całkowicie go przeformowałem, udoskonaliłem i dodałem mu trochę ikry.

– Jest jak żywa – stwierdziła dziewczynka.

– Niewielu formistów potrafi stworzyć coś takiego – odezwał się Declan. – Latające pozory są trudne. A indywidualna osobowość jeszcze trudniejsza. Nikt z nas nie potrafi kreować realistycznych ludzi ani innych istot, które dorównałyby tym produkowanym przez Zachodni Chmuromur. Pozory takie jak Lyrus są niesłychanie autentyczne.

– Czy Lyrus może iść z nami? – zapytał Cole.

– Niczego tak nie pragnę jak udziału w przygodzie – odezwał się żołnierz.

– Jestem tego świadom – odparł Declan. – Ale jeśli stąd odejdziesz, nie potrafimy sprawić, żebyś przeżył. Majstrowanie w tym aspekcie twojej natury wykracza poza nasze możliwości. To tak, jakbyśmy próbowali uformować prawdziwego człowieka: zbyt wiele zawiłości, żeby nie skończyło się katastrofą. Pozory z zamków na niebie mogą istnieć tylko w zamkach albo tutaj, na półwyspie.

– To dlaczego może nam towarzyszyć Mango? – spytał Cole.

– Tutaj, poza Skrajem, łatwiej tworzyć pozory – wyjaśnił stary formista. – Większość pozorów i artefaktów naszego autorstwa musi tu pozostać. Ale przy odrobinie wysiłku potrafimy zaprojektować takie, które mogą istnieć w całej Sambrii, podobnie jak nieożywione artefakty z zamków na niebie.

– Przepraszam, jeśli zachowałem się niestosownie – powiedział Lyrus ze spuszczoną głową.

– Doceniam twój zapał – odrzekł Declan. – Gdybym mógł podarować cię tym młodym ludziom, żebyś pomógł im w wyprawie, nie wahałbym się ani chwili.

– I tak dużo pan dla nas zrobił – powiedziała Mira. Spojrzała w oczy Azji, Jamarowi i Liamowi. – Dziękujemy za te wszystkie prezenty.

– To jeszcze nie koniec – odparł Declan lekko urażony. – Przecież wciąż nie dostaliście nic ode mnie.

– To nie wszystko?

– Może na początek coś takiego? – Stary formista wykonał zamaszysty gest dłonią, a wtedy Cole poczuł mrowienie w nadgarstku.

Jego przyjaciele również. Cała czwórka sprawdziła, co się dzieje. Wytatuowany symbol uległ zmianie.

Jace aż stęknął.

– To wolnoznak – powiedział z zachwytem.

– Zgadza się – potwierdził Declan. – Trudno byłoby wam ruszyć w świat z piętnem niewolników.

– Przecież jarzmoznaku nie da się zmienić! – zawołała Mira.

Declan lekko się uśmiechnął.

– Większość ludzi rzeczywiście nie może tego zrobić. Teoretycznie znaki są trwałe. Formista, który je opracował, był moim uczniem.

– Ot, tak po prostu – mruknął Drgawa, pocierając nadgarstek.

– Wygląda jak prawdziwy – zachwycił się Jace.

– Bo jest prawdziwy – odrzekł Declan. – Wasze wolnoznaki są nieodróżnialne od autentycznych. Uległy przeformowaniu. Po pierwotnych jarzmoznakach nie pozostał ślad. Nie podważy tego żaden formista ani igłomistrz.

– Nie mogę w to uwierzyć – powiedziała Mira.

– To jeszcze nie wszystko. Wyjdźcie ze mną na dwór.

Declan ruszył palcem, a wtedy jego krzesło uniosło się i odleciało od stołu. Pofrunął na nim w kierunku dziedzińca w takim tempie, żeby pozostali mogli za nim nadążyć. Z początku Jace nie ruszył z pozostałymi. Dopiero szturchnięty przez Cole'a przestał podziwiać swój wolnoznak.

Na dziedzińcu czekał dziwaczny powóz. Zamknięte nadwozie opierało się na czterech kołach – mało wymyślnych, ale czystych i solidnie wykonanych. Z przodu, zamiast konia, stała wielka czarna cegła z nogami.

– Autowóz – powiedział Jace.

– Dla nas? – spytała Mira z nadzieją w głosie.

– Dla was – odparł Declan. – Mogłem go zmodyfikować, żeby poruszał się szybciej. Mogłem go udoskonalić. Uznałem jednak, że mądrzej będzie uczynić go jak najbardziej typowym.

– Czy widok czwórki dzieci we własnym autowozie nie wzbudzi podejrzeń? – spytał Drgawa. – Nawet jeśli są wolne.

– Słuszne pytanie – pochwalił formista. – Pomogą wam ładne stroje i właśnie dlatego zadbaliśmy o waszą garderobę. Ostatni element mojego prezentu również ma zaradzić temu problemowi. Bertramie?

Otworzyły się drzwi autowozu i wychylił się z nich staruszek z krótko przyciętą siwą brodą. Miał na sobie staromodny, nieco sfatygowany garnitur.

– Co takiego? Nie za dobrze słyszę.

– Co tu robisz? – stanowczo zapytał Declan.

Starzec szeroko otworzył oczy.

– Co proszę? Co tu robię? – W roztargnieniu poklepał się po kieszeniach. – Ach tak, pokazuję okolicę wnukom brata. Dość tego paplania, nie czuję się dziś najlepiej, a stawy bolą mnie okrutnie. – Pokasłując, zatrzasnął drzwi powozu i zniknął z pola widzenia.

– Niezły pozór – powiedziała Mira.

– Nie jest to moje najlepsze dzieło – westchnął Declan. – Nie oczekujcie od Bertrama ambitnych rozmów, ale podczas podróży po Sambrii powinien się dobrze trzymać. Nie opuści powozu, chyba że zostanie do tego zmuszony, przede wszystkim dlatego, że z bliska mało kto uwierzy w jego autentyczność. Powinien jednak odwrócić uwagę ludzi zadających pytania o czworo samotnie podróżujących młodych ludzi.

– Czworo dzieci i starzec – mruknął Cole. – A jeśli ktoś postanowi nas napaść?

– Będziemy mieli sprzęt – odparł Jace. – No nie?

– Wasze rzeczy czekają już w autowozie – powiedział Liam. – Wzmocniłem formowanie mieczy skakania, żeby funkcjonowały w całej Sambrii. Reszta przedmiotów również powinna działać, jak należy.

– A moja lina? – zapytał Jace z napięciem w głosie. – Kiedy ją ostatnio widziałem, nie działała wcale.

– Działała – sprostował Liam. – Po prostu przerwałem jej więź z tobą, żeby nie reagowała na twoje komendy.

– A teraz będzie reagować?

– Przywróciłem więź. I nie dąsaj się tak, bo oddałem ci przysługę. Gdyby nie ja, Azja przecięłaby linę.

– Nie tak łatwo ją przeciąć.

– Może zwykłą bronią. Oręż Azji ma cudowne ostrze. Rozkroiłaby linę tak łatwo jak papier i zniszczyłaby ją pewnie na zawsze.

– No to chyba dziękuję – wymamrotał Jace.

– Do autowozu załadowaliśmy także jedzenie i wodę – powiedziała Azja. – Pożywienie znajdziecie pod siedzeniami, a sprzęt w skrytce pod podłogą. Daliśmy wam również trochę pieniędzy, żeby ułatwić podróż. Jeśli czegoś nie będziecie mogli znaleźć, zapytajcie Bertrama. Sugerujemy, żebyście wyruszyli natychmiast. Im mniej czasu damy najwyższemu formiście na wysłanie sił w tę okolicę, tym większa szansa, że uda się wam uciec.

– Maksymalna prędkość autowozu jest niezbyt imponująca – dodał Jamar. – Porównywalna z kłusem konia. Autowóz ma jednak tę zaletę, że może poruszać się z tą szybkością bez końca. Nie potrzebuje wody, pożywienia ani odpoczynku.

– Więc gdyby ktoś nas gonił, to będą kłopoty – stwierdził Cole.

– Jeśli groźni wrogowie ruszą za wami w pościg, być może trzeba będzie porzucić pojazd – odrzekła Azja. – Przy czym autowozem może kierować tylko Mira. To na tyle standardowe rozwiązanie, że złodzieje nie zainteresują się pojazdem. Z waszymi rzeczami może być już całkiem inaczej.

– Czy powóz wie, dokąd jedziemy? – zapytała Mira.

– Jeśli nie wydasz mu innych poleceń, zawiezie was do Śródgałęzia – wyjaśnił Declan. – Od Bertrama dowiecie się o alternatywnych drogach i celach podróży. Gdybyście dotarli do Śródgałęzia, odszukajcie formistkę Gertę. Miejscowi mówią na nią „zielarka". Udzieli wam dobrych rad.

Większość moich dawnych kolegów nie żyje lub się ukrywa. Gerta nie darzy miłością najwyższego formisty i jest jedną z niewielu osób z dawnych czasów, którą łatwo znaleźć.

Mira kiwnęła głową.

– Dziękujemy za wszystko. Wasza pomoc przeszła nasze najśmielsze oczekiwania.

– Żałuję, że nie mogłem dla was zrobić więcej – powiedział Declan. – Twój ojciec po raz pierwszy od dziesięcioleci zdradził oznaki słabości. Teraz zacznie działać agresywnie, żeby znowu umocnić swą władzę. Unikaj go. Przeżyj. Ufaj instynktowi. Liam was dogoni i poinstruuje, jak opuścić Chmurną Dolinę.

Mira cmoknęła Declana w policzek, a potem ruszyła do autowozu. Jace podniósł klapę w podłodze i obejrzał swoją złotą linę. Obok niego przeszukiwał skrytkę Drgawa. Zapewne rozglądał się za swoim pierścieniem.

Cole został z tyłu i przyglądał się pomarszczonemu staruszkowi w lewitującym krześle. Declan wpatrywał się w niego wyczekująco.

– Musimy porozmawiać, zanim odjadę – powiedział Cole. – Nie jestem stąd. Czy mogę kiedykolwiek wrócić do domu?

Declan zbliżył do niego krzesło i odezwał się na tyle cicho, żeby tylko on go usłyszał.

– Zaczynałem się już zastanawiać, czy w ogóle poprosisz mnie o radę. Są sposoby na powrót do twojego świata. Pozostanie tam okaże się już trudniejsze. To pytanie do Stróżów Drogi z Creonu.

– Rozmawiałem krótko ze Stróżem Drogi. Handlarze niewolników zapłacili mu za pomoc w dotarciu do mojego świata. Powiedział mi to samo: że pewnie uda mi się wrócić, ale trudno będzie zostać. Przybyłem tutaj całkiem niespodziewanie. Właściwie to dalej nie wiem, gdzie jestem. Co to są Obrzeża? Mam wrażenie, że to jakiś sen.

Declan prychnął.

– Prawie, zwłaszcza tutaj, w Sambrii, gdzie można zmieniać pewne aspekty rzeczywistości. Badałem tę kwestię, inni także. Wiem tylko tyle, że Obrzeża to miejsce na pograniczu. Jedno z Pięciu Królestw zdaje się leżeć pomiędzy życiem a śmiercią, inne między rzeczywistością a wyobraźnią, w kolejnym są miejsca poza zwykłym porządkiem czasu i przestrzeni, a w jeszcze innym można przekraczać granice innowacji technologicznych. Jak sam zauważyłeś, Sambria znajduje się jakby między jawą a snem. Bo gdzie, jeśli nie w snach, można dopasowywać świat do własnych zachcianek?

Cole kiwnął głową.

– Tylko tutaj.

– Każde królestwo ma własną odmianę formowania – powiedział Declan. – Własne cuda i tajemnice. Zdradzę ci pewien sambryjski sekret. Może to tylko fantazja starego człowieka, ale podejrzewam, że źródłem zamków, które tworzy Zachodni Chmuromur, są marzenia senne. Może z twojego świata, może z naszego, z obu albo wręcz z tak wielu, że nawet się tego nie domyślamy. Myślę, że to te niespokojne sny. Może te nieudane. Powiedzmy, że mam takie przeczucie.

– To by tłumaczyło, dlaczego w niektórych zamkach są rzeczy z mojego świata – stwierdził Cole.

– Tłumaczyłoby nawet więcej – zgodził się formista. – Ale to raczej akademicka kwestia. Oto ważna lekcja, którą musisz zapamiętać: czasem może się zdawać, że Obrzeża są jak sen, ale to wcale nie jest sen. Kiedy we śnie masz kłopoty, w końcu i tak się przebudzisz. Tutaj nie. Cole, jeśli coś ci się stanie, będziesz cierpiał. Jeżeli zginiesz, to zginiesz.

– Wierzę. Znam różnicę między jawą a snem. Przecież odkąd tu przybyłem, spałem i śniłem. Chciało mi się jeść i pić, byłem zmęczony i się bałem. To wszystko nie przypominało snu. Są tu różne strasznie dziwne rzeczy, ale wszystkie aż za bardzo autentyczne.

– Zgadza się.

– Martwię się o innych, którzy przybyli z mojego świata. Zwłaszcza o dwoje moich najlepszych przyjaciół.

– To ta dwójka niewolników, których wysłano do najwyższego króla? Jesteś pewien, że właśnie tam trafili?

– Jakaś kobieta sprawdzała, czy nadajemy się na formistów. U mnie w ogóle nie widziała potencjału. Mówiła, że jestem najgorszy ze wszystkich. Tych najbardziej obiecujących zapakowali do klatek, żeby ich zawieźć do najwyższego króla. Byli wśród nich Jenna i Dalton.

– Kiedy się poznaliśmy, powiedziałeś, że przybyłeś na Obrzeża dobrowolnie.

– To prawda. Nie wiedziałem, dokąd idę, ale nikt mnie nie zmuszał. Chciałem pomóc moim przyjaciołom.

– Handlarze niewolników nie wiedzieli, że jesteś tu z własnej woli?

Cole pokręcił głową.

– Kiedy tu wylądowałem, zobaczył mnie Stróż Drogi i trochę mi pomógł. Nie chciałem, żeby miał kłopoty, więc udawałem, że trafiłem tu razem ze wszystkimi i dopiero potem uciekłem.

Declan zaśmiał się słabo.

– To tłumaczy, dlaczego nie wysłano cię do najwyższego króla.

– Jak to?

– Ludzie przybywający na Obrzeża z twojego świata zwykle mają większy potencjał formistyczny niż przeciętna osoba, która się tu urodziła. To dlatego handlarze się tam zapuścili. U kogoś, kto zjawia się tutaj z własnej woli, a nie przypadkiem albo pod przymusem, zazwyczaj występuje jeszcze większy talent.

– To dlaczego tamta kobieta nie zauważyła go u mnie? Kiedy tu trafiłem, w zasadzie nie wiedziałem, dokąd idę. Może to się liczy jako przybycie przypadkiem.

– Nie – odparł Declan. – Skoro śledziłeś handlarzy, to wkroczyłeś tu celowo. Nie wylądowałeś na Obrzeżach przez zwykły zbieg okoliczności. Nie wiedziałeś, dokąd zmierzasz, ale postanowiłeś ruszyć za nimi, więc była to świadoma decyzja. U kogoś, kto sam przybywa na Obrzeża, moc formowania objawia się inaczej. To rzadkie zjawisko.

– W jakim sensie jest inna?

– Ktoś taki ma znacznie większą szansę wykształcić w sobie różne talenty formistyczne i bywają one nadzwyczaj silne. Ale zdolności objawiają się później. W tej chwili nie dostrzegam w tobie potencjału formistycznego. I to wcale. To rzadkość. Prawie każdy ma go chociaż odrobinę. Absolutny brak jest jeszcze bardziej wyjątkowy niż wybitne uzdolnienie. Przypuszczam, że pewnego dnia odkryjesz w sobie niebywałe zdolności.

– Naprawdę? – zapytał Cole podekscytowany perspektywą, że będzie mógł pomóc przyjaciołom inaczej, niż tylko fruwając z mieczem w ręku. – Jak długo to potrwa?

Declan wzruszył ramionami.

– Tutaj sprawy się komplikują. Mogą minąć lata. Albo wręcz nie nastąpi to nigdy.

Entuzjazm Cole'a przygasł.

– Czy mogę coś zrobić, żeby to krócej trwało?

– Nie słyszałem o technikach przyspieszających ten proces – odparł Declan. – Ale wiem jedno: skoro handlarze szukali niewolników, którzy nadają się na formistów, to gdyby tylko wiedzieli, że przybyłeś tu dobrowolnie i stwierdzili u ciebie zero potencjału, wybraliby cię w pierwszej kolejności.

– Mimo że mogę okazać się niewypałem?

– Chętnie podjęliby to ryzyko. Według wszelkiego prawdopodobieństwa twoje talenty w końcu się objawią, a kiedy już się to stanie, będą potężne.

– Ale na razie ten potencjał w niczym mi się nie przyda.

– To prawda. I być może jeszcze długo tak pozostanie.

Cole wyprostował się i zebrał się w sobie.

– Z mocami czy bez, muszę pomóc przyjaciołom. Czy wie pan, gdzie ich znajdę?

– Jeśli trafili do Miasta na Rozdrożu, to mogę wskazać ci drogę – odparł Declan. – Mira również. We właściwą stronę pokieruje cię wielu ludzi. Ale kradzież niewolnika to poważne przestępstwo. Zgodnie z tutejszym prawem twoi przyjaciele należą teraz do najwyższego króla. Wątpię, czy uwolnisz ich samodzielnie. Zresztą nawet jeśli ci się uda, to krótko zachowasz wolność. Schwytają cię i ukarzą, podobnie jak twoich kolegów.

– Chce pan powiedzieć, że nic nie mogę zrobić? – spytał Cole zrozpaczony. – Przecież muszę spróbować. To moja wina, że tu w ogóle trafili. Zabrałem ich do miejsca, skąd zostali porwani.

– Celowo?

– Nie. Ale właśnie tam złapali ich handlarze. Mnie przeoczyli tylko przypadkiem.

Declan złożył palce w piramidkę.

– Istnieją sposoby, żeby pomóc twoim przyjaciołom. Ale jeśli samotnie udasz się do Rozdroża i spróbujesz ich uwolnić, niemal na pewno poniesiesz klęskę. Oto moja rada: trzymaj się blisko Miry. Jeśli pokona Spustosza i odzyska moc, będzie to dla najwyższego króla bardzo silny cios. Mira może się stać sercem rewolucji. Zanim Stafford zasiadł na tronie, wyprawy po niewolników poza Obrzeża były nielegalne. Żeby uwolnić twoich przyjaciół, najlepiej obalić jego reżim.

– Najwyższy król zalegalizował porywanie niewolników z Ziemi?

– Przed panowaniem Stafforda było to zawsze zabronione. Obrzeża mają długą i nieprzyjemną historię niewolnictwa, lecz przynajmniej istniały jakieś granice. Może nie uwierzysz, ale jego poprzednik chciał znieść niewolnictwo. Stafford wszystko zmienił. Teraz niewolnictwo ma się lepiej niż kiedykolwiek.

– Nie byliśmy pierwszymi niewolnikami zabranymi z mojego świata?

Declan pokręcił głową.

– Gdzież tam!

– To dlaczego nigdy nie słyszałem o masowych porwaniach? Razem ze mną handlarze zabrali dziesiątki dzieci. Powinno być o tym głośno.

– Ach, zatem Stróż Drogi nie wyjaśnił ci tego wszystkiego.

– Nie rozmawialiśmy długo.

– Cole, kiedy ktoś przedostaje się z twojego świata do naszego, wtedy ci, którzy znali go najlepiej i najbardziej kochali, najmniej go pamiętają.

W karawanie handlarzy rudowłosy strażnik mówił, że rodzice o nich zapomną. Wtedy Cole myślał, że to tylko przesada. Teraz dopiero po chwili zdobył się na reakcję.

– Rodzice nie będą mnie pamiętać?

– Ci, którzy powinni pamiętać cię najlepiej, całkiem o tobie zapomnieli – potwierdził Declan. – Nie wiedzą, że istniejesz.

– A ktoś taki jak moja nauczycielka? Przecież moje nazwisko jest w dzienniku. Przy sprawdzaniu obecności nie zauważy, że mnie nie ma? Wyczyta mnie...

– Nie zauważy. Kiedy ktoś spróbuje o tobie pomyśleć, ta myśl zaraz mu umknie. Mogą pozostać ślady twojej nieobecności, ale ludzie nie zwrócą na nie uwagi. Ani twoi rodzice, ani nikt inny.

Cole przygryzł dolną wargę. On i jego przyjaciele byli jeszcze bardziej osamotnieni, niż dotąd przypuszczał. Nikt za nimi nie tęsknił. Nikt ich nie szukał. Powrót na Ziemię zależał wyłącznie od niego. Ale nawet jeśli wrócą, to co wtedy?

– Czy to można naprawić? Czy nasi bliscy mogą sobie o nas przypomnieć?

– Zachowaj to pytanie dla Stróża Drogi – odrzekł Declan. – Ja po prostu nie wiem.

Cole miał ochotę krzyczeć. Co będzie, jeśli został na zawsze wymazany z umysłów rodziny? Nawet jeżeli wróci do domu, może jego życie nigdy już nie będzie takie jak kiedyś. Ta myśl była zbyt straszna, żeby się nad nią zastanawiać. Musiał wierzyć, że wszystko da się wyprostować.

– Dlaczego najwyższy formista rozszerzył zasięg niewolnictwa?

– Tego mogę się tylko domyślać. Może odpowiadają mu aspekty finansowe. Niewolnictwo otwiera przed klasą rządzącą wiele rozmaitych możliwości. Poza tym przybysze z Ziemi mają większe szanse zostać silnymi formistami. A Stafford uwielbia potęgę.

– W jednym ma pan rację – powiedział Cole. Wrzał w nim gniew. – Najwyższy król jest moim wrogiem. Pozbawił mnie i moich kolegów normalnego życia. Więzi moich przyjaciół. Ale to król! Niby jak mam go obalić?

– Nie jesteś sam – odrzekł Declan. – To właśnie chcę ci powiedzieć. Potrzebujesz wsparcia. Bunt szykuje się już od jakiegoś czasu. Czterech wielkich formistów na wygnaniu życzy sobie upadku Stafforda. Wzrastając w siłę, zyskał wielu wrogów. Powrót zaginionych córek może okazać się kluczem do jego klęski. Pomóż Mirze, a wtedy szansa uratowania kolegów może pojawi się sama. Niewykluczone, że nawet nieudane powstanie zapewni ci niezbędną pomoc i odwróci uwagę tych, którzy pilnują twoich przyjaciół.

Cole starał się rozważyć argumenty za i przeciw. Jeśli zostanie z Mirą, próba akcji ratunkowej się opóźni. Ale może warto pójść na takie ustępstwo, skoro zwiększy to szanse powodzenia. Kiedy spróbował uwolnić przyjaciół z karawany, błyskawicznie go złapano. Nie chciał powtórzyć tego błędu. Odbicie Jenny i Daltona z pałacu królewskiego okaże się pewnie jeszcze trudniejsze. Zresztą nawet jeśli odzyskają wolność, to dokąd uciekną? Cole nie był pewien, czy kiedykolwiek wrócą do domu.

Spojrzał na autowóz. Nie chciał opuszczać Miry. Teraz pojawił się prawdziwy powód, żeby przy niej zostać. Przy okazji Cole zyska trochę czasu, żeby sprawdzić, czy ujawnią się u niego zdolności formistyczne. Jeśli zanim ruszy na pomoc przyjaciołom, pomoże Mirze osłabić najwyższego króla, może w rewanżu ona i jej sprzymierzeńcy zrobią coś dla niego.

Cole skrzyżował ręce na piersiach. Czy chciał ratować przyjaciół w pojedynkę? Czy raczej razem z Mirą stawić czoła Spustoszowi? I jedno i drugie mogło zakończyć się porażką. Tak czy siak mógł zginąć. Żadna droga nie była łatwa, ale serce podpowiadało, żeby zostać z Mirą.

– Pomoc Mirze ma sens – powiedział w końcu.

– Zgadzam się – odrzekł Declan. – Macie zbieżne interesy. Potrzebujecie siebie nawzajem. Pomóż jej odnieść sukces, a i ty zatriumfujesz.

Cole bardzo bał się zadać następne pytanie.

– Jakie mamy szanse? Czy możemy pokonać Spustosza? A wygrać rewolucję?

– Wasze perspektywy są kiepskie. Ale niejeden wielki ruch zaczynał się od czegoś bardzo małego. Do celu dąż krok po kroku. Masz większą moc, niż ci się wydaje. Mira także.

Chłopiec w zamyśleniu kiwnął głową. Czuł, że powinien nadal pytać. Declan na pewno znał wiele odpowiedzi. Cole tak mało wiedział o Obrzeżach, a stary formista – tak dużo. Ale przyjaciele czekali w autowozie, a pytania nie chciały się cisnąć na usta.

– Stróże Drogi są w Creonie?

– I we wszystkich innych miejscach. Ale to stamtąd pochodzą. Nawet najpośledniejszy z nich wie o podróżowaniu poza Pięć Królestw więcej ode mnie.

Cole zastanawiał się gorączkowo, czy powinien zapytać o coś jeszcze. Wiedział, że potem będzie sobie pluł w brodę. Nic nie przychodziło mu do głowy, a przecież musieli czym prędzej wyruszać.

– Widzę, że jesteś zdenerwowany – powiedział Declan życzliwie. – Odpręż się, mój chłopcze. Jesteś tutaj. Nie zmienisz tego od razu. Żyj dniem dzisiejszym. Ucz się po trochu. Przed tobą być może wiele węzłów do rozplątania, ale nie ze wszystkimi uporasz się dzisiaj. Jak dobrze rozumiałeś swój dawny świat? Czy wiesz, jak powstał? Czy znasz jego najgłębsze sekrety i tajemnice? Rozumiem, że Obrzeża wydają ci się obce, ale wcale nie musisz wiedzieć wszystkiego o świecie, w którym żyjesz. Trzymaj się Miry. Życzę ci szczęścia.

– Dziękuję za rady – powiedział Cole. – Niech pan uważa na wrogów.

Declan pomachał mu dłonią.

– Zawsze mamy oczy szeroko otwarte.

– Miłej wyprawy – odezwał się Lyrus, kładąc swą wielką dłoń na ramieniu Cole'a. – Zazdroszczę ci.

– Dziękuję, Lyrusie. Postaram się być dzielny.

– Nie wątpię w to.

Cole czuł, że zbyt długo już kazał przyjaciołom czekać. Podbiegł do autowozu i wskoczył do środka. Usiadł na ławce obok Drgawy i Jace'a, naprzeciwko Miry i Bertrama.

– Naprzód – powiedziała Mira. Pochyliła się i zatrzasnęła drzwi.

Autowóz łagodnie ruszył w drogę.

Rozdział

24

CICHY LAS

Długo gadałeś z Declanem – stwierdził Jace. – Zdecydowałeś już, kiedy nas porzucisz?

Słysząc tak dosadnie postawione pytanie, Mira poczuła się chyba nieswojo. Cole widział, że dziewczynka chce, żeby został. Jemu też nie spieszyło się odchodzić. Ale ona miała Jace'a i Drgawę, a Dalton i Jenna nie mieli nikogo.

– Zostaję z wami co najmniej do walki ze Spustoszem – powiedział. – Osłabienie najwyższego króla da mi największą szansę na uwolnienie Jenny i Daltona. A to oznacza, że pomogę Mirze. Postarajmy się, żeby odzyskała moce. Dopiero potem obmyślimy następny krok.

– Nie ma gwarancji, że pokonamy Spustosza – ostrzegła Mira.

– Wiem. Ale na własną rękę raczej nie odbiorę najwyższemu królowi dwójki niewolników.

– To prawda – przyznała dziewczynka.

– Twój ojciec ustanowił prawa, które pozwoliły handlarzom przyjść po nas na Ziemię – powiedział Cole. Starał się, żeby jego ton nie był zbyt agresywny. To na ojca Miry był wściekły, a nie na nią. Jej także najwyższy król zrujnował życie. – Zgodnie z tymi prawami moi przyjaciele są teraz jego własnością. Declan chce, żebyśmy go obalili. Podoba mi się ten pomysł.

– Trudno to sobie wyobrazić – odparła Mira. – Mój ojciec jest sprytny i brutalny. A jednak to chyba właściwy kierunek. Kiedy matka nas odesłała, obiecała, że pewnego dnia wrócimy i odzyskamy wszystko, co straciłyśmy.

– Byle po kolei – wtrącił Jace. – Na razie spróbujmy uciec stąd w jednym kawałku.

Kiedy dotarli na skraj azylu Declana, w oknie pojawił się Liam i poprosił Mirę, żeby zatrzymała autowóz. Pojazd stanął, dzieci wysiadły. Dalej dróżka ginęła w omszałym lesie.

Cole zdziwił się, że za nimi stoją dwa inne autowozy.

– O co chodzi? – spytał, wskazując pojazdy ruchem głowy.

– Declan miał kilka na zbyciu – wyjaśnił Liam. – Uznał, że wysyłając dwa puste powozy w innych kierunkach, można zmylić pościg. Jeśli znów się na nie natkniecie, pamiętajcie, że reagują na polecenia Miry. Jeśli nie, będą krążyć po długiej, z góry ustalonej trasie.

– Sprytne. – Drgawa z uznaniem pokiwał głową.

– Declan ma na koncie setki lat doświadczenia – odparł Liam. – Wysłałem Mango na zwiady. Co jakiś czas będzie do was wracać i zdawać raport, szczególnie gdyby zbliżało się niebezpieczeństwo.

– Czy musimy coś wiedzieć o tym lesie? – zapytał Jace.

– Wydostaniecie się bez problemu. Wszystkim zajmie się autowóz. Ale niech was nie zmyli łatwy wyjazd. Jeżeli spróbujecie tu wrócić, z autowozem lub bez niego, czeka was tylko frustracja. Już lepiej ponownie przeprawić się przez chmuromur.

– Jeden raz nam wystarczył – odparła Mira.

– Po wyjeździe zauważycie, że drzewa są większe. To Cichy Las. Nic nie mówcie, dopóki znowu nie odzyskają normalnych rozmiarów. Możecie słyszeć dziwne dźwięki. Nie odzywajcie się. Ani do siebie, ani do istot, które zobaczycie. Pozory krążące po Cichym Lesie przyciąga głos niepozorów. Jeśli coś powiecie, rzucą się na was.

– Teraz nam to mówisz?! – zawołał Cole.

– Bo teraz musicie o tym wiedzieć – odparł spokojnie Liam. – Jak myślisz, po co was tu dogoniłem? Żeby jeszcze raz się pożegnać? Droga przez Cichy Las zajmie wam co najmniej godzinę. Kiedy drzewa odzyskają normalne rozmiary, będziecie już bezpieczni. Jeżeli zachowacie ciszę, nic wam raczej nie grozi. Z oczywistych powodów większość ludzi się tam nie zapuszcza.

– Jakie pozory mogą nas zaatakować? – zapytał Jace.

– Wyobraź sobie olbrzymie niedźwiedzie, które polują w stadach. To mniej więcej coś takiego.

– Żartujesz sobie?! – wykrzyknął Cole. – Co to w ogóle za miejsce?

Liam zdawał się zbity z tropu.

– Sambria jest rezultatem setek lat majstrowania w środowisku przez formistów. Raz chodzi o rzeczy ważne, kiedy indziej o drobiazgi. Część dużych zmian w końcu zanika, a niektóre, nawet te małe, z czasem mają coraz poważniejsze skutki. Trudno to przewidzieć. Cichy Las nie jest ani najdziwniejszym, ani najbardziej niebezpiecznym regionem Sambrii. Bertram poprowadzi was z dala od tych najgroźniejszych. Zabierze was do Śródgałęzia względnie pewnymi drogami. Jeśli coś wam przeszkodzi, będzie improwizował. Prawda, Bertramie?

– Niezgorsza pogoda na przejażdżkę – stwierdził staruszek, nie ruszając się z autowozu. – Nie co dzień mam okazję podróżować w miłym towarzystwie moich młodych krewniaków.

– Osobowością to on nie grzeszy – szepnął konspiracyjnie Liam. – Declan ceni funkcjonalność bardziej niż ozdobniki. – Potem odezwał się głośniej: – Bertram zna topografię krainy. Jedną z zalet Sambrii jest to, że przez lata formiści wytyczyli wiele dróg i ścieżek, nawet przez dzikie i niedostępne tereny.

– Czy są jeszcze jakieś inne zagrożenia, o których powinniśmy wiedzieć? – zapytał Drgawa.

– Całe mnóstwo – odparł Liam. – Ale któż wie, na które natraficie? Nie mamy tylu tygodni, żebym wymienił je wszystkie. Dysponujecie przydatnymi artefaktami oraz zdrowym rozsądkiem. Używajcie ich mądrze. – Wzniósł się na swoim dysku. – Jeszcze raz powtarzam: ani słowa w Cichym Lesie. Jeśli będziecie o tym pamiętać, wasza podróż rozpocznie się spokojnie. Jeśli zapomnicie, drugiej okazji może już nie być.

– Dzięki za wszystko – powiedziała serdecznie Mira. – Przybyliśmy tutaj, myśląc, że umrzemy. A wyjeżdżamy z szansami na sukces.

– Powodzenia w podróży. – Liam uniósł dłoń na pożegnanie. – Pamiętajcie, gdybyście napotkali straszne kłopoty i rozpaczliwie potrzebowali mojej pomocy, ja będę zbyt zajęty własnymi problemami! – Po tych słowach odleciał.

Czworo przyjaciół wymieniło spojrzenia. Jace i Cole parsknęli śmiechem.

– Niedługo może nam nie być do śmiechu – mruknął Drgawa.

Jace spoważniał.

– Może napotkamy kłopoty, ale to nadal będzie śmieszne.

– Powinniśmy już jechać – powiedziała Mira, wsiadając do autowozu. – Umiecie trzymać buzie na kłódkę?

– Zobaczymy – odparł Cole. – Czasem, kiedy jest bardzo cicho, na przykład na klasówce albo w bibliotece, mam ochotę krzyknąć tylko po to, żeby przerwać ciszę i wszystkich zaskoczyć.

Mira przybrała cierpliwą minę.

– Słuchaj, Cole, tym razem musisz nad tym zapanować.

– Jeszcze nigdy nie uległem i nic nie krzyknąłem – zapewnił. – A tak w ogóle to perspektywa bycia pożartym przez olbrzymie niedźwiedzie to najlepszy powód, żeby siedzieć cicho.

– Czy już teraz powinniśmy przestać rozmawiać? – zapytał Drgawa. – Wiecie, tak na wszelki wypadek.

– Jeszcze nie ruszyliśmy – zaznaczył Jace.

– Naprzód – powiedziała Mira.

Autowóz potoczył się przed siebie. Towarzyszyło temu ciche kląskanie nóg chodzącej cegły. Cole nadstawił uszu i stwierdził, że pozostałe powozy ruszyły za nimi.

– Teraz już jedziemy – stwierdził Drgawa.

– W takim razie myślę, że powinniśmy się zamknąć – przyznał Jace.

– Wszyscy za? – spytał Cole, unosząc dłoń.

Pozostała trójka również podniosła ręce.

– Za – potwierdziła Mira.

– Pod warunkiem że to ja będę miał ostatnie słowo – powiedział Jace.

– A co, jeśli ja chcę je mieć? – zapytała Mira.

Jace uśmiechnął się szyderczo.

– No to musisz je sobie wziąć.

– Może wezmę.

– Ja wezmę na pewno. – Jace patrzył jej prosto w oczy.

– Naprawdę myślicie, że to dobra chwila, aby się licytować, kto pierwszy stchórzy? – spytał Cole.

Autowóz właśnie wjeżdżał do lasu.

– Mamy czas, dopóki nie zaczną się wielkie drzewa – odparł Jace.

– Najpierw Bumerangowa Puszcza – potwierdziła Mira.

– Nawet cień możliwości, że rozszarpią nas olbrzymie niedźwiedzie, to już za duże ryzyko – odezwał się Drgawa.

– Ty też włączasz się do gry? – zapytał Jace.

– Po prostu chcę wam przemówić do rozsądku. Może powiecie coś jednocześnie? Wtedy oboje możecie mieć ostatnie słowo!

Jace wzruszył ramionami.

– Myślę, że to dobre, rozsądne, tchórzowskie rozwiązanie. Ja się na to nie piszę.

– Ja też nie – powiedziała Mira. – Nie wygrasz ze mną.

Jace uśmiechnął się przebiegle.

– Wygram, jeśli jestem gotów na pożarcie przez niedźwiedzie.

– A jesteś?

– Przez upór? Jasne, czemu nie? I tak uważałem się za trupa już podczas pierwszej misji do zamku w chmurach. To mi pomagało na nerwy. Od tamtej pory żyję na kredyt.

Mira zmrużyła oczy.

– Ale teraz wszystko się zmieniło. Już nie jesteś Łupieżcą Niebios.

Jace przekrzywił głowę, jakby nie był do końca pewien, czy chce jej wierzyć.

– Niebezpieczeństwo wydaje mi się takie samo. Albo jeszcze większe.

– A wolnoznak? – spytała dziewczynka, zerkając na jego nadgarstek.

Jace się wzdrygnął. Tą uwagą zbiła go z tropu. Potarł nadgarstek i wyjrzał przez okno.

– Masz rację. Jeszcze to do mnie nie dotarło. – Popatrzył na Mirę. – Chyba… rzeczywiście głupio byłoby zmarnować życie, żeby wygrać jakąś małą rywalizację.

– Prawda? – odrzekła z uznaniem Mira.

– Oczywiście jeśli już trzeba zginąć…

– To równie dobrze można zginąć, robiąc coś głupiego? – dokończyła. – Dobra głupota jest wtedy, kiedy robi się coś odważnego. Kiedy ma się prawdziwy powód. A wszystko inne to zła głupota.

– To samo mogę powiedzieć o tobie. Jesteś tak samo uparta jak ja. I tak samo głupia. Dlaczego to właśnie ja mam ustąpić?

– Żeby okazać mi swoją wyższość? – zasugerowała dziewczynka.

– Niby jakim cudem miałbym dowieść swojej wyższości, przegrywając?

Otaczał ich gęsty las. Cole patrzył przez okno. Ścieżka zaczęła się wić. Czy to już te większe drzewa? Może trochę. Ale niezbyt. Jak duże drzewa miał na myśli Liam?

– Słuchajcie – odezwał się w końcu. – Jesteśmy w środku lasu. Drzewa są coraz większe. To już nie jest śmieszne.

Jace uśmiechnął się od ucha do ucha.

– Nieprawda. Dopiero zaczyna być śmieszne. A wiecie, jaka będzie puenta? Słyszałem, że wygląda jak stado wielkich niedźwiedzi.

– Jesteś przezabawny – mruknęła chłodno Mira.

– Umrę ze śmiechem na ustach. No dalej, chcesz mnie sprawdzić?

Cole czuł, że sytuacja wymyka się spod kontroli.

– Miro, przecież to jest chore. Niech Jace ma ostatnie słowo. Kogo to obchodzi? Mamy za dużo do zrobienia, przed nami zbyt wiele prawdziwych niebezpieczeństw. Jeśli zależy mu na nagrodzie dla największego psychola, to niech ją ma.

Mira zerkała to na niego, to na Jace'a. Słychać było tylko ciche kląskanie kroczącej cegły.

– Nie. Nie może zawsze stawiać na swoim.

– W sumie to mogę – odparł Jace. – Zdradzić ci sekret? Nie wolno blefować.

Do tej pory Cole sądził, że Jace żartuje, ale coś w jego tonie sprawiło, że naprawdę zaczął się nad tym zastanawiać. Oczywiście pewnie właśnie o to chodziło.

– Miro… – powtórzył.

– Cole ma rację – mruknął Drgawa.

– I oto pasikonik wraca do gry! – zawołał Jace.

Drgawa rzucił mu wściekłe spojrzenie, zacisnął usta i nic już nie powiedział.

Bertram nachylił się do przodu.

– To dobra pora, żeby przestać rozmawiać. Zbliżamy się do odcinka, na którym mogą z tego wyniknąć kłopoty.

Wszyscy zamilkli. Cole wychylił się przez okno i popatrzył przed siebie. Teraz ścieżka była dość prosta. Mniej więcej sto metrów dalej, po swojej stronie drogi, zobaczył niebotyczne drzewo, częściowo przesłonięte niższą roślinnością. Miało pień szerszy niż autowóz.

– Duże drzewo – oznajmił, chowając się do wnętrza. – Naprawdę duże.

– Może Liam tylko nas podpuszczał – stwierdził Jace. – Wiecie, zrobił nam kawał, bo jesteśmy nowi.

– Dobrze wiesz, że mówił serio – odparła Mira.

– Wkrótce się przekonamy.

Gdyby Cole mógł rąbnąć ich w głowy i pozbawić przytomności, to chyba by to zrobił. Ale Jace był od niego większy, a poza tym trzymał już w dłoni swoją złotą linę. Cole zastanawiał się, czy nie wyciągnąć miecza skakania. Mógł mu się przydać, kiedy pojawią się niedźwiedzie.

– Miro, błagam – jęknął.

– Dobra. – Dziewczynka westchnęła z rozdrażnieniem. – W porządku, Jace. Wygrałeś. Powiedz to swoje ostatnie słowo i przeżyjmy, żeby zginąć w jakiś bardziej zaskakujący sposób.

Jace uśmiechnął się jeszcze szerzej. Wyciągnął dłoń w jej kierunku i skinął głową.

– To wszystko? – spytała. Chłopiec przytaknął raz jeszcze. – Chodziło ci tylko o to, żebym powiedziała, że możesz wygrać. – Jace kiwnął głową wolniej, a potem wskazał na Mirę. – Aleś ty rycerski – powiedziała oschle.

Wzruszył ramionami.

Cole przesunął palcem po ustach, jakby zapinał je na suwak. Pozostali potwierdzili bez słowa.

Minęli pierwsze wielkie drzewo. Potem pnie stawały się już tylko coraz grubsze. Ścieżka wiła się dalej. Niektóre drzewa wydawały się szersze niż dom Cole'a. Rowki w ich korze były jak głębokie kanały. Droga kluczyła slalomem przez strzelisty las, a między surrealistycznymi pniami, pośród omszałych głazów i połaci ciemnej gleby, rosły delikatne paprocie. Gigantyczne drzewa przysłaniały światło słońca, przemieniając świat pod ich nieosiągalną koroną w królestwo półmroku.

Rytm podróży nadawało równe kląskanie kroczącej cegły. Podobne, stłumione dźwięki dobiegały od strony autowozów, które jechały za nimi. Mimo że droga była nierówna, a tu i ówdzie także zachwaszczona, sam powóz prawie nie hałasował – co najwyżej lekko skrzypiał na wybojach. Poza tym jazda była zaskakująco płynna i spokojna, zwłaszcza w porównaniu z roztrzęsionym, terkoczącym wozem handlarzy niewolników.

W cieniu drzew panowała gęsta atmosfera, zupełnie jakby cała przyroda zamarła w bezruchu i nasłuchiwała. Cole podejrzewał, że odczuwa to w taki sposób, bo wie o wielkich niedźwiedziach.

Z upływem czasu odprężył się na tyle, że naszła go cicha pokusa, żeby coś krzyknąć. Zastanawiał się nad śmiesznymi tekstami. „Wygrałem konkurs!" to był jeden z mocnych kandydatów, ale najbardziej podobało mu się: „Niedźwiedzie to mięczaki!". Oczywiście nie odezwał się ani słowem. Oprócz tego, że miał ochotę przeżyć, to w tym okazałym lesie każdy głośny dźwięk wydawał się nie na miejscu, zupełnie jak okrzyki w kościele.

Cole żałował, że nie wyjął miecza skakania, kiedy miał okazję. Choć niedźwiedzie przyciągała rozmowa, na wszelki wypadek wolał nie hałasować grzebaniem w schowku.

– Halo! – zawołał ktoś w oddali.

Cole spojrzał na Mirę, która siedziała naprzeciwko. Miała szeroko otwarte oczy.

– Halo – odezwał się ponownie głos. – Jest tam kto?

To był jakiś mężczyzna. Drzewa tłumiły jego głos, tak jakby teraz znajdował się bliżej, niż kiedy krzyknął po raz pierwszy. Może to jakiś myśliwy lub wędrowiec, który zabłądził w lesie?

Jace ścisnął Cole'a za ramię i gwałtownie pokręcił głową. Drgawa nerwowo przycisnął palec do warg. Mira przytaknęła, oburącz zasłaniając usta.

Cole wiedział, że mają rację. To musiał być podstęp. Zresztą nawet jeśli nie, to facet sam właśnie przypieczętował swój los.

– Błagam – odezwał się ponownie, tym razem ciszej, jakby się oddalał. – Ratunku! Niech mi ktoś pomoże!

Wkrótce w lesie znów zrobiło się cicho. Cole patrzył i nasłuchiwał. Był ciekaw, czy zauważy jakiegoś wielkiego niedźwiedzia. Wiedział, że to by go przeraziło, ale i tak się rozglądał, bo nie umiał się powstrzymać.

– Halo! – zawołał ktoś nowy z drugiej strony autowozu. Tym razem była to kobieta. Miała szorstki głos. – Anthony? Gdzie jesteś? Powiedz coś!

– Chciałem pokazać wnukom brata ciekawe miejsca w Sambrii – oznajmił Bertrand. – Mam nadzieję, że nie zakazuje tego żadne prawo!

Cole zesztywniał. Bertram był pozorem, więc mógł się odzywać, ale zaskoczyła go ta niespodziewana reakcja. Jace zasłaniał usta, żeby nie parsknąć śmiechem. Cole za bardzo był spięty, żeby go to śmieszyło.

– Jest tam kto? – dopytywała się schrypnięta kobieta. – Błagam! Zabłądziłam!

Mira kręciła głową. Wszyscy zgadzali się, żeby milczeć.

– Proszę, niech mi ktoś odpowie! – Gardłowy głos był pełen rozpaczy.

– Przykro mi, ale jesteśmy tu tylko na wakacjach – rzekł pogodnie Bertram. – Posuwam się w latach, to moje ostatnie podrygi.

– Błagam, pomocy! Ratunku!

– Nie za dobrze się dziś czuję. Niestety muszę zostać w powozie. Stare gnaty i tak dalej.

Rozpaczliwe okrzyki kobiety ucichły.

Drzewa nadal były olbrzymie. Przyjaciele usłyszeli jeszcze dwa inne wołania o pomoc: różne głosy, jeden męski, drugi żeński, zagubione dusze krążące po lesie. Odległe okrzyki były tak ciche, że Cole zaczął się zastanawiać, czy to nie wytwór jego wyobraźni.

W końcu drzewa zaczęły maleć. Co prawda pozostały ogromne, ale większość pni była już węższa niż autowóz i żaden nie przekraczał szerokością domu. Po stronie Cole'a wzdłuż autowozu biegł zgrabny jeleń. Chłopiec obserwował go, ponieważ był ciekaw, jak długo utrzyma się jego ciekawość.

– Witajcie, dobrzy ludzie – odezwał się jeleń męskim głosem. – Zabłądziliście?

Oszołomiony Cole obserwował go w milczeniu.

– Słyszycie mnie?

Chłopiec spojrzał na swoich towarzyszy. Drgawa odegrał gest zamykania buzi na kłódkę. Cole kiwnął głową.

– To nie jest bezpieczna droga. Dokąd się wybieracie?

Cole pomachał jeleniowi na do widzenia.

– Myślicie, że znacie ten las lepiej niż ja? – Zwierz odwrócił się od powozu. – Wasz problem.

– Jeden plus jeden to dwa – odezwał się głos po drugiej stronie autowozu.

Cole zobaczył tam drugiego jelenia.

– Dwa plus dwa to...? – Umysł automatycznie odpowiedział: „cztery", ale chłopiec nie otworzył ust.

– Wlazł kotek na płotek i mruga – wyrecytował zwierz. – Ładna to piosenka...?

Cole nie mógł uwierzyć, że jeleń tak bezczelnie próbuje ich nakłonić, żeby coś powiedzieli. Drgawa odegnał zwierza ruchem dłoni. Uciekł w podskokach.

Autowóz toczył się naprzód, a drzewa malały, aż zaczęły przypominać zwykły las. Minęli rozstajne drogi. Ich powóz pojechał prosto, a te z tyłu skręciły – w prawo i w lewo.

Cole i pozostali jeszcze długo milczeli. W końcu Mira postukała Bertrama w ramię i gestem odegrała mówienie.

– Co takiego, córuchno? – zapytał stary pozór. – Przykro mi, musisz mówić głośniej. Na starość głuchnę.

Dziewczynka nachyliła się i szepnęła mu coś do ucha. Cole nie dosłyszał ani słowa.

– Och tak, już jest bezpiecznie – odparł Bertram. – Rozmawiajcie do woli. Bądź co bądź, jesteśmy na wakacjach.

– Ale ulga – powiedziała Mira.

– Naprawdę myślałem, że nas we dwoje zabijecie – odezwał się Drgawa. – Byłem gotowy odlecieć.

– Czasem trzeba twardo walczyć w słusznej sprawie – oznajmił Jace.

Mira kopnęła go w piszczel.

– Zachowywałeś się jak rozpieszczony bachor, który marudzi tak długo, aż dostanie to, co chce.

– No to kim w takim razie byłaś ty? – odparł Jace. Wywinął się, żeby uniknąć kopniaka.

– Dorosłym, który ci ustąpił.

– Wyszło idealnie. Poczekałem, aż dasz mi to, czego chciałem, a potem pozwoliłem, żebyś to ty była psycholem, który ma ostatnie słowo.

Mira zerwała się z miejsca i pochyliła się pod dachem powozu. Nie kopnęła go za mocno, ale tym razem trafiła. Jace śmiał się razem z kolegami.

Potem przez okno wleciała Mango i przysiadła na ramieniu dziewczynki.

– Świetnie, świetnie – pochwaliła. – Widzę, że dobrze się bawicie. Nie chcę psuć atmosfery, ale mamy towarzystwo.

– Jak to? – zapytała Mira. Wróciła na miejsce i błyskawicznie spoważniała.

– Zbliżają się legioniści. Konno. Dużo ich.

Rozdział

25

UCIECZKA

Legioniści?! – zawołał Cole. – Ile to jest „dużo"?

– Stu czterdziestu czterech – powiedziała Mango. – Są na zachód stąd, nadjeżdżają w czterech równych grupach różnymi drogami.

Jace szarpnął klapę skrytki ze sprzętem. Podał Mirze miecz skakania, a potem miecz i łuk Cole'owi.

– Jak oni nas tak szybko znaleźli? – spytał Drgawa.

– Nie znaleźli – odparła papuga. – Rozproszyli się po okolicy. Prowadzą poszukiwania.

– Może się domyślili, że uciekliśmy w tym kierunku – powiedziała Mira. – Albo po prostu szukają wszędzie. Tak czy inaczej chyba wiedzą, że żyjemy.

– Declan nas o tym ostrzegał – przypomniał Cole. – Twój ojciec czuje, że nie zginęłaś. Na pewno im to powiedział.

– Ważne, co teraz zrobimy – stwierdził rzeczowo Jace. – Mango, czy jeśli pojedziemy dalej tą drogą, to nas znajdą?

– Jeżeli nie zawrócą i nie zmienią kierunku, to dogonią was przed zachodem słońca. – Odpowiadając, Mango delikatnie dziobała srebrny naszyjnik Miry.

– Czy możemy skręcić w inną stronę? – zapytała dziewczynka.

– Moglibyście zostawić autowóz. – Teraz papuga skubała spinkę w jej włosach. – Legioniści trzymają się dróg. Ale samotna podróż na przełaj przez Sambrię bywa dość niebezpieczna, zwłaszcza w rejonie tak dzikim jak północ królestwa.

– Powinniśmy zostać w powozie, dopóki nie będziemy pewni, że nas znajdą – stwierdził Drgawa. – Możesz nas ostrzec, kiedy znajdą się już bardzo blisko, prawda, Mango?

– Jasna sprawa – odparł ptak.

– Jeżeli znajdą pusty autowóz, to dokładnie przeszukają okolicę – zauważył Jace.

– Nie mówię, że powinniśmy wyskoczyć z powozu na minutę, zanim nas dogonią – wyjaśnił im Drgawa. – Raczej na godzinę. Autowóz przejedzie jeszcze spory kawałek, a my zdążymy oddalić się od drogi.

– Dobry pomysł – pochwalił Cole.

– Trzeba zachować autowóz tak długo, jak to będzie możliwe – powiedziała Mira. – Pieszo będziemy znacznie wolniejsi. Poza tym Mango ma rację. Ta część Sambrii jest niebezpieczna.

– Możemy to wykorzystać – stwierdził Jace. – Trochę tak, jak było z chmuromurem. Czy jest tu jakieś miejsce, do którego legioniści za nami nie pójdą? Którego według nich będziemy unikać? Zwłaszcza jeśli sami jadą w przeciwną stronę.

Mango zatrzepotała skrzydłami i cicho zaskrzeczała.

– Tu jest mnóstwo niebezpiecznych miejsc. Legioniści są na zachód od was. Jedni poruszają się na północny wschód, inni – na południowy. Droga na zachód w tej chwili nie wchodzi w grę, a jeśli skręcicie wprost na południe, to raczej ich nie wyprzedzicie. Jeżeli uciekniecie na północ, traficie z powrotem do Cichego Lasu, a w końcu zatrzymacie się na granicy Bumerangowej Puszczy. Gdybyście próbowali ją obejść od wschodu, dotarlibyście do Skraju.

– Cichy Las może być – stwierdził Jace.

– Ale nie chcemy znaleźć się w pułapce i nie mieć dokąd uciec – zauważył Drgawa. – Bumerangowa Puszcza to ślepy zaułek. Skraj także, bo nie mamy niebolotu.

– Przynajmniej dla większości z nas – powiedziała Mira.

Drgawa poczerwieniał.

– O mnie porozmawiamy później.

– Skraj ciągnie się na wschód od chmuromuru? – zapytał Cole.

– Tak – potwierdziła dziewczynka. – Chmuromury wydzielają tylko odcinek Skraju. Bumerangowa Puszcza powstrzymuje ludzi przed zaglądaniem za Wschodni Chmumur, a Kolcowina za Zachodni. Ale po drugiej stronie Puszczy Skraj biegnie dalej. Dryfdyski już tam nie działają, więc nawet niebolot nic by nie zmienił.

– Mango, co jeszcze możemy zrobić? – zapytał Jace.

– Uciec na północny wschód – odparła papuga. – Oddalilibyście się od cywilizacji w stronę dzikich, niebezpiecznych terenów. Jest tam wiele miejsc, w których można się zgubić. Wnioskując z obecnego schematu poszukiwań legionistów, chyba myślą, że uciekacie właśnie w tamtą stronę.

Bertram głośno odchrząknął.

– Jeśli nadal chcecie dotrzeć do Śródgałęzia i nie boicie się ryzyka, powinniście rozważyć podróż przez Odludzie Brady'ego.

– Słyszałem o nim – powiedział Jace. – Nie jest aby niebezpieczne?

– Leży we właściwym kierunku – przyznała Mango. – Na wschód i trochę na południe. Legioniści na pewno się nie spodziewają, że zaryzykujecie wyprawę w tamtą stronę. Sami też nie ruszą tam zbyt chętnie. To miejsce ma okropną reputację.

– Ja też je kojarzę – dodał Drgawa. – Wygląda na to, że słyszy się tylko o bardzo złych miejscach.

– Ale nie o tych najgorszych – odparła Mira. – Bo stamtąd nikt nie wraca, żeby o nich opowiedzieć. Czy to nie na Odludziu Brady'ego wybuchł jakiś formista?

– Wybuchł? – powtórzył Cole.

– Wszyscy formiści się tego boją – wyjaśniła dziewczynka. – Kiedy utalentowany formista się przeforsuje, może przestać odróżniać rzeczywistość od pozoru. Wtedy górę biorą chciwość, paranoja albo szaleństwo. Ktoś taki zaczyna formować w sposób nieposkromiony, zwykle tak długo, aż sam przy tym zginie. Czasami zostaje po nim niezły bałagan.

– Co wiemy o tym Odludziu? – zastanawiał się Cole.

Mira wzruszyła ramionami.

– Ja mało o nim słyszałam.

– Nie wiadomo zbyt wiele – powiedziała Mango. – Historia głosi, że Brady był młodym chłopcem, który przybył tu z zewnątrz. Miał ogromną moc oraz umysł dziecka. Formował wyraziście, ale bez żadnej kontroli. To wydarzyło się jakieś czterdzieści lat temu i od tamtej pory słuch po nim zaginął.

– Tak potężny formista nie znika ot tak po prostu – powiedziała Mira. – Musiał uformować coś, co go zabiło.

– Mango, byłaś tam? – spytał Drgawa.

– Tylko na obrzeżach. Nikt się tam nie zapuszcza, więc nigdy nie penetrowałam tej okolicy.

– Czy wciąż są tam drogi?

– Trzy – odezwał się Bertram. Cole zauważył, że stary pozór zawsze wypowiada się wyraźniej i z większym przekonaniem, kiedy jest mowa o trasach podróży. – Trudno zgadnąć, w jakim są stanie. Miejmy nadzieję, że okażą się przejezdne. Jeśli tak, może to być sprytny skrót do Śródgałęzia.

– Żołnierze nie jadą w tamtą stronę? – upewniła się Mira.

– W tej chwili nie – odrzekła Mango. – Ale nie ma gwarancji, że nie zmienią kursu.

– Czy gdyby legioniści, którzy znajdują się teraz najbliżej nas, skręcili w kierunku Odludzia Brady'ego, to dotarlibyśmy tam przed nimi? – zapytał Drgawa.

– Pewnie tak. O włos.

– Myślę, że powinniśmy spróbować – powiedział Jace. – Poradzimy sobie ze wszystkim, co wyśnił sobie jakiś dzieciak.

– Odludzie Brady'ego nie bez powodu cieszy się złą sławą – zauważył Drgawa.

– Za to my wyszliśmy cało z niebezpiecznych zamków w chmurach. Nie mówię, że będzie nam łatwo. Ale jest to bardziej w naszym stylu niż walka z legionistami. Wyobraź sobie, że to taki duży zamek.

– Nie cierpię zamków. Myślisz, że dlaczego uciekłem?

– Nie cierpisz ich, ale przeżyłeś. Mamy lepszy sprzęt niż kiedykolwiek. Będziemy współpracować. Legioniści nie pojadą za nami, zwłaszcza jeśli się nie dowiedzą, że tam się wybraliśmy.

– Nie możemy pozwolić, żeby nas znaleźli – powiedziała Mira. – Co o tym sądzisz, Cole?

Chłopiec zastanowił się, zanim odpowiedział. Na pewno nie miał ochoty pchać się na zabójczo przeformowane tereny przypominające gigantyczny zamek na niebie. Ale jeszcze mniej chciał dać się złapać legionistom.

– Czy poza Odludziem Brady'ego mamy jeszcze jakieś inne możliwości? – zapytał papugę.

– Na wschód od Chmurnej Doliny Skraj zakręca na północ. Dlatego moglibyście stamtąd ruszyć na wschód albo północny wschód. Chyba właśnie tam kierują się żołnierze, pewnie dlatego, że to najsensowniejszy kierunek ucieczki. Nie znajdziecie tam dobrej kryjówki, chyba że pieszo zapuścicie się w dzicz. Nawet jeśli autowozem wybierzecie najsprytniejszą drogę, do jutra legioniści was dogonią.

– Wygląda na to, że musimy spróbować szczęścia u tego Brady'ego – stwierdził Cole.

– Wcale mi się to nie podoba – odrzekł Drgawa – ale jestem tego samego zdania.

– W porządku – powiedziała Mira. – Bertramie, czy możesz nas zabrać na Odludzie Brady'ego?

– Odludzie Brady'ego – powtórzył pozór. – A potem dalej do Śródgałęzia, jak mniemam?

– Chyba że będziemy zmuszeni zboczyć z drogi.

– Wiem, którędy pojedziemy – oznajmił Bertram. – Miejmy nadzieję, że drogi są przejezdne.

– Wracam na zwiady – powiedziała Mango. – Odezwę się, jeśli będzie trzeba zmienić plany.

– Dziękujemy – odrzekła Mira.

Ptak zeskoczył z jej ramienia, mocno załopotał skrzydłami i zniknął za oknem.

– Nie trzeba było długo czekać, żeby zrobiło się gorąco – mruknął Cole.

– Myślałeś, że legioniści po prostu znikną? – odparł Jace.

– Miałem nadzieję, że zaczną nas szukać nie tam, gdzie trzeba.

– Kiedy szuka się wszędzie, łatwiej zajrzeć we właściwe miejsce – stwierdził Drgawa.

Przez jakiś czas jechali w milczeniu. Cole zerknął na Drgawę.

– Nie powiedziałeś nam o skrzydłach.

– No właśnie – podchwycił Jace. – Teraz mamy czas. Pochodzisz z Elloweer? Tam się urodziłeś?

– Chyba się wydało. – Drgawa zaśmiał się nerwowo. – Należę do grinaldich. Ludzie nazywają nas skoczkami.

– Nigdy o was nie słyszałem – powiedział Jace.

– Wielu ludzi nie wie o grinaldich. Nie jesteśmy liczni. Mamy skrzydła, ale nie latamy na duże odległości. Pomagają nam w skokach.

– Jak działa twój pierścień? – spytał Cole. – Przywiozłeś go z Elloweer?

– Nie. Gdybym miał go od początku, raczej nie wzięliby mnie do niewoli. Znalazłem go w magazynie w Nieboporcie i wybrałem na swój przedmiot specjalny. Aż do wczoraj nigdy nie musiałem go użyć.

– Pierścień pokazuje jego prawdziwą postać – wyjaśnił Jace.

– Dlaczego nie przybierzesz jej na stałe? – zapytał Cole.

– Czasami zapominam, że jesteś tu nowy – odrzekł Drgawa. – Elloweer jest pełne niezwykłych istot. Niektóre nie mogą się stamtąd wydostać. Zderzają się z barierą. Inni, tak jak ja, po opuszczeniu krainy przybierają ludzką postać.

– A pierścień przywraca ci tę właściwą – zrozumiał Cole.

– Takie pierścienie są bardzo rzadkie – powiedział Drgawa, pokazując go przyjaciołom. Pierścień był srebrny, dokoła biegł pasek maleńkich niebieskich kamieni szlachetnych. – Wytwarzają je elloweerscy zaklinacze. Nie wiem, skąd wziął się w Nieboporcie, ale skoro tam był, to go wziąłem jako mój przedmiot specjalny.

Cole przypomniał sobie karawanę handlarzy niewolników.

– Kiedy handlarze zabierali moich przyjaciół z naszego świata, jeden przypominał złotego wilkołaka. Potem już go nie widziałem.

– Lupianin. To wojowniczy lud. Rzadko widuje się takich ze złotą sierścią. W twoim świecie musiał wrócić do swojej właściwej postaci.

– Pokaż nam, jak naprawdę wyglądasz – poprosił Jace. – Nie zdążyłem ci się przyjrzeć.

– Nawet kiedy cię niosłem?

– Wtedy miałem inne sprawy na głowie.

– Mira opowiedziała nam swoje tajemnice – stwierdził Drgawa. – Dowiedzieliśmy się, skąd pochodzi Cole. Ale o tobie, Jace, nie wiem zbyt dużo. Może opowiesz nam o swojej przeszłości, a wtedy pokażę wam swoją prawdziwą postać.

– Niewiele mam do opowiadania – odrzekł Jace z trochę niezręcznym uśmiechem. – Przez całe życie byłem niewolnikiem. Nie znałem rodziców. Nie cierpiałem być kontrolowany i nikt nie mógł mnie złamać. Mimo wszystko zawsze znajdowałem sposób, żeby dobrze się bawić. Ciężko pracowałem nad tym, żeby ciężko nie pracować. Właściciele mieli mnie już dość. Parę razy byłem sprzedawany, aż w końcu trafiłem do Łupieżców Niebios. To najlepsze, co mnie kiedykolwiek spotkało. Wreszcie żyłem pełną gębą. Jasne, było niebezpiecznie, ale zazwyczaj mogłem robić to, co chciałem. Dobra, pokazuj te swoje owadzie narządy.

Drgawa potarł usta. Zadrżała mu powieka.

– Dzięki, że ująłeś to tak delikatnie. – Rozpiął i zdjął koszulę. – Poprzednią porwały moje skrzydła – wyjaśnił.

Włożył pierścień, a wtedy wysoko na jego czole pojawiły się dwa owadzie czułki. Na plecach miał teraz cztery półprzejrzyste skrzydła, po dwa z każdej strony. Przypominały skrzydła ważki, ale były złożone do dołu. Podciągnął nogawkę – jego noga przypominała kończynę olbrzymiego pasikonika.

Cole się wzdrygnął, ale próbował zachować opanowaną minę. Owadzie nogi to już trochę za dużo.

– Masz kolana do tyłu – powiedział Jace.

– Owszem, z punktu widzenia waszej anatomii. – Drgawa roześmiał się. – Ale mogę skakać ze dwadzieścia razy wyżej. I trochę latam. Może nie widać, ale jestem także sporo silniejszy.

– W ludzkiej postaci na pewno czujesz się bardzo ograniczony – rzekła Mira.

– To prawda. – Drgawa zastukał palcami o palce. – Między innymi dlatego jestem taki ostrożny. Wyobraź sobie, że nagle stajesz się słabsza, wolniejsza, a twój miecz skakania nie działa tak, jak trzeba.

– U siebie lubiłeś ryzyko? – spytał Jace.

– Jestem rozważny z natury. Mój lud uważa to za pozytywną cechę.

– Musicie być strasznie rozrywkowi.

– Wolimy spokojne, radosne życie – odparł Drgawa, zdejmując pierścień. Skrzydła i czułki zniknęły. – Ale nie zawsze można mieć to, co by się chciało. – Zaczął z powrotem wkładać koszulę.

– A ty, Cole? – zapytał Jace. – Jak wyglądało twoje życie, zanim tu trafiłeś?

– Było łatwe. To znaczy w porównaniu z tutejszym. Prawie wszystkim zajmowali się rodzice. Mamy ładny dom. Moja siostra myśli o sobie, że jest super, ale w sumie nie jest taka zła, zwłaszcza w porównaniu ze skorpionogami i handlarzami niewolników. Chodziłem do szkoły. Uprawiałem sport.

– Chyba byliście bardzo bogaci – powiedział Jace.

– Wcale tak nie myślałem. No, może w porównaniu z niektórymi. W zasadzie byliśmy całkiem zwyczajni.

– Musiałeś sobie kiedyś ubrudzić ręce? Pracowałeś w kopalni? Na polu? Zajmowałeś się trzodą? Budowałeś dom?

– Nic z tych rzeczy. Szkoła, sport i wygłupy... To w zasadzie wszystko, czym się zajmowałem.

– Wygląda na to, że tam, skąd pochodzisz, bycie bogatym to norma – stwierdził Jace. – Zabierz mnie ze sobą.

– Chętnie – odparł Cole. – Ale kto wie, czy kiedykolwiek tam wrócę?

– Wszystko po kolei – odezwała się Mira. – To trochę jak w Nieboporcie. Pierwsza sprawa? Przeżyć dzień dzisiejszy. Druga? Przeżyć jutro.

– Kiedy dojedziemy na Odludzie Brady'ego? – zapytał Drgawa.

– Jeśli podróży nic nie opóźni, dotrzemy tam jutro rano – poinformował Bertram.

– No to ja się tu rozgoszczę – oznajmił Jace, wtulając się w kąt powozu. – Obudźcie mnie, gdyby coś próbowało nas zabić.

Rozdział

26

ODLUDZIE BRADY'EGO

Pływające w mlecznym stawie ciasteczka z czekoladą, wielkie jak hula-hoop, były dla Cole'a pierwszym sygnałem, że coś tu jest nie tak. Chłopiec wyjrzał przez okno, mrużąc oczy w porannym blasku. Krzaki oraz nieduże drzewa porastały tu i ówdzie błotnisty brzeg stawu, usiany kamieniami i patykami. Byłoby to najzwyklejsze w świecie leśne oczko wodne, gdyby nie biały, gęsty płyn oraz pieguski udające liście lilii wodnej.

Drgawa leżał zwinięty między siedzeniami na podłodze autowozu. Jace wcisnął się w kąt. Mira opierała głowę na kolanach Bertrama. Wszyscy oddychali miarowo i chyba spali. Stary pozór spokojnie wyglądał przez okno.

Przez całą noc Cole przysypiał tylko na chwilę. Chociaż jazda była spokojna, na siedząco nie mógł sobie znaleźć wygodnej pozycji. Przed wschodem słońca wróciła Mango, żeby potwierdzić, że legioniści zakręcili na północ i na południe od nich – a nie w kierunku Odludzia Brady'ego. Cole był zbyt podminowany, żeby zasnąć, więc po wizycie papugi nie zmrużył już oka i wypatrywał niebezpieczeństw.

– Zobaczcie! – powiedział głośno.

Mira podniosła głowę, jakby wcale nie spała.

– O co chodzi?

Jace ospale wyjrzał przez okno Cole'a i natychmiast się rozbudził.

– Czy to ciasteczka?

– I mleko – dodała dziewczynka.

Drgawa usiadł i się przeciągnął. Znajdował się za nisko, żeby coś zobaczyć.

– Wszystko w porządku? – zapytał.

– Jasne – odparł Cole. – Ot, staw z mlekiem i ciasteczkami.

– Chcę pieguska – powiedział Jace. – Zatrzymaj powóz.

– Przecież mamy jedzenie – przypomniała Mira.

– Suszone mięso i herbatniki. Ale nie ciasteczka.

– Pewnie są już stare – stwierdził Cole. – A mleko zepsute.

– Pachnie świeżo – odparł Jace. – To formowanie. Zwykłe zasady nie zawsze obowiązują.

– Może to pułapka – ostrzegła Mira.

– No to właśnie ja powinienem w nią wpaść. Pamiętasz ten zamek z cukierkowym ogrodem? To był najlepszy dzień w moim życiu.

– Nie zapominaj, że nas gonią.

– Nie zatrzymywaliśmy się przez całą noc. Ptak powiedział, że ich wyprzedzamy. Pora na śniadanie.

– No dobrze – zgodziła się Mira. – Stop. – Autowóz natychmiast zareagował. – Będziesz ostrożny?

– Zanurkuję na oślep z najwyższego drzewa, jakie uda mi się znaleźć. – Jace otworzył drzwi i zeskoczył na ziemię ze złotą liną w dłoni. – Cole, idziesz?

– Jasne. – Chłopiec zaczął szukać miecza.

Mira położyła mu dłoń na ramieniu.

– Nie musisz.

– Olbrzymie ciasteczka! – odparł Cole, jakby to wszystko tłumaczyło, po czym wyskoczył z powozu. Dobrze było się wreszcie rozprostować. Przypasał miecz.

– Chodź – powiedział Jace, który maszerował już w stronę stawu. – Staniesz na czatach, a ja złapię nam jedzenie na lasso.

Cole pobiegł za nim z dłonią na rękojeści miecza.

Na skraju stawu Jace przykucnął i nabrał trochę mleka w dłoń.

– Zimne. – Podniósł rękę do ust. – Mniam. Gęste i aksamitne.

Otrząsnął palce, wstał i zarzucił złotą linę na najbliższe ciasteczko. Kilkakrotnie owinęła się wokół celu. Szybkim ruchem wyszarpnął je ze stawu, ale się rozpadło. Rozmoczone kawałki wpadły z powrotem do mleka.

– Niezbyt twarde – mruknął.

Cole przyklęknął na płaskiej skałce lekko wystającej ponad powierzchnię stawu. W dole mleko chlupotało o kamień i błotnisty brzeg, ale w ogóle się nie brudziło. Zamoczył palec i przekonał się, że Jace ma rację – mleko było całkiem zimne.

Jace tymczasem złowił kolejne ciasteczko. Powoli doholował je do miejsca, w którym klęczał Cole.

– Pomóż mi je wyciągnąć – poprosił.

Cole wsunął ręce pod ciastko. Chociaż wierzch miało sztywny, spód okazał się rozmiękły. Wspólnymi siłami wyciągnęli zdobycz z mleka. Dłonie zagłębiły się w miękkie ciasto i dotarły do twardszej warstwy. Mleko ściekało mu po nadgarstkach, wpływało do rękawów i kapało na buty. Podtrzymanie namokniętego pieguska wymagało sporego wysiłku.

Jace z Cole'em pokuśtykali z ciastkiem w stronę autowozu. Cole usiłował nie sapać. Mięśnie ramion piekły go od wysiłku. Kiedy się zbliżali, Mira wysiadła z pojazdu.

– Nie ma mowy, żebyście wnieśli to do środka.

– Dlaczego nie? – zapytał Jace.

– Bo się lepi i cieknie. Zjemy na zewnątrz.

– Odłam sobie trochę – zaproponował Cole.

Mira oburącz oderwała fragment. Był zbyt duży, żeby go normalnie jeść, więc zaczęła się w niego wgryzać.

– O rany, ale dobre!

Drgawa również wysiadł z powozu i wziął sobie kawałek ciastka. Gdy tylko go spróbował, oczy mu się zaświeciły.

– Odłamcie coś dla nas – poprosił Jace. – My musimy trzymać.

Mira odłożyła na bok swoją porcję i oderwała dwie kolejne.

– Resztę wyrzucamy? – spytał Jace.

– Bertramie, chcesz trochę? – odezwał się Cole.

– Nie ma czasu na głupstwa – odparł staruszek. – Jestem tu tylko na wakacjach z wnukami brata.

Cole i Jace rozhuśtali ciasteczko, a potem cisnęli je na bok. Rąbnęło o ziemię, odciskając krąg w wysokiej trawie. Wzięli swoje kawałki od Miry.

– Powinniśmy już ruszać – powiedziała dziewczynka.

– Tu za nami nie pojadą – odparł Jace. – Nikt nie chciałby stoczyć bitwy z mlekiem i pieguskami.

Wsiedli z powrotem do powozu. Cole stwierdził, że ciasteczko smakowało jak świeżo upieczone. Miało w sobie odrobinę ciepła, jakby dopiero co wystygło. Namoknięta część okazała się najsmaczniejsza. Cole'owi trafił się tylko jeden kawałek czekolady, ale za to większy niż jego pięść.

Powóz toczył się naprzód, a chłopiec przeżuwał jedzenie. Wreszcie jego żołądek zaczął się buntować. Cole bał się, że jeśli weźmie do ust jeszcze kawałek, zrobi mu się niedobrze.

– Chce ktoś resztę?

– Ja mam dość – odparł Jace. – Nie da się odłożyć na później, za dużo bałaganu – stwierdził i wyrzucił ciasteczko przez okno.

– Zostawiamy szlak okruszków? – spytał Drgawa.

– Przecież nie będą wiedzieli, że to my.

Pozostali również wyrzucili swoje kawałki.

Cole wyglądał przez okno w poszukiwaniu kolejnego ciasteczkowego stawu albo innego dziwnego zjawiska. Nie musiał długo czekać. Następną mijaną polanę wypełniały setki stojących pionowo kostek domina. Wszystkie były większe niż materac, białe i miały czarne kropki. Tworzyły kręty szlak gotowy runąć, jeśli ta pierwsza się przewróci.

– Ale kuszące – powiedział Cole. – Uwielbiam przewracać domino.

– Nie możemy zatrzymywać się za każdym razem – odparła Mira. – Wcześniej czy później to naprawdę będzie pułapka.

– Nie mogę uwierzyć, że już dawno ktoś ich nie wywalił.

– Może wywalił – stwierdziła. – I same się podniosły. Nie zapominaj, że zostały uformowane. Kto wie, co potrafią?

– Strzel do nich z łuku – zaproponował Jace. – Będziesz miał trening.

– Dobra – ucieszył się Cole.

Zeszłego wieczoru Jace schował łuk do skrytki. Teraz uniósł klapę, wyciągnął broń i mu ją podał.

Gdy tylko Cole przyciągnął cięciwę do policzka, poczuł, jak pojawia się strzała. Minęli już pierwszą kostkę domina, ale po minucie w zasięgu strzału znalazła się ostatnia. Kiedy zobaczył ją wyraźnie, wypuścił strzałę. Trafiła w cel nieco wyżej, niż planował. Kostka zakołysała się, a potem upadła na kolejną, wywołując reakcję łańcuchową. Przewracały się płynnie, z głośnym stukotem, wąż domina wił się po polanie, aż wreszcie ostatni klocek wylądował na płask.

Kiedy hałas upadających kostek ucichł, zapanowała zupełna cisza – a potem w oddali usłyszeli ryki: niskie, przeciągłe i dzikie. Spojrzeli po sobie.

– Może takie obwieszczanie o naszej obecności to nie był najlepszy pomysł – stwierdził Drgawa.

– Ci źli i tak wykombinują, że tu jesteśmy – odparł Jace.

– Nie, żebyśmy chcieli im się wymknąć albo coś w tym stylu – mruknęła Mira.

– Przepraszam – powiedział Cole. – Nie pomyślałem.

– Skoro już musimy kogoś obwiniać – powiedział Jace – to gość, który wypuścił strzałę, jest pierwszy w kolejce.

– Nikogo nie wytykam palcami – odrzekła Mira. – Po prostu chciałabym przeżyć. Zgłaszam wniosek, żebyśmy od tej pory nie opuszczali powozu.

– Popieram – oznajmił Drgawa.

– Zgoda – dodał Cole.

– Ja zostawiam sobie możliwość wyboru – stwierdził Jace.

– Większość rządzi – odparł Mira.

Jace uniósł nadgarstek.

– Ale nie mną – powiedział. – Jestem wolny.

Dziewczynka przewróciła oczami.

– Formalnie rzecz biorąc, jestem księżniczką. Mogę tu ogłosić monarchię.

– A jeszcze bardziej formalnie to jesteś zbiegiem – zwrócił jej uwagę Jace. – Bez urazy.

– O kurczę! – zawołał Cole.

Kiedy wyjechali zza następnego zakrętu, ich oczom ukazała się babeczka wielkości wzgórza – waniliowa z czekoladowym lukrem. Wszyscy ścisnęli się po jego stronie pojazdu, żeby lepiej się przyjrzeć.

– Rozważacie zmianę polityki? – spytał Jace.

– Wciąż jestem najedzona po ciasteczku – odparła Mira. – A zresztą jak w ogóle mielibyśmy się wziąć za coś tak wielkiego?

– Potrzebowalibyśmy sprzętu górniczego – stwierdził Cole.

– Popatrzcie po mojej stronie – powiedział Drgawa.

Wszyscy przenieśli się na drugą stronę autowozu, żeby podziwiać tartę z bezą i budyniem cytrynowym, ogromną jak namiot cyrkowy. Przed nią, wśród leśnych kwiatów, leżały kanapki z krakersów wielkości stolików do kart. Wylewały się z nich krem i czekolada.

– Koniec podróży – oznajmił Jace. – Znaleźliśmy nasz nowy dom.

– Widzisz tu innych ludzi? – zapytała Mira.

– Ich strata.

– Wszędzie jedzenie za darmo – powiedział Drgawa – i nikogo w pobliżu. Co wam to mówi?

– Że zostanie więcej dla nas? – spytał Cole.

Jace przybił mu piątkę.

– Bardzo śmieszne – mruknęła Mira.

– Kumamy – odparł Jace. – To za dobre, żeby było prawdziwe. Musi być jakiś haczyk. Ale fajnie pożartować.

– Może to nawet nie jest celowo zastawiona pułapka – stwierdziła Mira. – Ale chłopak, który stworzył to miejsce, zniknął. Coś poszło nie tak. Z jakiegoś powodu ludzie trzymają się od tego miejsca z daleka.

Przed sobą usłyszeli ciche łomotanie. Jechali naprzód, a hałas narastał.

– Czyżbyśmy zaraz mieli się przekonać dlaczego? – spytał Cole.

– Lepiej się przygotujmy – powiedział Jace, nagle całkiem poważny.

Cole narzucił chustę i wziął łuk do ręki. Delikatnie trącił cięciwę. Dudnienie było coraz głośniejsze.

Po przebyciu sadu żelków zobaczyli źródło huku: gigantyczną czerwono-czarną planszę, na której trwała błyskawiczna partia warcabów. Piony były tak szerokie jak ulica, na której mieszkał Cole. Przy każdym ruchu albo się przesuwały, albo skakały na sąsiednie pola. Poruszały się samoczynnie i żadna strona nie przystawała ani na chwilę. Zbite pionki czekały na stosach obok planszy. Na oczach czworga przyjaciół obie strony zdobyły damki, a wkrótce partię wygrały czarne. Pionki natychmiast wróciły na szachownicę i rozpoczęła się nowa rozgrywka.

– Mogłyby rozgnieść człowieka na placek – stwierdził Drgawa.

– Tylko pod warunkiem że wszedłby na planszę – odparł Jace.

Przez okno po swojej stronie Cole zobaczył diabelski młyn wysoki na dziesięć pięter. Szybko się obracał, ale wszystkie wagoniki były puste. Obok, za niedużym strumykiem, stado pustych samochodzików z wesołego miasteczka obijało się o siebie na szerokiej, czarnej płycie. W głębi, pośród drzew, Cole dostrzegł czubek kolejki górskiej.

– Patrzcie tam! – zawołał. – Tutaj jest super.

– Co to? – zapytał Jace.

– Diabelski młyn i samochodziki. Atrakcje z mojego świata. Ten chłopak musiał pochodzić z Ziemi.

Autowóz brnął dalej, cały czas tym samym tempem. Cole wciąż wyglądał przez okno. Chociaż niektóre widoki same w sobie były cudaczne, to w takiej okolicy wydawały się jeszcze dziwniejsze. Wodospad gorącej masy krówkowej spływał po całkiem zwykłym skalnym zboczu. Hamburgery ogromne jak samochody leżały na polu obok głazów i krzaków głogu. Grupka plastikowych żołnierzyków wielkości prawdziwych ludzi pozowała w brzozowym gaju.

Pod wieloma względami Odludzie Brady'ego przypominało szalony sen, który stał się rzeczywistością. Było tu tyle rzeczy niedorzecznych i niemożliwych. Gdyby nie to, że przyjaciele uciekali przed legionistami i szukali zaginionych mocy Miry, a okolica miała złą reputację, mogliby się tu świetnie bawić.

Cole zastanawiał się, czy jego koledzy z Ziemi również mają okazję oglądać coś takiego. Czy w Mieście na Rozdrożu Dalton napotkał tamtejszy odpowiednik gigantycznych ciast i krówkowych wodospadów? Czy Jenna używała czegoś podobnego do miecza skakania albo do złotej liny Jace'a? Miał nadzieję, że przytrafia im się coś dobrego, co rekompensuje im bycie niewolnikami w nieznanym świecie.

– Znowu ciasteczka i mleko – oznajmiła Mira, wyglądając przez okno po swojej stronie. – Nie wiem, kim był ten Brady, ale chłopak naprawdę lubił jeść.

– Patrzcie, ile tu różnych rodzajów ciastek – dodał Jace.

Cole dostrzegł mleczny staw pełen ciasteczek, chyba owsianych albo z masła orzechowego. W kolejnym były pieguski z kawałkami białej czekolady. W trzecim olbrzymie jasne ciastka posypane cynamonem.

– Kto ma ochotę jeszcze trochę powędkować? – spytał Jace. – Jutro będziemy sobie pluli w brodę, kiedy do jedzenia zostaną nam tylko suszone mięso i herbatniki.

– To miejsce wydaje mi się podejrzane – odparła Mira. – Skoncentrujmy się na przeżyciu.

– Dlaczego zadowalać się przeżyciem, skoro moglibyśmy ucztować? – nalegał.

– Ja ciągle jestem syty – powiedział Cole. – Ładnie wyglądają, ale chyba niewiele bym zmieścił.

W oddali rozległ się głęboki dźwięk rogu, niski i przeciągły. Na końcu zabrzmiał trochę wyżej.

– Co to było? – zapytała Mira.

– Legioniści? – domyślał się Drgawa.

– Mango by nas ostrzegła.

– Może ją złapali?

Odezwał się drugi róg, tym razem bliżej. Dwa kolejne zabrzmiały z różnych stron. Potem zagrał jakiś ostrzejszy instrument.

– Czy to była trąbka? – zastanawiał się Cole.

– Patrzcie! – Drgawa wskazał coś palcem.

Cole podążył wzrokiem w kierunku stawu, w którym pływały ciastka z cynamonem. Coś wyłaniało się na skraju jeziorka, jakby po dnie wychodziło na brzeg. Wynurzyła się ociekająca mlekiem czaszka, potem obojczyki, potem klatka piersiowa, wreszcie kości ramion. W jednej ręce szkielet trzymał zardzewiałą tarczę, w drugiej – skorodowany miecz. Ponad powierzchnią mleka pojawiła się miednica, a później kości udowe. Do kości przylegały tylko resztki ciała – głównie zgniłe ścięgna i wiązadła w stawach. Szkielet wyszedł ze stawu i ruszył biegiem w stronę dzieci. Lśniły na nim resztki mleka.

– Co to? – zapytał Cole głosem bardziej piskliwym, niż zamierzał.

– To właśnie powód, żeby słuchać Miry – odparł Jace.

– Spójrzcie tam – wskazała dziewczynka.

Po drugiej stronie drogi parę szkieletów, przepychając się, wychodziło z lasu. Najszybszy biegł truchtem. Kilka szło. Jednemu brakowało nogi, więc podskakiwał, podpierając się włócznią jak kulą. Wszystkie miały broń – miecze, młot kowalski, łom, kamień.

– Koniec zabawy – stwierdził Jace.

Rogi i trąby rozbrzmiewały dokoła: z przodu, z tyłu i z boków. W oddali Cole słyszał charakterystyczny pisk dud.

– To zasadzka – stwierdził Drgawa. – Czekały, aż zapuścimy się głęboko, i dopiero wtedy zaatakowały.

– Na to wygląda – zgodził się Jace. – Przynajmniej nie są za szybkie.

Cole wychylił się przez okno i spojrzał do tyłu. Szkielety z trudem nadążały za autowozem. Wszystkie oprócz dwóch zostawały w tyle.

Gdzieś wśród drzew po prawej stronie rozległ się ryk, który zagłuszył rogi i trąby. Wściekły dźwięk poruszył w Cole'u jakąś pierwotną strunę i chłopiec zaczął się trząść.

Przez okno wleciała Mango.

– Mamy kłopoty. Szkielety nadciągają ze wszystkich stron.

– Ile ich jest? – spytała Mira.

– Setki. Albo i tysiące. Całe cmentarzyska. I wszystkie kierują się prosto na was. To jeszcze nie to najgorsze. Są również dzikie bestie, jakich nie widziałam nigdy w życiu. Musicie porzucić autowóz. Tutaj będziecie łatwym celem.

Cole oddychał coraz szybciej. Czuł, jak wali mu serce. Czy miał przy sobie wszystko, co potrzeba? Miecz, chusta, klejnot. W dłoni ściskał łuk. Coś jeszcze? Co z jedzeniem?

Przed nimi ziemia drżała od potwornych kroków. Wyjrzał przez okno. W stronę powozu biegł tuzin szkieletów. Niektóre były ubrane w zdekompletowane zbroje wikingów. Wielki szkielet na przedzie trzymał oburącz długi miecz, a na głowie miał rogaty hełm.

Ale to nie one powodowały drżenie ziemi.

Za kościanymi wojownikami człapał pomarańczowy stegozaur w rdzawoczerwone plamy. Chociaż na pewno był wykonany z plastiku, miał rozmiary szkolnego autobusu. Wzdłuż jego grzbietu biegły ostre płyty, a z ogona sterczały cztery kolce. Zaryczał, ukazując zęby ostre jak brzytwy. Czy stegozaury nie były przypadkiem roślinożerne? Najwyraźniej nie ten.

Gigantyczny plastikowy dinozaur popędził w kierunku autowozu, po drodze przewracając szkielety wikingów niczym kręgle i tratując ich kości. Nie zważał na nic innego i pędził wprost na kroczącą cegłę.

Na moment wszystko zagłuszył ryk jeszcze potężniejszy. Cole podniósł wzrok. Z boku zobaczył tyranozaura, który zbiegał ku nim po długim zboczu. W plastikowej paszczy jeżyły się zabójcze zębiska.

Cole'a sparaliżowało przerażenie. Nie miał czasu myśleć. Nie miał szansy zareagować. Jego wzrok biegał od zagrożenia do zagrożenia. Ze wszystkich stron nadciągały szkielety. Dwa dinozaury były tuż-tuż. Cole upuścił łuk, przykucnął i przygotował się na uderzenie.

Rozdział
27

SZAŁ

Hej, głupku! – wrzasnął Jace, łapiąc Cole'a za ramię. – Wypad! Natychmiast!

Mira i Drgawa zdążyli już wysiąść z autowozu. Cole gorączkowo szukał dłonią swojego miecza. Dał się wyciągnąć Jace'owi przez drzwi po stronie tyranozaura. Gromada obdartych kościotrupów nadciągała: najbliższym zostało zaledwie kilka kroków. Gdy tylko Cole stanął na ziemi, dobył miecza, wycelował go w pobliskie zbocze i krzyknął:

– Naprzód!

Pofrunął nad tabunem klekoczących szkieletów i upadł na bok w wysokim krzewie przy kanapce lodowej o długości łóżka. Znajdowała się tak blisko, że choć grzało słońce, czuł bijący od niej chłód. Ciągle waliło mu serce, ale paraliż minął. Kiedy Cole siedział zamknięty w autowozie, czuł, że było już po nim. Jace pomógł mu się z tego otrząsnąć. Teraz zrobią to, co ćwiczyli z myślą o takiej właśnie chwili: uciekną. I kto wie? Może nawet im się uda!

Spojrzał do tyłu i zobaczył, jak Mira wskazuje palcem tyranozaura. Cep formisty, gąszcz masywnych łańcuchów i żelaznych kul, pomknął w powietrzu i oplótł nogi bestii. Olbrzymi plastikowy jaszczur runął do przodu. Wyżłobił rów w ziemi tuż obok drogi.

Tymczasem stegozaur zmienił kurs i gonił teraz Drgawę, który dzięki skrzydłom uciekał przed nim długimi susami. Jace ruszył w stronę Miry. Smagał szkielety swoją złotą liną i ciskał jednymi o drugie.

Cole w samą porę usłyszał szelest za plecami i zdążył się uchylić przed spadającym toporem trzymanym przez szkielet w hełmie konkwistadora. Kiedy kościotrup usiłował wyrwać ostrze z ziemi, Cole obciął mu głowę. Korpus konkwistadora słaniał się w jego stronę, kościste ręce szukały ofiary, ale Cole szybko uciekł.

Mira przywołała do siebie cep formisty i kazała mu zataczać kręgi wokół siebie i Jace'a. Wirujące kule roztrzaskiwały kości na kawałki, a łańcuchy powalały na ziemię dziesiątki szkieletów.

Kościotrupy otoczyły Cole'a i zacieśniały pętlę. Ich puste oczodoły nie wyrażały żadnych emocji. Mniej więcej połowa była uzbrojona – miały kilofy, miecze i noże. Jeden, ubrany w poszarpany fartuch, trzymał prostokątny tasak do mięsa.

Chłopiec zauważył, że zbliżywszy się do niego, szkielety zostawiły za sobą dużo pustej przestrzeni. Ustawił się pośrodku, a potem cierpliwie czekał, aż podejdą. W ostatniej chwili uniósł miecz ponad ich głowami i krzyknął:

– Naprzód!

Kiedy wyskakiwał spomiędzy kościotrupów, coś przejechało mu po nodze, rozdarło nogawkę i zadrapało łydkę. Ponieważ wycelował miecz trochę w bok, mniej więcej trzy metry nad ziemią, to tam właśnie trafił. Nie miał na czym wylądować, więc spadł z tej wysokości i ciężko gruchnął o podłoże, a potem potoczył się po ziemi, amortyzując impet uderzenia. Sunąc przez zarośla, podskakiwał na nierównościach. Wypuścił miecz z ręki.

Poczołgał się w stronę zgubionej broni. Był zamroczony i obolały, w ustach czuł smak piachu oraz krwi. Właśnie przekonał się na własnej skórze, że zawsze trzeba kierować miecz w stronę takich miejsc, gdzie można wylądować. Chociaż lepiej mocno rąbnąć o ziemię, niż dać się posiekać kościotrupom.

Chwycił miecz i podźwignął się na równe nogi. Otaczało go coraz więcej szkieletów. Na granicy zasięgu skoku dostrzegł gigantyczny kawałek sernika, więc niewiele myśląc, wycelował broń w tamtą stronę i wykrzyknął komendę z nadzieją, że się uda. Pofrunął niepokojąco wysoko. Owiewał go pęd powietrza, a miecz ciągnął naprzód i do góry. Rękojeść dziwnie wibrowała, więc Cole zastanawiał się, czy przypadkiem broń nie osiągnęła już granic swoich możliwości.

Kiedy zaczął opadać w stronę sernika, zorientował się z przerażeniem, że jednak tam nie doleci. Przesadził z długością skoku. W rezultacie rąbnie o ziemię z taką siłą, jakby spadł z czwartego piętra.

Nagle jakieś ręce chwyciły go od tyłu pod pachy i poniosły do przodu. Drgawa wylądował za nim na serniku. Obaj zapadli się w cieście po kolana.

– Dzięki – wydyszał Cole, obracając się do przyjaciela.

– Cieszę się, że mogłem ci pomóc. Uciekaliśmy w to samo miejsce.

Cole mocno wyszarpnął nogę z sernika. Niewiele brakowało, żeby stracił przy tym but. Potem wyciągnął drugą.

Powierzchnia ciasta okazała się dostatecznie twarda, żeby po niej chodzić, o ile tylko stąpało się ostrożnie.

Znajdowali się jakieś dziesięć metrów nad ziemią. W dole stegozaur obgryzał sernik i okładał go ogonem. Szkielety zaczęły wspinać się po cieście, łapczywie wbijając w nie kościste palce.

Mira skakała przez pole. W końcu wylądowała na szczycie sernika. Tymczasem lina Jace'a zwinęła się wokół jego stóp, rozwinęła jak gigantyczna sprężyna i posłała go na wierzch ciasta.

– Autowóz już ich nie interesuje – zauważyła Mira.

Cole widział, że krocząca cegła wciąż poruszała się po drodze. Powóz właśnie znikał wśród drzew. Podczas ucieczki w pośpiechu zostawił tam swój łuk.

– Przestało ich to bawić, skoro nas tam nie ma – stwierdził Jace.

Przykucnął i nabrał trochę sernika na dłoń.

– Przynajmniej mamy okazję spróbować. – Wziął ciasto do ust. – O kurczę, niezłe!

W dole do sernika dopadł rozwścieczony tyranozaur. Nie był na tyle wysoki, żeby dosięgnąć dzieci na szczycie, ale wystarczająco, żeby je nastraszyć. Ryczał, kłapał paszczą, zdesperowany wściekle podskakiwał, strącając wspinające się kościotrupy.

– Cepie, atak! – rozkazała Mira, wskazując w dół.

Cep formisty ruszył do natarcia. Zaczął zrzucać szkielety z sernikowej ściany, sypały się odłamki popękanych kości.

– Może dzięki niemu się tu obronimy – stwierdził Cole.

– Ale niezbyt długo – odparł Drgawa. – Widzicie, jak ta wielka czworonoga jaszczurka podgryza podstawę? W końcu wyrwą nam sernik spod nóg.

– To prawda – zgodziła się Mira. – Olbrzymim gadom cep prawie nie wyrządza szkody. Przewraca je, trochę nimi poniewiera, ale nic więcej.

– To są plastikowe dinozaury – powiedział Cole. – Gigantyczne zabawki.

– Rzeczywiście, ubaw po pachy – zadrwiła Mira.

– Nie o to chodzi – próbował wytłumaczyć chłopiec. – Normalnie są małe i plastikowe. Dzieci atakują nimi inne zabawki. Tylko że te mają rozmiary prawdziwych.

– To są dinozaury? – zapytał Jace. – Nigdy ich nie widziałem. Żyją w waszym świecie? Chyba jesteś odważniejszy, niż myślałem.

– Żyły kiedyś – sprostował Cole. – Wyginęły. Wiemy o nich tylko dzięki skamieniałościom. Te tutaj to plastikowe zabawki. To chyba jeszcze gorsze od autentycznych dinozaurów. Bo prawdziwe miały kości i krwawiły.

Ciasto zadrżało. Tyranozaur przestał podskakiwać i rzucił się wprost na sernik. Gryzł go i szarpał pazurami. Stegozaur wciąż drążył tunel. Wkopał się już tak głęboko, że częściowo zniknął im z oczu.

Nadleciała Mango i usiadła na ramieniu Miry.

– Znalazłam taką trasę, na której jest najmniej wrogów. Przynajmniej chwilowo. Po drodze będę badać dalej. Jeśli się pospieszycie, to może was stąd wyprowadzę.

– Najlepiej będzie posłuchać papugi – stwierdził Jace.

Cole spojrzał w dół. Sernik obległa horda szkieletów zasilana przez niekończące się posiłki. Ciągle grały rogi i trąbki. Teraz pędził tu również triceratops wielki jak buldożer.

Chłopiec wcale nie chciał schodzić między te wszystkie groźne istoty. Tam na dole rozpętało się piekło. Mogło się zdarzyć wszystko, i to niemal na pewno coś złego. Na moment bitwa utknęła w martwym punkcie. Jeśli jednak Cole się stąd nie ruszy, to w końcu sernik się zawali, a wtedy będzie już po nim. Choć wolałby zostać na miejscu, bo chwilowo potwory były w bezpiecznej odległości, rozumiał, że jedyną szansą na przeżycie jest dalsza ucieczka.

– Masz rację – powiedział.

– Ja też się zgadzam – dodał Drgawa. – Mango to nasza nowa najlepsza przyjaciółka.

Cole odwrócił się do Miry.

– Czy miecze nadają się do skakania z wyższego punktu na niższy?

– Nie najgorzej – odparła. – Na samym końcu hamują tak samo jak przy każdym skoku. Skok w dół wydaje się gorszy niż skok w górę, no i rzeczywiście jest trochę mniej przyjemny, ale przeżyjesz.

– Szkielety! – zawołał Drgawa.

Kilka kościotrupów wdrapywało się na szczyt sernika. Cep Miry je strącił, ale pojawiły się kolejne.

– Pora się zmywać – stwierdził Jace. – Mango?

– Za mną – powiedziała papuga. Podfrunęła na drugą stronę sernika, tam gdzie nie było dinozaurów, i przysiadła na skraju. – Wygląda obiecująco. Gotowi?

– Leć – poleciła jej Mira.

Ptak poderwał się w powietrze. Mira skierowała miecz skakania w dół, wypowiedziała komendę i pofrunęła w stronę stosunkowo pustej polany osłoniętej drzewami.

Cole wycelował w to samo miejsce. Czuł się tak, jakby zaraz miał skoczyć z dachu budynku, i tylko zaufanie do miecza pozwalało wierzyć, że da radę wylądować. Ale sernik cały drżał, a na szczyt właziło coraz więcej kościotrupów, więc wykrzyknął komendę i poleciał.

Nie spadł pionowo na ziemię, bo miecz pociągnął go naprzód po długim, ukośnym torze. Cole nogami otarł o drzewa na skraju polany, a potem ciężko wylądował i pojechał kolanami po ziemi. Boleśnie pękły mu strupy, których nabawił się przy poprzednich upadkach.

Drgawa osiadł obok niego, a zaraz potem Jace, który skakał na linie zaczepianej o gałęzie drzew. Mira wskazała na Mango i skoczyła ponownie, tym razem nisko i daleko. Cole zrobił to samo. Zatoczył się i zatrzymał na pniu jakiegoś drzewa.

W jego stronę spieszyły szkielety przebrane za piratów. Niektóre miały chustki na czaszkach, a jeden – kapitańską czapkę oraz drewnianą nogę od kolana w dół. Większość wymachiwała mieczami lub kordami.

Jace minął Cole'a. Jego lina oplatała dalekie pnie drzew, a potem się kurczyła i ciągnęła go naprzód. Cole podniósł miecz i skoczył ponownie. Pomknął wąskim przesmykiem między drzewami.

Po kolejnym skoku dotarli na pole przekształcone w najlepiej wyposażony plac zabaw, jaki w życiu widział. Skomplikowany układ zjeżdżalni, tuneli, szczebli, ścian do wspinaczki, huśtawek z opon, słupów, trampolin, lin z supłami, drabinek i równoważni wypełniłby duży skwer. Miał chyba z dziesięć pięter wysokości i tworzył niebotyczny labirynt. Można by tu czadowo grać w berka, ale udział kościotrupów, które chcą zabić uczestników, trochę psułby zabawę.

Mira skoczyła i wylądowała wysoko na sprężystym mostku zrobionym z lin oraz desek. Cep formisty dyskretnie za nią ruszył. Cole dołączył do przyjaciółki. Na szczęście przy skoku w górę lądowanie było łagodniejsze.

– Hej! – zawołał jakiś głos.

Chłopiec obrócił się zaskoczony. Z rury zjeżdżalni patrzyła na niego szeroka buzia piegowatej dziewczynki z kasztanowymi warkoczami. Dziewczynka była chyba trochę starsza od niego, wyglądała na jakieś czternaście lat.

– Kim jesteś? – spytała Mira.

– Mogę wam pomóc – odparła tamta. – Ale musicie natychmiast ze mną iść.

Nie była wystraszona. Brzmiała jak ktoś, kto lubi rządzić.

– Kim jesteś? – powtórzyła Mira.

– To nie podstęp. Jestem Amanda, opiekunka Brady'ego.

– Naprawdę? – zdziwił się Cole.

– Właściwie to niezupełnie. Tworząc mnie, wzorował się na niej. Pomagałam go chronić. Zobaczyłam, że was gonią, więc pomyślałam, że przyda wam się wsparcie. Niedługo do polowania przyłączy się cała okolica.

Tymczasem obok wylądowali Drgawa i Jace. Mostek zachwiał się i zadrżał.

– Kto to? – zapytał Jace.

– Opiekunka Brady'ego – odparł Cole.

– Teraz albo nigdy – powiedziała Amanda, wyzierając z rury zjeżdżalni.

– Mówi, że może nam pomóc – poinformowała Mira.

– Tylko pod warunkiem że się pospieszycie.

– Możesz założyć tę chustę? – spytał Cole, sięgając ręką do klamry pod szyją.

– Po co? – parsknęła Amanda. – Co mi zrobi?

Cole'owi nie przyszła do głowy żadna dobra odpowiedź, więc wzruszył ramionami.

Amanda fuknęła.

– Nie jestem zainteresowana. Chciałam wam tylko wyświadczyć przysługę. To, co najgorsze, jeszcze was nie goni:

błotni ludzie, ślepcy, latające potwory z mackami na pyskach.

– Pójdziemy z tobą – powiedziała Mira.

Amanda zaczęła zjeżdżać.

– Jesteś pewna? – spytał Jace.

– Wystarczająco – odparła Mira i zniknęła w rurze.

Cep formisty zsunął się za nią. Następny ruszył Jace, a potem Drgawa.

Mango podleciała do Cole'a i przysiadła obok niego na drążku.

– Dokąd idziecie?

– Chyba znaleźliśmy pomoc – odparł chłopiec. – Niedługo wrócimy.

Rozdział

28

AMANDA

Nie chcąc zostać w tyle, Cole wskoczył do zjeżdżalni. Metalowy tunel wił się w dół i w dół, i w dół, aż w końcu chłopiec wylądował w podziemnym pomieszczeniu oświetlonym nagą niebieską żarówką. Inni już tam na niego czekali.

– Elektryczność? – spytał Cole, zerkając na źródło światła.

– Oszukana – odparła Amanda. – Do żarówki nie dochodzą żadne przewody. Ale za to nigdy nie gaśnie. Tędy.

Poprowadziła czworo przyjaciół torem przeszkód złożonym z ciasnych tuneli, krzywych luster i obrotowych płyt. Wszystko to mieściło się pod ziemią. Ciągle ich poganiała. Co jakiś czas mijali wyloty innych zjeżdżalni z placu zabaw na górze. W końcu dotarli do dużej, pustej piaskownicy. Amanda stanęła w rogu i zaczęła się zapadać.

– Ruchome piaski – wyjaśniła, zanim zupełnie znikła.

Mira ruszyła naprzód, ale Jace przepchnął się przed nią.

– Ja to sprawdzę. – Zaczął grzęznąć równie szybko jak Amanda. – Chyba wszystko w porządku – powiedział, gdy zapadł się po klatkę piersiową. – Nic nie boli. Pode mną jest jakaś przestrzeń. – Piasek sięgał mu już do szyi. A potem chłopiec zniknął razem z głową.

Następna weszła Mira, a po niej Drgawa. Cole słyszał klekot na zjeżdżalniach i w tunelach. To na pewno szkielety.

Stanął na piasku i zaczął zapadać się w równym tempie. Pod spodem nie czuł wilgoci. Kiedy zagłębił się po pierś, stopy już wystawały mu spod piasku. Gdy jego twarz zanurzała się w piasku, wstrzymał oddech i przez kilka sekund znosił dławiące uczucie. Brnął przez ziarnistą materię, a potem znalazł się w nowym pomieszczeniu i wylądował na podłodze wyłożonej czymś miękkim.

Chciał otrzepać włosy, ale ze zdziwieniem nie znalazł w nich piasku.

– Nie musisz – powiedział mu Drgawa. – Trafiliśmy tu czyści.

Podłogę i ściany pustej sali pokrywały maty gimnastyczne. Źródłem światła były żarzące się kostki w rogach pomieszczenia. Kwadrat gładkiego piasku na suficie pokazywał, którędy się tu dostali.

– Chodźcie – powiedziała Amanda. Jedna z mat na ścianie obracała się po naciśnięciu. – Przestańcie marnować czas.

Ruszyli za nią labiryntem korytarzy i tajnych drzwi, aż wreszcie znaleźli się w jasno oświetlonym pokoju pełnym kanap, pluszaków i foteli sako.

– Tutaj jesteśmy bezpieczni – powiedziała Amanda.

– Zawsze się tu chowasz? – spytała Mira.

– Przemieszczam się. Bez Brady'ego jest nudno.

– Co się z nim stało? – zainteresował się Jace.

Przez twarz Amandy przemknął grymas żalu, ale prędko się otrząsnęła.

– Dopadli go. Nie mógł przestać wymyślać wrogów. Próbowałam mu pomóc. Po to mnie stworzył.

– Ile miał lat? – zapytał Jace.

– Sześć. Był świetny w tworzeniu różnych rzeczy tutaj, w Krainie Snów.

– Myślisz, że to sen? – odezwała się Mira.

– On tak myślał. Powiedział, że trafił tu, śniąc. Cały czas czekał, aż się obudzi. Myślałam, że to prawda, ale potem go dopadli, a sen trwa dalej.

– Tworzył prawdziwe rzeczy – powiedziała Mira. – Nazywamy to formowaniem. Te ożywione to pozory, a nieożywione: artefakty.

– Niech będzie – odparła Amanda, najwidoczniej niezbyt zainteresowana. – Jestem tu już długo. Nic się nie zmienia. Nie robię się starsza. Nie mogę stąd odejść. Próbowałam. Dlatego po prostu się chowam. Nieźle się już nauczyłam, jak przeżyć. Idzie mi lepiej, niż kiedy był ze mną Brady.

– Spowalniał cię? – spytał Cole.

– Raczej nie. Znajdowaliśmy sposoby, żeby unikać różnych złych rzeczy stworzonych przez niego, ale potem wymyślał kolejne potwory, które były sprytniejsze albo miały nowe zdolności. Nie mógł nic na to poradzić. Kiedy go zabrakło, potwory przestały się ulepszać, więc teraz jest mi łatwiej.

– Jest tu więcej takich jak ty? – zapytała Mira. – Dobrych pozorów?

– Stworzył paru bohaterów, ale w końcu zginęli. Byli zbyt odważni. Po mojej stronie nie ma już nikogo. Ale wyglądaliście tak, jakby potrzebna wam była pomoc, a Brady powołał mnie do życia właśnie po to, żebym opiekowała się małymi dziećmi.

– Nie jesteśmy mali! – zaprotestował Jace, czym zasłużył sobie na kuksańca od Drgawy.

– Nie stawiaj się – mruknął cicho ten drugi.

– Żadne dziecko nie myśli, że jest małe – odparła. – Ja mam piętnaście lat. To właśnie od tego wieku w końcu jest się dużym.

– Czy jesteśmy tu uwięzieni? – spytała Mira.

– Ja tak. Nie mogę przekroczyć granicy Krainy Snów. Ale wy nie. Nauczę was sztuczki, która pozwoli wam spokojnie stąd wyjść. Ale najpierw: macie ochotę na popcorn?

– Na co? – zdziwił się Drgawa.

– Tak – powiedział Cole. – Chętnie.

Amanda wyszła do sąsiedniego pokoju.

– Przybyliście spoza Krainy Snów?

– Tak.

– Co tam jest?

– Inne dziwne rzeczy.

Wróciła z czterema miskami. Dwie trzymała w rękach, a dwie przytrzymywała zgiętymi ramionami.

– A wy nie myślicie, że jesteśmy we śnie?

– Czasami rzeczywiście tak się wydaje – przyznała Mira. – Zwłaszcza tutaj. Ale wszystko jest prawdziwe.

– A to nie jest tak, że we śnie każdemu się wydaje, że jest autentyczny? Skąd postacie ze snu mogłyby wiedzieć, czy istnieją naprawdę? Brady myślał, że śni. Nie mogłam z nim dyskutować, bo przecież sam mnie stworzył. Zadbał o różne szczegóły. Pamiętam, jak jest na jawie, chociaż nigdy się nie obudziłam. Przyszło mi do głowy, że może śnił wewnątrz czyjegoś snu. Wtedy ja byłabym snem snu.

– Zaraz mózg mi się zlasuje – powiedział Drgawa.

Amanda zaśmiała się szorstko.

– Wiem, jak to jest! Spokojnie, jeśli wy myślicie, że jesteście prawdziwi, to kim ja jestem, żeby zaprzeczać? Wszystko mi jedno, czy jesteście autentyczni. Miło spotkać kogoś, kto nie próbuje mnie zabić.

– Wspomniałaś, że możemy stąd wyjść – powiedziała Mira. – Mówiłaś serio?

Amanda zmrużyła oczy.

– Nie jesteście szpiegami, prawda? Czy to ci źli przysłali was tutaj, żeby poznać moje tajemnice?

– Przecież odkąd nie ma Brady'ego, przestali się pojawiać nowi przeciwnicy – przypomniał jej Cole.

– Faktycznie. Od tamtej pory nic się tu nie zmienia. Może rzeczywiście jesteście prawdziwi. Do tej pory jedynymi ludźmi, którzy przyszli tu z zewnątrz, byli dorośli. Jeżeli nie potrafią przechytrzyć dinozaura, to już ich problem.

– Jak możemy stąd wyjść? – zapytała Mira.

– Bardzo prosto – odparła Amanda i na moment opuściła pokój. Wróciła z plastikowymi maskami kościotrupów. – Załóżcie to.

– Żarty sobie robisz?! – zawołał Jace. – Szły za nami, kiedy byliśmy w autowozie. Tam byliśmy znacznie lepiej schowani niż za jakąś maską!

– Skoro jesteś taki mądry, to może nie mam racji. Może te maski wcale nie działają idealnie od lat.

– Jesteś pozorem – zwrócił uwagę Jace. – Pewnie nie gonią cię niezależnie od tego, czy nosisz maskę, czy nie.

– Bertrama nie goniły – dodał Cole.

– Nie znam Bertrama – powiedziała Amanda. – Może to nie Brady go stworzył. Ale mnie stworzył po to, żebym mu towarzyszyła. Jego koszmary zawsze mnie goniły. I dalej gonią, jeśli nie mam maski. Ale gdy ją zakładam, to nie robią nic. Żadne. Wpadliśmy na ten pomysł tuż przed tym, zanim Brady'ego dopadli ślepcy. Pomyślał, że to zadziała, więc zadziałało. W końcu to jego Kraina Snów. A potem go zabrakło i nie powstali żadni nowi wrogowie, którzy byliby za sprytni na tę sztuczkę.

– Więc wystarczy, że włożymy plastikowe maski w kształcie czaszek i po prostu stąd wyjdziemy? – upewnił się Cole.

– Aha – odparła Amanda. – Ale najpierw popcorn.

Cole wyłonił się z metalowego tunelu bardzo ostrożnie. Mimo zapewnień Amandy wydawało się to bez sensu, że jakaś istota może się nabrać na plastikową maskę kościotrupa, zwłaszcza że wciąż miał na sobie normalne ubranie. Uważnie przesuwał się z mieczem w dłoni, gotów w każdej chwili popędzić z powrotem do rury.

Tunel kończył się na poziomie gruntu, na skraju skomplikowanego placu zabaw. Tu i ówdzie przechadzały się szkielety. Nie było ani śladu dyscypliny, którą wykazywały wcześniej. Nie grały już rogi. Kościotrup w wyświechtanym habicie mnicha zbliżył się tak bardzo, że Cole mógłby go dotknąć. Chłopiec stanął nieruchomo i udawał spokojniejszego, niż czuł się w rzeczywistości. Szkielet przeszedł tuż obok jak gdyby nigdy nic.

Mira, Jace i Drgawa dołączyli do Cole'a. W tyle Amanda, również w masce na twarzy, obserwowała ich z tunelu. Wcześniej, kiedy już najedli się gorącego popcornu i napili chłodnej lemoniady, zapewniła, że mogą robić, co chcą, nawet rozmawiać, pod warunkiem że nie zdejmą masek.

Na ramię Miry sfrunęła Mango. Delikatnie dziobnęła spinkę we włosach dziewczynki.

– Nie mówcie, że te maski naprawdę działają – zaskrzeczała.

– Na to wygląda – szepnęła Mira. – Chyba wyjdziemy stąd spacerkiem.

Cole stale obserwował kościotrupy. Zupełnie nie zwracały uwagi na rozmowę Miry z ptakiem.

– Powiedziałam Bertramowi, żeby czekał na nas na skraju Odludzia Brady'ego – powiedziała dziewczynka. – Zaprowadzisz nas do niego?

– Droga mocno się wije – odrzekła Mango. – Jeśli użyjecie swoich artefaktów, to chyba pomogę wam go dogonić, jeszcze zanim dotrze na miejsce.

Mira odwróciła się do Cole'a.

– Co o tym sądzisz?

Zrobiło mu się miło, że pyta go o zdanie.

– Nie powinniśmy za bardzo rzucać się w oczy. Byłoby kiepsko, gdyby przy szybkim ruchu pospadały nam maski.

– Trzymajmy się ziemi, chyba że trzeba będzie uskoczyć przed zabłąkanym dinozaurem – zaproponował Drgawa.

Amanda ostrzegła ich, że wciąż mogą pechowo wejść w drogę jakiemuś wielkiemu potworowi. Kościotrupy też czasem były rozgniatane przypadkiem.

– Mnie to pasuje – zgodził się Jace. – Ciągle nie mogę uwierzyć, że się nam uda. Oczywiście zamierzałem przeżyć, ale myślałem, że będzie ciężko.

– Po prostu pójdziemy przed siebie – powiedziała Mira.

– Poprowadzę was – oznajmiła Mango i poleciała przodem.

Cole maszerował z mieczem w dłoni. Szkielety zupełnie go lekceważyły. Niektóre były okryte resztkami całunów pogrzebowych, inne nosiły brudne wojskowe mundury, a wiele nie miało na sobie zupełnie nic. Te ostatnie często były czystsze i lepiej zachowane od reszty. Większość kościotrupów trzymała jakąś broń.

Cep formisty sunął za przyjaciółmi, cicho pobrzękując. Szkielety nie zwracały na to uwagi.

Mijali różne cuda. Trzypoziomowa karuzela obracała się przy akompaniamencie organów parowych, a ozdobne figurki koni unosiły się i opadały na miedzianych słupkach. Stado masywnych brachiozaurów brodziło po bagnistym terenie i obrywało z białych drzew długie paski paluszków serowych. Deser lodowy z bananem, wielki jak biurowiec, rzucał na ziemię podłużne cienie. Po jego śmietankowych zboczach spływały karmel i syrop czekoladowy.

Cole nie miał ochoty rozmawiać. Najwyraźniej pozostali również. Po prostu podążali za Mango i starali się schodzić z drogi włóczącym się bez celu szkieletom.

Papuga dobrze ich prowadziła. Napotykali wyłącznie kościotrupy, ponieważ było ich tak absurdalnie dużo, że nie dało się ich uniknąć. Tylko czasem dostrzegali w oddali plastikowe dinozaury. Kilka razy Cole zauważył gdzieś daleko latające istoty, a raz przez odległe pole człapały stwory wielkie jak góry. Poza tym długi marsz przebiegał bez przygód.

Późnym popołudniem Cole urwał sobie kawałek lukrowanego pączka większego od opony traktora. Inni też brali pełne garście i jedli ostrożnie, wsuwając kawałki pod maski. Szkielety w ogóle się tym nie interesowały.

Kiedy słońce opadało za horyzont, wrócili na ścieżkę i wkrótce napotkali autowóz czekający nad strumieniem nieopodal drogi. Nie zdejmując maski, Mira wsiadła jako pierwsza. Cole znalazł łuk tam, gdzie go zostawił.

– Nie powinniście się tak rozłazić – skarcił ich Bertram serdecznym tonem. – Przed nami jeszcze długa droga. Wciąż chcecie jechać do Śródgałęzia?

– Tak – powiedziała Mira.

– Dotrzemy tam jutro późnym rankiem. Ruszamy!

Pojazd potoczył się naprzód. Przyjaciele zdjęli maski. Cole był cały podrapany i posiniaczony, bolały go stopy, a powieki same się zamykały. Autowóz wydał mu się znacznie wygodniejszy niż poprzedniego wieczoru.

Rozdział

29

ŚRÓDGAŁĘZIE

Śródgałęzie okazało się miastem większym, niż Cole się spodziewał. Gwarna miejscowość uświadomiła mu, że odkąd przybył na Obrzeża, nie widział prawdziwego miasta – tylko Nieboport, ukryty zamek Declana oraz rozległe pustkowia, na których obozowała karawana handlarzy niewolników.

Typowe domy miały kamienne fundamenty, które wystawały ponad poziom gruntu i podpierały drewniane ściany. Miejscowość przecinało kilka głównych ulic. Jeśli nie liczyć okolicznych gospodarstw mijanych przez ostatnią godzinę przed wjazdem do miasta, w Śródgałęziu były dziesiątki, a może nawet setki budynków, nieraz nawet czteropiętrowych.

Dotarli do wybrukowanej ulicy, przy której stało kilka rezydencji z ogrodzonymi posesjami. Cole wyciągał szyję, żeby przyjrzeć się niesamowitym budowlom. Ta najdziwniejsza miała dach o wielu załamanych połaciach i mnóstwo wieżyczek. Zbudowano ją częściowo z lśniącego czarnego kamienia, częściowo z cegieł w różnych odcieniach błękitu, a częściowo ze złotawego drewna. Rezultat był dziwaczny i pogmatwany. Spora fontanna z kwarcu przed wejściem potęgowała wrażenie.

– Patrzcie na ten zwariowany dom – powiedział Cole.

– Pewnie mieszka w nim tutejszy główny formista – domyślała się Mira. – Tylko formiści stawiają takie ekscentryczne budowle.

– Mnie się nawet podoba – stwierdził Drgawa. – Jest oryginalny.

– Czy powinniśmy z nim porozmawiać? – spytał Cole.

– Zwykle główny formista jest mocno związany z lokalną władzą – odparła dziewczynka. – Czyli pewnie także z moim ojcem. Tutaj mieszkają pewnie sami urzędnicy. Powinniśmy poszukać zielarki Gerty. Bertramie, czy mógłbyś nas zabrać do najważniejszej gospody w mieście?

– Są tu dwie, które cieszą się dużą popularnością.

– To do tej, gdzie rzadziej bywają urzędnicy.

– Czyli do Chaty Prządki.

– Jedźmy tam – poprosiła Mira.

Jace właśnie grzebał w schowku pod swoim siedzeniem. Podniósł głowę. W ręku trzymał brązowy worek.

– Tutaj jest pełno kółkatów.

– Przecież mówili, że dadzą nam pieniądze – odrzekła Mira.

– Pamiętam. Ale tu jest ich pełno! Miedziane, srebrne, złote, nawet platynowe. Moglibyśmy sobie kupić ranczo i jeszcze by nam zostało. Moglibyśmy kupić którąś z tych rezydencji.

– Musimy uważać, żeby to się nie wydało – stwierdziła dziewczynka. – Nic tak nie ściąga kłopotów jak szastanie pieniędzmi.

Jace z szerokim uśmiechem zaczął nawlekać na rzemyk proste kółka równej wielkości.

– Jestem wolny i mam pieniądze.

– Wziąłeś za dużo – skarciła go Mira. – Zostaw złoto. A już na pewno platynę. Bierz głównie miedziaki, no i może trochę srebra, jeżeli naprawdę musisz.

– Nie będę się z tym obnosił – obiecał Jace. – Chcę mieć tylko zapas na wszelki wypadek. Już raz straciliśmy ten powóz.

– Te kółka to wasze pieniądze? – spytał Cole.

– Kółkatów używa większość ludzi w Pięciu Królestwach – wyjaśniła dziewczynka. – Oficjalnie nazywają się kółkorony. Dla ciebie to chyba nowość. Jeden srebrny jest wart dziesięć miedzianych, jeden złoty to pięć srebrnych, a jeden platynowy to dziesięć złotych. Są też miedziane grosze, mniejsze i kwadratowe, warte ćwierć miedziaka, oraz srebrne, warte pół srebrnika.

– Tutaj nie ma groszy – stwierdził Drgawa, nawlekając kółkaty na własny rzemyk.

– Formowanie kółkatów jest niezgodne z prawem – powiedziała Mira. – Zatrudnia się formistów, którzy sprawdzają, czy pieniądze są autentyczne. Domyślam się, że te uformował Declan i nikt nie byłby w stanie tego stwierdzić.

– Też powinienem trochę wziąć – uznał Cole. – Wiecie, na wszelki wypadek.

– Lepiej nie mieć przy sobie za dużo – ostrzegła. – Ktoś pomyśli, że okradłeś bank. – Sama wzięła niewielką garstkę i zaczęła nizać pieniądze na sznurek.

Cole wyjął z worka krótki rzemyk, na który nawlekł złote i platynowe kółkaty, a potem obwiązał nim sobie nogę pod skarpetką. Zadowolony z siebie sięgnął po dłuższy sznurek z prawie samymi miedziakami, żeby zawiesić go sobie na szyi.

– Będziesz brzęczał – powiedział Drgawa.

– Co?

– Będą brzęczeć kółkaty, które przywiązałeś sobie do nogi. Nikogo nie nabierzesz.

– To co powinienem zrobić?

– Weź mniej i rozłóż w różnych miejscach. Kilka kółkatów w jednym bucie, kilka w drugim. Parę pod paskiem. Na rzemyku zawiąż supełki, żeby rozdzielić pieniądze, i dopiero wtedy owiń go sobie wokół nogi.

– A ty co, przemytnik? – zapytał Cole.

– Sporo podróżowałem.

– Albo możesz wszyć sobie parę ukrytych kieszonek – dodał Jace.

– Umiesz szyć?

Jace wzruszył ramionami.

Cole odwiązał rzemyk i zaczął przekładać pieniądze. Z naprzeciwka nadjechał i minął ich autowóz podobny do ich pojazdu.

– Jest karczma – zauważyła Mira. – Przed nami, po lewej.

– Zgadza się – potwierdził Bertram. – Obawiam się, że muszę zostać w powozie.

– Poczekajcie – odezwał się Jace. – Zobaczyłem coś, co mi się przyda. Dogonię was. – Zanim ktokolwiek zdążył zareagować, otworzył drzwi i wyskoczył w biegu.

– Mam za nim iść? – spytał Drgawa.

– Musimy sobie ufać – odparła Mira. – To duży chłopiec. Nie będzie pakował się w kłopoty.

– To jego pierwszy dzień wolności i ma kieszenie pełne forsy – przypomniał Drgawa.

Dziewczynka nie mogła ukryć spanikowanej miny.

– Wcześniej czy później musi się do tego przyzwyczaić.

Autowóz łagodnie się zatrzymał.

– Jesteśmy na miejscu – oznajmił Bertram. – Zaczekam w pobliżu.

– Dziękujemy – powiedziała Mira, a potem wysiadła.

Drgawa i Cole wyszli za nią.

Cole zauważył, że przyglądają im się ludzie. W głębi ulicy dostrzegł kolejny autowóz, więc te pojazdy nie były rzadkością. Może tutejsi mieszkańcy nie przywykli do widoku obcych. Albo chodziło o ich młody wiek.

Chata Prządki składała się z długiej prostokątnej sali pełnej prostych drewnianych stołów. Wszystkie były puste. Na kamiennym palenisku na końcu pomieszczenia stał duży czarny kocioł, a pod sufitem biegły ciężkie belki. W głąb budynku prowadził korytarz, a za kamiennym szynkwasem widać było kuchnię.

Kiedy dzieci weszły do gospody, zbliżył się do nich łysy mężczyzna, który kulał na jedną nogę. Jego krzywy nos pamiętał niejedno złamanie.

– Czego chcecie? – rzucił napastliwie.

– Jeść – odparła Mira. – Czy trafiliśmy w niewłaściwe miejsce?

– Stać was?

– Na pewno nam nie zabraknie.

– Mogę zobaczyć?

Mira westchnęła, a potem wyciągnęła naszyjnik spod koszuli, żeby pokazać mu miedziane kółkaty. Mężczyzna kiwnął głową.

– Nie znam was.

– Podróżujemy z dziadkiem.

– Ci dwaj nie umieją mówić?

– Na pewno nie przed obiadem – odparł Cole.

– Wybierzcie sobie stół. Na obiad przyszliście za wcześnie, na śniadanie za późno. Na pewno miło nie mieć żadnych obowiązków. Co chcecie zjeść?

– A co macie? – spytała Mira.

– Zupę jajeczną, szaszłyk drobiowy, chleb, ziemniaki, bekon, kotlety wieprzowe i trochę owsianki ze śniadania. Specjalność naszego kucharza to słodkie chlebki. Dziś są morelowe i z lukrem.

– Co jest w zupie jajecznej?

– Zgodnie z nazwą – fuknął tamten.

Cole zauważył jarzmoznak na jego nadgarstku. Facet najwyraźniej nie szukał nowych przyjaciół. Może dzieci to jedyne osoby, które mógł traktować niegrzecznie.

– Poproszę zupę – postanowiła Mira.

– Ja też – odezwał się Drgawa. – I szaszłyk.

– Ja poproszę szaszłyk z bekonem – powiedział Cole.

– Niby jak mam zrobić szaszłyk z bekonem?

– Poproszę szaszłyk drobiowy – sprecyzował powoli chłopiec. – I bekon.

Mężczyzna odwrócił się i odszedł.

– Will, ty wymoczku niedomyty, przynieś no klientom wody! – zawołał.

Do stołu przybiegł chudy chłopiec z tacą z kubkami i drewnianym dzbankiem. Był kilka lat młodszy od Cole'a. On również miał jarzmoznak. Napełnił trzy kubki, rozstawił je, a potem czmychnął z powrotem do kuchni.

– Czy tutaj wszyscy są tacy niegrzeczni? – zapytał Cole.

– To zależy od miasta – odparł Drgawa. – I od lokalu. I od tego, kim jesteś. Młody wiek tylko pogarsza sprawę.

– Tam, skąd pochodzę, ludzie są uprzejmi dla klientów. Zależy im na ich pieniądzach.

– Tutaj też tak bywa – powiedziała Mira. – Jesteśmy w prowincjonalnym miasteczku. Klienci mają mały wybór.

Jace wmaszerował do sali w szarym filcowym cylindrze z czarną wstążką, niezbyt wysokim, ale za to z okrągłym rondem. Mira ukryła twarz w dłoniach. Chłopiec podszedł do stołu uśmiechnięty od ucha do ucha.

– Zobaczyłem go na wystawie.

– Jest... niezwykły – powiedział Cole.

– Prawda? Co taki świetny kapelusz robi w takim miejscu?

– Ile zapłaciłeś? – spytała Mira.

– Dwa srebrniki – odparł Jace. Dziewczynka poczerwieniała i zacisnęła usta. – Jeszcze nigdy w życiu nic nie kupiłem – szepnął z dumą do Cole'a. – Co jest do jedzenia?

– Kurczak, wieprzowina i zupa jajeczna – wyrecytował Drgawa. – I słodkie chlebki.

– Słodkie chlebki? – Jace natychmiast się ożywił. – W jakich smakach?

– Morelowe i z lukrem.

– No to już wiem, co zamówię.

Młody niewolnik Will wrócił z dwiema miskami na tacy. Jedną postawił przed Mirą, a drugą przed Drgawą.

– Ty ofermo niewydarzona! – wrzasnął łysy mężczyzna, wychodząc z kuchni. Pokuśtykał do Willa i palnął go w ucho. – Dałem ci chleb! Gdzie masz chleb?

Chłopak był przestraszony.

– Musiałem go zostawić w kuchni.

– Nie gadaj tyle, tylko zasuwaj i przynieś!

Will czym prędzej uciekł. Łysy niewolnik wziął się pod boki i odwrócił do stołu.

– Widzę, że przypałętał się do was nie lada dżentelmen – stwierdził sarkastycznie.

Jace rzucił mu ostre spojrzenie.

– A ty kupiłeś kiedyś kapelusz, łysielcu? – zripostował.

Mężczyzna wyprostował się i zmierzył go chłodnym wzrokiem.

– Gdybym kupił, to miałbym stosowny strój do kompletu.

– No to kupiłbyś szmatę – odparł Jace bez uśmiechu. – Ale i tak nie ukryłaby tego twojego nosa ani znaku. Kto cię nauczył odpyskiwać lepszym od siebie?

Tamten aż się zagotował.

– Lepiej uważaj...

– Mam uważać? – Jace zaśmiał się i wstał. – Jesteś niewolnikiem, półgłówku! Otwierasz gębę i nawet nie wiesz, z kim rozmawiasz!

Cole próbował dać znak, żeby wyluzował, ale do Jace'a nic już nie docierało. Miał bojową minę.

Zdjął kapelusz, odwrócił go do góry nogami i wlał do niego zupę Drgawy.

– Kupiłem go dla żartu – powiedział. Podszedł do wyższego od siebie niewolnika i włożył mu kapelusz na łysą głowę. Oleista zupa popłynęła mężczyźnie po szyi i ramionach. – Teraz jest twój.

Niewolnikowi nabrzmiały żyły na karku. Zacisnął pięści, a wzrokiem mógłby zabijać.

– Co ma znaczyć to spojrzenie? – warknął Jace. – Zapominasz się, szumowino! No proszę, uderz mnie. Chętnie zobaczę, jak zawiśniesz na stryczku z tym durnym kapeluszem na swoim szpetnym łbie.

Mężczyzna zaczął się wycofywać z bardziej niepewną miną. Jace ruszył za nim i zerwał mu nakrycie głowy.

– Powinieneś paść na kolana i błagać o wybaczenie. Dość tego. Zasuwaj po swojego właściciela! Musimy zamienić parę słów. – Łysy zawahał się, jakby chciał odpowiedzieć. – Głuchy jesteś?! – wrzasnął na niego chłopiec. – Zepsułeś nam posiłek! Migiem!

Niewolnik uciekł. Cole unikał kontaktu wzrokowego z Jace'em. Ten człowiek rzeczywiście zachowywał się po chamsku, ale Jace za ostro go potraktował. Cole pocieszał się tylko tym, że kolega wyładował wściekłość na kimś innym.

Po chwili z zaplecza wyłonił się niski mężczyzna.

– W czym kłopot? – spytał.

– To pan jest właścicielem łysego? – odpowiedział pytaniem Jace.

– Jego i całej karczmy.

– Pański niewolnik ciągle pyskował. To niedopuszczalne.

Niewysoki mężczyzna załamał ręce.

– Gordon czasami... taki już jest.

– Nie powinien mieć do czynienia z ludźmi.

– Może rzeczywiście – westchnął właściciel. – Upomnę go.

– Dobrze. – Jace z zakłopotaniem poprawił koszulę.

– Wynagrodzę to wam. Może słodkiego chlebka z lukrem? Pieczony dziś rano.

– Chętnie – odparł chłopiec, wracając na miejsce. – Właśnie to chciałem zamówić.

– Cztery porcje na koszt firmy. Przepraszam za kłopot. Czy obsłużyć was osobiście?

– Nie trzeba, wystarczy nam ten drugi niewolnik, Will. A mój kolega potrzebuje dolewki zupy. Łysy poszedł sobie z jego porcją.

– Oczywiście – rzekł mężczyzna. – Zaraz się tym zajmę. – Następnie wycofał się do kuchni.

– Ty to umiesz obchodzić się z ludźmi – skomentował Cole.

Drgawa zakasłał, być może maskując śmiech.

– No co? – zapytał niewinnie Jace. – Dobrze wiem, jak powinni się zachowywać niewolnicy. Potraktowałem go łagodnie! – Potem zniżył głos. – Gdybym ja się tak odezwał do wolnego człowieka, dostałbym dziesięć batów!

– Musiałeś wylać tę zupę? – spytał Cole.

– Musiałem. – Jace spojrzał z żalem na kapelusz. – Sam widziałeś, jak traktował tego chłopaka. Znam takich jak on. Zepsuci do szpiku kości. Pracowałem pod takimi. Zły niewolnik bywa gorszy od złego właściciela. Należało mu się.

– Zepsułeś sobie kapelusz – powiedziała Mira.

– Może jeszcze go wyczyszczę. – Jace znowu zniżył głos. – To pierwsza rzecz, jaką w życiu nabyłem. Niewolnicy biorą to, co dostają. Nie możemy nic kupić. Ten kapelusz był idealny. Czegoś takiego nikt by mi nie dał. Żałuję, że musiałem go zniszczyć.

Z kuchni wyłonił się Will. Dał każdemu po bochenku ciemnego pieczywa i kromce słodkiego chlebka, a potem postawił przed Drgawą nową miskę z zupą. Słodki chlebek przypominał Cole'owi bułki z cynamonem.

– Dzięki, Will – powiedział Jace. – Jadłeś kiedyś słodki chlebek?

Will uśmiechnął się i zachichotał nerwowo.

– Nie, proszę pana. Jest drogi. Służba takich rzeczy nie dostaje.

– Był taki czas, kiedy też nigdy nie jadałem słodkiego chlebka. A wyglądał bardzo smacznie. Ale moi… rodzice mi nie pozwalali. – Jace ugryzł kawałek i przeżuwając, na chwilę zamknął oczy. – Pyszny. Chcę, żebyś wziął połowę mojego.

Will zerknął w kierunku kuchni.

– Nie mogę.

– Musisz. – Jace przerwał swoją kromkę chlebka na dwie części i podał mu tę większą. – Inaczej się na ciebie poskarżę. To rozkaz. Wsuwaj.

Po kolejnym spojrzeniu w stronę kuchni Will ugryzł kawałek. Oczy mu się zaświeciły.

– Zawsze byłem ciekaw, jak to smakuje.

– Dobre, prawda? – odrzekł Jace, zajadając swoją część.

– Pycha. – Will z radością łykał kolejne kęsy. – Raz już prawie trochę podwędziłem. Tak cudownie pachniało. A smakuje jeszcze lepiej. Dziękuję.

Wepchnął sobie resztę do ust, otarł wargi, a potem wyczyścił ręce o fartuch.

– Brawo – pochwalił go Jace. – A teraz lepiej wracaj już do kuchni.

– Bardzo panu dziękuję – powtórzył Will i prędko się oddalił.

– To twój pierwszy słodki chlebek? – szepnęła Mira.

– Zgadłaś – odparł Jace, kończąc swój kawałek. – Wolność jest pyszna.

Will wrócił z szaszłykami drobiowymi i talerzem bekonu. Postawił jedzenie przed chłopcami.

– Powiedziałem panu Dunfordowi, że powinniśmy dać panu kurczaka – zwierzył się Jace'owi.

– Jesteś wielki.

– Will – zagadnęła go Mira. – Mój kuzyn ma wysypkę. Słyszeliśmy, że jest tu jakaś kobieta, która zna się na ziołach.

– Zielarka? Jasne, mieszka w domku po drugiej stronie mostu. Ludzie mówią, że jest najlepsza.

– Dzięki. Pewnie ją odwiedzimy.

ROZDZIAŁ

30

ZIOŁA

Cole odetchnął z ulgą, kiedy wrócili do autowozu. Bał się, że upokorzony niewolnik spowoduje jeszcze jakieś problemy, ale po posiłku Mira rozliczyła się z właścicielem, a kiedy wychodzili, ten jeszcze raz ich przeprosił.

– Za mostem skręć w pierwszą dróżkę w lewo. – Mira powtórzyła Bertramowi wskazówki Willa. – Szukamy domku z ogródkiem otoczonym murem. – Powóz potoczył się naprzód. Dziewczynka odwróciła się do Jace'a. – Jeżeli chcesz dalej ze mną podróżować, musisz zmienić swoje zachowanie.

– Ja?! – zawołał Jace. – To był burak!

– Niepotrzebnie narobiłeś zamieszania. Mamy szczęście, że właściciel opowiedział się po naszej stronie. Złe traktowanie czyjegoś niewolnika może być uznane za osobistą zniewagę. Pan Dunford nie wiedział, kto czeka w autowozie. Nie chciał ryzykować, że narazi się komuś ważnemu. Gdyby nie to, wszystko mogło się zakończyć zupełnie inaczej.

– Ten niewolnik nie miał prawa tak się zachowywać – upierał się Jace.

– Powiedział parę niemiłych rzeczy – zgodziła się Mira. – Miej trochę empatii. Ten człowiek pewnie nienawidzi swojej pracy. Nie uśmiechało mu się, że musi usługiwać czworgu rozpuszczonym dzieciakom na wakacjach.

– Nie zapominaj, że ja też byłem niewolnikiem. Wiem, jak to działa. Nie wolno im tak nas traktować. Nigdy. Zresztą nie chodziło tylko o nas. Widziałaś, jak dręczył Willa.

– Rozumiem, że miałeś swoje powody. Ale to, że możesz kogoś ukarać, nie znaczy, że zawsze musisz. Okaż trochę umiaru. Trochę klasy.

Jace się skrzywił.

– Pozwalanie, żeby inni mieszali cię z błotem, to jest klasa? Żeby tobą pomiatali? Macie szczęście, że jest z wami ktoś z charakterem!

– Masz odwagę – przyznała Mira. – Ale kwestionuję twój osąd. Nie chcemy przegrać wojny przez niepotrzebne bitwy. Cierpliwości. Nie wywołuj zamieszania własną pychą. Wykorzystaj doświadczenie niewolnika, żeby być łagodniejszym, a nie surowszym.

Jace prychnął ze złością.

– Nie wierzę! Księżniczka prawi mi kazania o tym, jaką lekcję mam wyciągnąć z życia w niewoli.

– Byłam niewolnikiem na długo przed tym, zanim ty się urodziłeś – odparła Mira. – Ukrywałam się w ten sposób przez ponad sześćdziesiąt lat.

– Właśnie, ukrywałaś się. Wiedziałaś, że to tylko na niby. Miałaś ludzi, którzy uważali na ciebie. Rozumiem, że było ciężko. Że to co innego niż pałace i przyjęcia. Ale nie ucz mnie, jakie wnioski mam wyciągać z własnego życia. Nie da się przeżyć, udając słabeusza. W ten sposób człowiek staje się ofiarą.

Cole'owi zrobiło się nieswojo. Czuł się tak, jakby podsłuchiwał. Postanowił nie mieszać się do tej konfrontacji. Drgawie też chyba było niezręcznie. Cole udawał niezainteresowanego i wyglądał przez okno. Autowóz właśnie jechał przez solidny kamienny most nad szerokim kanałem.

– A gdyby sprawy w karczmie potoczyły się zupełnie inaczej? – spytała Mira.

– Miałem swoją linę – odparł Jace.

– No tak, rozwiązalibyśmy wszystko przemocą. Gdybyś ich pobił przy użyciu liny, to jak sądzisz, ile czasu by minęło, zanim rozeszłyby się wieści? To nieduże miasto. Myślę, że kilka minut. Jak szybko legioniści dowiedzieliby się, że jakiś chłopak ze złotą liną zdemolował zajazd? Jak szybko setki jeźdźców znowu przyparłyby nas do muru? A wszystko przez to, że nie mogłeś znieść, że jakiś nieszczęsny niewolnik naśmiewa się z twojego kapelusza.

Jace skrzyżował ręce na piersiach i wpatrywał się w nią ze złością. Raz już prawie coś powiedział, potem znowu, ale w końcu się nie odezwał.

– Tak? – spytała Mira.

– Może i masz rację – burknął naburmuszony.

– Ukrywam się od dziesięcioleci. Byłoby to niemożliwe, gdybym zwracała na siebie uwagę. Miałeś powód, żeby tak postąpić. Zgadzam się, że facet na to zasłużył. Ale proszę cię, żebyś zachowywał się rozsądniej.

– Chcesz, żebym pozwolił innym ludziom traktować nas jak śmieci? – parsknął Jace.

– Nie pozwól, żeby inni tobą sterowali – odparła Mira. – Nie pozwól, żeby zmuszali cię do głupich kroków. Niech sobie odnoszą nic nieznaczące zwycięstwa. Machnij na to ręką. Myśl długofalowo. Graj, żeby wygrać.

– Aha, mam nigdy nie nadstawiać karku – powiedział chłopiec, jakby odnotowywał to sobie w pamięci. – Dobra, zobaczymy, co z tego wyjdzie.

Mira pokręciła głową.

– Nie przekręcaj moich słów. Kiedy to naprawdę ważne, graj na całego i walcz do końca. Ale nie wtedy, kiedy to nie ma znaczenia i możesz zepsuć wszystko, na czym ci najbardziej zależy.

– A jeśli zależy mi na szacunku do samego siebie? Jeżeli nie mam nic cenniejszego? Jeżeli bez niego nie mógłbym być gościem, który nadstawia karku, kiedy to ma znaczenie?

– To, jak traktują cię inni, wcale nie musi ci odbierać szacunku do samego siebie. Ani to, że wybaczysz jakiemuś biedakowi, który nie wiedział, z kim zadziera. Ani mądre postępowanie. Ani granie tak, żeby wygrać.

Jace zaśmiał się cynicznie.

– Ty rzeczywiście urodziłaś się po to, żeby rządzić. Dokładnie wiesz, co powinienem robić. A nawet co powinienem czuć. Mira, ty nie chcesz mieć przyjaciół, tylko pozory. Wiesz co? Ja nie jestem marionetką. I nie jestem głupi. Może uznałem, że jak dołożę łysemu, to wszyscy pomyślą, że naprawdę jesteśmy bogatymi dziećmi na wakacjach? Może to właśnie dlatego właściciel tak dobrze nas potraktował? Może wy wyglądaliście jak oszuści, bo pozwoliliście, żeby jakiś pyskaty niewolnik zachowywał się jak ktoś, kto jest lepszy od was?

Mira zawahała się, a w końcu wzruszyła ramionami.

– Może. Mnie to się wydawało zbędne.

– Dobrze. Będę wybierał właściwe potyczki. Ale muszę słuchać swojej intuicji. Ja też wiem, jak przeżyć, Miro. Bez niczyjej pomocy.

– W porządku. Ale nasze drogi się rozejdą, jeżeli stwierdzę, że jesteś dla mnie zagrożeniem. Nie dlatego, że jestem wredna, ale dlatego, że mam instynkt samozachowawczy. Nie chcę cię kontrolować, Jace. Ale mam prawo kontrolować własny los.

Kiedy przecięli kanał, autowóz skręcił w lewo. Chyba wyjeżdżali z miasta. Dróżka nie była utwardzona, a domy trafiały się coraz rzadziej.

– Przed nami widzę mur – oznajmił Cole, żeby zmienić temat.

– Dobra robota – mruknął Jace. – Kiedy mnie zabraknie, to chociaż zostanie wam ekspert od wypatrywania murów.

– Co to miało znaczyć? – obruszył się Cole.

– Miało znaczyć: co ty o tym wszystkim myślisz? Łatwo pozwolić gadać Mirze. Uważasz, że powinienem był zostawić łysego w spokoju? Popełniłem błąd? W karczmie mnie nie poparłeś. Siedziałeś cały zmieszany i nic więcej. Wiem, co myślał Drgawa. Patrzył, którym oknem najłatwiej uciec. On już tak ma. Może to normalne u robali. A ty?

– Uważam, że przegiąłeś – odparł Cole. – Z tą zupą to już była przesada. Groziło bójką.

– Nie mogłem okazać słabości. Skoro miałem się postawić, to musiałem rzucić mu się do gardła. A jak ty byś to załatwił?

Cole westchnął.

– Sam widziałeś.

– Przełknąłbyś, tak po prostu?

– Tak, chyba że łysy by przegiął. No i przełknąłem.

Tymczasem autowóz się zatrzymał.

– Chcecie sprawdzić, czy już dojechaliśmy na właściwe miejsce? – spytał Bertram.

– Za sekundę – odparł Jace, mierząc wzrokiem Cole'a. – Drgawa wypatrzy wyjścia. Cole przełknie wyzwiska. Ja zajmę się tym, żebyśmy przeżyli.

– Cole niejeden raz uratował mi życie – odezwała się Mira płomiennym głosem. – Nie tylko w walce z cyklopem. Pamiętasz, kiedy wpadł do świetlicy z łukiem? To właśnie była chwila do działania.

– Jakoś nie widziałem, żeby tych legionistów, którzy po ciebie ruszyli, podziurawiły strzały – odparł Jace. – Przypomnij mi: kto ich załatwił?

– Nie mówię, że nie pomogłeś. Ale to Cole jako pierwszy ruszył mi na ratunek. Nie obrażaj ludzi, którzy stoją po twojej stronie. Mógłbyś się od niego dużo nauczyć.

Cole o mało nie spalił się ze wstydu. Wiedział, że Mira próbuje mu pomóc, ale tylko pogarszała sytuację.

– Dobrze wiedzieć – powiedział Jace. – Właśnie się zastanawiałem, od kogo czerpać wskazówki.

– Jedna z moich specjalności to wypatrywanie murów – odezwał Cole, żeby rozładować napięcie.

Jace uśmiechnął się porozumiewawczo.

– A druga to siedzenie w autowozie, kiedy coś ma go zniszczyć.

Prawdziwość tych słów była dla Cole'a jak cios w splot słoneczny.

– Masz rację. Zamurowało mnie.

– Zdarza się. Zwykle tuż przed śmiercią.

– Przestańcie! – zawołała Mira. – Serio.

– Spokojnie – odparł Cole, teraz już zdenerwowany. Najwyraźniej Jace grał na całego. – Myślę, że Jace uratował mi wtedy życie. Może mnie dużo nauczyć. Na czym polega twoja tajemnica? To trening? Refleks? Prawdziwa miłość?

Jace był tak oszołomiony i przerażony, że Cole prawie pożałował tych słów. Prawie.

Drgawa zaśmiał się bardzo głośno.

– Ale jesteście komiczni! – Cole poznał, że śmiech Drgawy był udawany. – Przebyliśmy naprawdę długą drogę, żeby porozmawiać z tą zielarką. Jesteśmy pod jej drzwiami. I nic, tylko się sprzeczamy.

– Drgawa dobrze mówi – przyznała Mira.

– Oczywiście! Jestem półrobalem, my mamy intuicję do takich rzeczy. Roi się od problemów. Jeżeli dalej będziemy gadać, zrobi się paskudnie. Chodźmy sprawdzić, czy czegoś się nie dowiemy.

– Mnie pasuje – odparł Jace. W jego spojrzeniu, kiedy patrzył na Cole'a, była już tylko odrobina niepokoju. – Nigdy w życiu tak się nie nudziłem.

Cole miał ochotę jeszcze raz mu dołożyć, ale szybko się opanował.

– Sprawdźmy, czy dobrze rozumiem. Kiedy powóz atakują dinozaury, mam nie zostawać w środku.

Jace uśmiechnął się pod nosem.

– Coś w tym stylu. A ja mam nie wylewać ludziom zupy na głowę, chyba że to absolutnie konieczne. – Otworzył drzwi i wysiadł.

– Wszyscy się czegoś nauczyliśmy – stwierdził Drgawa i ruszył za nim.

– Na przykład żeby nie nabijać się z Cole'a – szepnęła Mira z lekkim uśmiechem.

Cole myślał, że przegapiła wzmiankę o uczuciach Jace'a, ale powiedziała to z taką swobodą, bo chyba wiedziała, że Jace się w niej durzy. Wysiadając z autowozu, musiał się bardzo wysilić, żeby przestać się uśmiechać.

Dopóki nie stanęli przed furtką z kutego żelaza, obrośnięty bluszczem mur z równych kamieni zupełnie przesłaniał chatkę. Kiedy Mira nacisnęła klamkę, okazało się, że furtka była otwarta. Żwirowa ścieżka okolona białymi kamykami prowadziła do schludnego drewnianego domku. Po obu stronach w żyznej glebie, raz po raz przecinanej mniejszymi dróżkami i podniszczonymi balami drewna, rosły różne rośliny.

W drzwiach chatki wyryto kunsztowne wzory pnączy i ptaków. Mira mocno zapukała.

– Nie ma mnie – zawołała z wnętrza jakaś kobieta.

– Musimy porozmawiać – powiedziała dziewczynka.

Nastąpiła chwila ciszy. Usłyszeli zgrzyt zasuwki, a potem drzwi uchyliły się do połowy. Stała w nich starsza kobieta z krótkimi, siwiejącymi włosami. Była dość chuda i niewiele wyższa od Jace'a.

– Dzieci? Skończył mi się słodkorzeń.

– Nie chcemy słodkorzenia – odparła Mira.

– Mów za siebie – mruknął Jace.

– No to o co chodzi? Ojciec ma gorączkę? Matka skręciła kostkę? Krowa nie daje mleka?

– Czy pani ma na imię Gerta? – spytała Mira.

– Owszem, stara zwariowana zielarka. – Kobieta lekko dygnęła.

– Przysłał nas Declan.

Gerta spojrzała przed siebie. Uważnie zmierzyła wzrokiem okolicę.

– Kto siedzi w powozie?

– Pozór.

– Mówisz poważnie – stwierdziła zielarka i szerzej otworzyła drzwi. – Wejdźcie.

Zaprowadziła ich do salonu, gdzie było kilka wymyślnych foteli oraz mnóstwo półek wypełnionych kruchymi ceramicznymi figurkami. Jace usiadł w jednym fotelu, Drgawa w innym. Cole i Mira zajęli miejsca na kanapie, zostawiając największy fotel dla Gerty.

Zielarka oparła się o podłokietniki i spoczęła z ciężkim westchnieniem.

– Gdzie jest Declan?

– Nie możemy powiedzieć – odparła Mira. – Nie tylko dla jego dobra, lecz także i dla pani.

Kobieta uśmiechnęła się, ukazując niedoskonałe zęby.

– Widzę, że naprawdę się z nim widzieliście. Dobrze się miewa?

– Jest stary.

– Był stary, już kiedy ja byłam dziewczynką.

– Z trudem się porusza – powiedziała Mira.

Gerta pokiwała głową.

– Przysłał was do mnie w jakimś celu?

– Szukam... – zaczęła dziewczynka, ale nie za bardzo wiedziała, jak to ująć.

– Potwora, który pustoszy Sambrię – dokończył Cole. – Bardzo potężnego pozoru.

– Chyba nie Spustosza – odparła zielarka zdziwiona.

– Tak nazywają go ludzie – potwierdziła Mira.

– Nie ma żadnych świadków. Krążą tylko opowieści o zniszczeniach. Miasta w ruinie, zaginieni ludzie... Wszyscy się boimy, że przemieszcza się w tę stronę.

– Jest blisko?

– Nie ciesz się tak, moje dziecko. Już z daleka wyczułam energię. Jeszcze nigdy nie widzieliśmy czegoś podobnego. Co Declan chce, żebyście zrobili z tym potworem?

– Musimy go znaleźć.

– Nie – odparła Gerta. – Zostawcie go w spokoju. I postarajcie się, żeby on nie znalazł was. Co mówił wam o nim Declan?

– Musimy go znaleźć – powtórzyła Mira.

Zielarka zmrużyła oczy. Potem szeroko je otworzyła.

– Jesteś połączona!

– Słucham?

Gerta mówiła powoli:

– Jesteś połączona ze Spustoszem. Nie zauważyłabym tego, gdybym nie zwróciła na to uwagi. To jakaś energia, znacznie słabsza, ale czysta.

– Gdzie powinniśmy szukać? – spytała Mira.

– Spustosz porusza się chaotycznie. Cały region żyje w strasznym napięciu. Nigdy nie wiemy, gdzie potwór uderzy. Idźcie na południowy wschód. Kierujcie się krzykami.

– Dokładnie na południowy wschód?

– Mniej więcej. Natraficie na szlak zniszczenia. Pytajcie uciekających ludzi. Sądzę, że znajdziecie Spustosza szybciej, niżbyście chcieli. Co właściwie zamierzacie osiągnąć?

– Nie powinniśmy pani tego mówić – odparła Mira.

– To chyba rozsądne – przyznała Gerta. – Naprawdę przysłał was do mnie Declan?

– Naprawdę.

– Czy to on uformował ten pozór w autowozie?

– Tak.

– Mogę go obejrzeć? Nie w tym rzecz, że wam nie ufam, ale w takich czasach…

– Proszę bardzo.

– Zaraz wracam – oznajmiła zielarka.

Cole i przyjaciele obserwowali ją przez okno.

– Myślicie, że spróbuje coś zabrać? – zapytał Jace.

– Z autowozu? – odrzekła Mira. – Nie, ale nie zaszkodzi popatrzeć.

Gerta spędziła przy pojeździe tylko chwilę. Wracała ścieżką z uśmieszkiem zadowolenia.

– To rzeczywiście jego robota – stwierdziła, wchodząc do pokoju. – Bertram to niezły oryginał. Upiera się, że zwiedza okolicę z wnukami brata. Moje biedactwa, wplątaliście się w coś strasznego. Do walki z potworem wyruszył cały garnizon legionistów z Bellum. Ponad stu ludzi. Ani jeden nie wrócił. Jeśli wejdziecie Spustoszowi w drogę, to obawiam się, że będzie po was.

– Musimy spróbować – odparła Mira.

– Twoja więź z tą istotą jest niezaprzeczalna. Mogłabym spekulować... ale lepiej nie. Cieszę się, że Declan żyje. Chętnie pomogę wam, jak tylko potrafię. Poświęciłam się pracy z roślinami. Znacznie łatwiej je formować niż zwierzęta czy nawet pozory. Gdybym miała czas, pewnie przygotowałabym coś potężnego. Ale skoro się spieszycie, dam wam to, co mam najlepszego na podorędziu.

– Nie trzeba – powiedziała Mira.

– Niewiele robię dla Sambrii. Większość czasu spędzam tutaj na formowaniu roślin. Unikam paskudnej polityki. Nikt nie chce zrazić do siebie kobiety, która potrafi wyleczyć ból zęba i chory żołądek. Od czasu do czasu trafia mi się okazja do pomocy ludziom, którzy wciąż walczą o to, żeby zmienić coś w Sambrii. Przypuszczam, że zaliczacie się do tej kategorii.

– Będziemy wdzięczni za wszystko – odezwał się Cole.

– Mam takie marchewki, że wystarczy jedna, aby na trzy dni zapomnieć o głodzie. I to nie jest iluzja. Poczujecie się tak, jakbyście cały czas jedli zdrowe posiłki. Mam pestki dyni pozwalające doskonale widzieć w ciemności. Efekt utrzymuje się od czterech do pięciu godzin. W ciągu dnia jest niepożądany, więc uważajcie. Mam też ziołowe leki na różne choroby i urazy. Dostaniecie cały komplet. I dorzucę pyszną herbatkę, która powoduje długi sen.

– To bardzo miłe z pani strony – powiedziała Mira.

– Choć tyle mogę zrobić dla przyjaciół Declana – odrzekła Gerta. – Chcecie tu przenocować?

– Powinniśmy ruszać w dalszą drogę. Gonią nas.

– Przynajmniej chwilkę odsapnijcie, a ja pójdę po rzeczy. Zaraz dam wam coś do jedzenia.

– Jest bardzo sympatyczna – stwierdził Cole, kiedy wyszła z pokoju.

Mira westchnęła.

– Tak. I ma dużą wiedzę. Problem w tym, że im więcej wiem o moich mocach, tym mniej chcę je odzyskać.

– Może rzeczywiście powinniśmy pojechać na wakacje – odparł chłopiec. – Mamy pieniądze. Bertram na pewno byłby zachwycony.

Wszyscy zachichotali.

– Chciałabym. Naprawdę. Wy nie macie obowiązku mi towarzyszyć. Ale ja muszę się z tym zmierzyć.

– Jesteśmy z tobą – powiedział Jace.

Mira wyjrzała przez okno.

– Oby to nie znaczyło, że wspólnie polegniemy.

Rozdział

31

ZNISZCZENIA

Przez całą noc i następny poranek autowóz toczył się na południowy wschód, przystając tylko po to, żeby pasażerowie mogli wysiąść i się odświeżyć. Jechali przez ładną okolicę, pełną rzadkich lasów, rozległych pól, wijących się strumyków i niewysokich wzgórz.

Około południa dostrzegli konny wóz jadący drogą z naprzeciwka. Zwolnił, gdy się zbliżyli, więc Mira poleciła się zatrzymać. Oba pojazdy stanęły obok siebie.

– Dzień dobry – przywitał się woźnica, rosły mężczyzna w prostym ubraniu i słomkowym kapeluszu. – Na pewno chcecie jechać w tamtą stronę?

– Jestem na wakacjach z wnukami brata – rzekł Bertram, wychylając się, żeby było go widać. – Zwiedzamy okolicę.

Woźnica spojrzał za siebie.

– To chyba nie najlepszy kierunek na przyjemną przejażdżkę. Cała okolica się wyludnia. Spustosz znów się ożywił, podobno się tu zbliża.

– Wkrótce skręcimy na północny wschód – powiedziała Mira.

– Już wy wiecie, co robicie – odparł tamten. – Trudno przewidzieć, jak się zachowa potwór. Pojawia się i znika. Ale lepiej, żebyście zmienili kurs wcześniej niż później. W miejscowościach, które napotkacie przy tej drodze, nie liczcie na normalne przyjęcie. Wiosnawa mocno ucierpiała, a teraz ewakuuje się cała okolica. Niewielu jedzie na północny zachód, tak jak ja, bo ostatnio Spustosz upodobał sobie ten kierunek. Jeśli udacie się na północny wschód, miniecie mnóstwo uchodźców.

– Dziękujemy za ostrzeżenie – rzekła Mira. – Bardzo panu współczuję.

– Na pewno nie chcecie zawrócić? – spytał woźnica. – Jadąc na południowy wschód, kusicie los.

– To nie przestępstwo wraz z rodziną zwiedzać okolicę – oznajmił Bertram.

Woźnica uniósł brwi.

– Dziadek lubi dreszczyk emocji – wyjaśnił pospiesznie Cole. – Skręcimy w najbliższą drogę.

– Ja wam tylko dobrze radzę – powiedział tamten i potrząsnął lejcami. – Uważajcie na siebie.

– Dziękujemy. Bezpiecznej podróży.

Nazajutrz przejechali przez opustoszałą wioskę. Przypominała opuszczony plan filmowy. Budynki nie nosiły widocznych śladów zniszczeń. Po ulicach kroczyło dumnie parę kogutów, dziobiąc tu i tam.

Kiedy mijali cichą miejscowość, Cole zwrócił uwagę na spokój panujący na drodze. Szeroki trakt wyglądał na uczęszczany, ale nie mijali nikogo – ani autowozów, ani furmanek, ani konnych jeźdźców, ani piechurów. Po obu stronach ciągnęły się niezamieszkane gospodarstwa. Po zmroku autowóz przetoczył się przez kolejną wymarłą mieścinę. Ciemności nie rozpraszały światła w oknach. Po polu ogrodzonym płotem łaziło kilka kur. Skubały długie źdźbła trawy.

Widok wyludnionego krajobrazu wzmagał napięcie. Ludzie nie wynoszą się w ten sposób z byle powodu. Spustosz wystraszył mieszkańców dużego obszaru. Możliwość przybycia potwora zmusiła miejscowych do porzucenia domostw i ucieczki na wzgórza.

Wieczorem trzeciego dnia od wyjazdu ze Śródgałęzia, kiedy promienie słońca o zachodzie zalewały horyzont blaskiem czerwonym jak lawa, przyjaciele dotarli do kolejnej miejscowości. Mira nakazała zatrzymać autowóz i wszyscy wysiedli.

Cole sam nie wiedział, na co patrzeć najpierw. Droga znikała w nieckowatej dziurze przypominającej krater po uderzeniu meteorytu. Na dachu miejscowej gospody kołami do góry leżały dwa powozy. Kilka drzew – liście, gałęzie i pnie – było białych jak śnieg. Jeden z domów nie miał ścian ani dachu, ale podłoga, komin oraz meble znajdowały się na swoich miejscach.

– Co tu się stało? – jęknął Drgawa.

– Masz tylko jeden strzał – odparł Jace.

– Wiem, że to Spustosz, ale co zrobił?

– Te drzewa chyba nie powinny być białe, prawda? – zapytał Cole.

– Nie, to nienaturalne – potwierdziła Mira. – Poza tym domyślam się, że niełatwo wyrwać wszystkie ściany, w ogóle nie przewracając mebli. Dobrze się przyjrzyjmy. Może znajdziemy tu jakieś wskazówki, które nam powiedzą, z czym mamy do czynienia.

Ruszyła główną ulicą. Minęli duże drzewo oparte o uginający się budynek. Oblepione ziemią korzenie wisiały w powietrzu, a obrośnięte liśćmi gałęzie leżały na drodze. Z części wioski zostało wyłącznie tlące się pole osmalonego gruzu. Bok najwyższego domu, który się ostał, pokrywała skorupa różowego koralu. Pośrodku miejscowego sklepu leżał granitowy głaz, który najwyraźniej wpadł przez ścianę. Ulica na pewnym odcinku falowała niczym wzburzone morze, które nagle zastygło w nienaturalnym układzie zagłębień i wybrzuszeń. Brakowało połowy jednego z budynków – coś odkroiło ją tak równo, że idealny przekrój wnętrza przypominał naturalnej wielkości domek dla lalek.

Ulicę kończyło jezioro porośnięte sitowiem. Na kolejnych stu metrach spod brudnej wody wystawały dachy zatopionych domów.

– Całe miasto załatwione – odezwał się Cole. – Jak wielka musi być ta istota? Okolica wygląda tak, jakby olbrzym dostał tutaj napadu złości. Czego ten Spustosz nie potrafi zrobić?

– Być może części zniszczeń dokonano zwyczajnie – powiedziała Mira. – Ale sporo to wynik formowania: te wybrzuszenia na drodze, koral, równo rozkrojony dom. Albo wręcz wszystko.

– Więc to jednocześnie pozór i formista – podsumował Jace.

– To nawet ma sens – stwierdziła dziewczynka. – W końcu składa się z mocy formistycznej.

– To jak bardzo ty jesteś potężna? – spytała Drgawa.

Mira zaśmiała się cicho.

– Rzeczywiście miałam talent, ale nie aż taki. Pamiętaj, co mówił Declan. To nieposkromiona energia formistyczna, wolna od wszelkich ograniczeń. Zapewne ma moc tak wielką, jakiej ja nigdy nie mogłabym osiągnąć.

Cole obiema dłońmi przeczesał włosy.

– Jak mamy walczyć z czymś, co potrafi wyrwać nam ziemię spod nóg, przeciąć nas na pół, zgnieść głazem, a potem wyhodować na nas koral?

– I to tylko na dzień dobry – dodał Drgawa.

– Naprawdę nie wiem – odrzekła Mira. – Użyjemy wszystkiego, czym dysponujemy. Miejmy nadzieję, że moja więź ze Spustoszem da nam jakąś przewagę. Pamiętajcie, że on nie może mnie zabić, nie zabijając przy tym siebie.

– Ciągle się martwię, że Declan nas wykorzystuje – powiedział Jace. – Może po prostu chce się pozbyć Spustosza, i to za wszelką cenę? Może celowo posłał nas na śmierć? Jeżeli zginiesz, to i Spustosz przestanie istnieć, więc Sambria będzie miała o jeden kłopot mniej.

– Może. Ale muszę to zrobić. Tu chodzi o moją moc.

– Ale to nie twoja wina. To nie ty przemieniłaś swoją moc w Spustosza. Odpowiedzialny jest ten, kto cię jej pozbawił. Wiń swojego tatę. Niech sam się tym zajmie.

Mira odetchnęła głęboko.

– Może trudno ci to zrozumieć, ale nie robię tego z poczucia winy. Ta moc jest częścią mnie. Jak brakująca kończyna. Nie, jeszcze gorzej: jak brakująca część mojego jestestwa. Przez lata zastanawiałam się, czy kiedyś ją odzyskam. Wiedziałam, że może nie stanie się to nigdy. Ale teraz mam szansę. To dla mnie tak ważne, że podejmując tę próbę, jestem gotowa zginąć. Jeśli wolicie przyglądać się z daleka, nie ma sprawy. Ta wioska to dowód, jak przerażający jest Spustosz. Jeśli chcecie uciekać ile sił w nogach, w pełni to zrozumiem.

– Czasami czuję się tak, jakbyś próbowała się nas pozbyć – stwierdził Cole.

– Bo trochę tak jest – przyznała. – To moje ryzyko. Nie wasze. Mogę żyć ze świadomością, że zginę.

– W zasadzie jak zginiesz, to nie żyjesz – zauważył Jace.

– Wiesz, o co mi chodzi! – warknęła Mira. – Własne życie mogę ryzykować. Ale nie zniosę myśli, że pociągnę was za sobą.

– Poszliśmy z tobą z własnej woli – odparł Jace. – Ty nas do tego nie zmuszałaś.

– To prawda – zgodził się Cole.

– Wiem – odrzekła. – Ale nie musicie iść ze mną dalej. Łupieżcy Niebios uciekają przed zagrożeniem. To właśnie na tym się znamy. To dzięki temu zaszliśmy tak daleko. Ale tym razem idziemy wprost ku niebezpieczeństwu. Celowo je śledzimy. I nie będę przed nim uciekać.

Wszyscy przemyśleli jej słowa w milczeniu.

– Możemy być ci potrzebni – stwierdził Cole. – Bez nas możesz nie przeżyć. Jace jest całkiem niezły w posługiwaniu się tą swoją liną.

– Ano jestem – odparł Jace. – I więcej nie próbuj się mnie pozbyć. Nie zamierzam już do tego wracać. Skoro ty jesteś zdeterminowana, to ja też. Widzę, jak wygląda to miejsce. Paskudnie. Wiedzieliśmy, że stwór jest potężny. Ale cię nie opuszczę.

– Gdyby było bardzo źle, jeszcze zdążymy spróbować ucieczki – stwierdził Drgawa. – Wiecie, w ostatniej chwili. Teraz nie zrezygnuję.

– A ty, Cole? – zapytała Mira. – Przecież nawet nie jesteś stąd. Musisz odszukać przyjaciół. Naprawdę chcesz zginąć w walce z moją mocą?

– Nie chcę zginąć. Obiecałem przyjaciołom, że ich odnajdę, i dotrzymam słowa. Twój ojciec trzyma ich w niewoli.

Prawo, które ustanowił, pozwoliło porwać nas z mojego świata. Zamierzasz go obalić, a to najlepszy sposób, żeby ich uratować. Na początek musisz odzyskać swoje moce. Jestem z tobą, Miro. Nie tylko dlatego, że chcę pomóc Jennie i Daltonowi, lecz także dlatego, że ty też jesteś moją przyjaciółką.

Mira otarła oczy.

– Dobrze. Jestem wam wdzięczna. Wcale nie chcę, żebyście odchodzili. Ale czuję się odpowiedzialna.

– Rozumiemy – odparł Jace.

– A wy, dzieci, skąd przyjechałyście? – przerwał im jakiś głos. Wszyscy aż podskoczyli i obrócili się w kierunku, z którego dochodził. Boczną ulicą zbliżał się w ich stronę starszy mężczyzna z długą siwą brodą. Miał na sobie brudne ubranie robocze, a szedł takim krokiem, jakby cierpiał na lekki artretyzm. – Nie chciałem was przestraszyć. Byłem ciekaw, jakie macie wieści.

– Przybyliśmy z północnego wschodu – odrzekł Cole. – Tam jest spokojnie. Mieszkańcy ewakuowali się z miast.

– Większość z nas też uciekła – powiedział staruszek, podchodząc bliżej. – Część mężczyzn została, by walczyć.

– Widział pan Spustosza?! – zawołała Mira.

Tamten pokręcił głową.

– Ja nie. Atak przeżyłem w swojej piwniczce. Wcześniej widziałem inną wioskę po napaści potwora. Niektóre budynki pozostawia nietknięte. Mieszkałem tu całe życie. Postanowiłem, że spróbuję się schować.

– Co się stało z tymi mężczyznami? – zapytał Cole.

– Nie ma po nich ani śladu – odrzekł starzec drżącym głosem. Po chwili odzyskał panowanie nad sobą. – Jesteście pierwszymi ludźmi, którzy się tu pojawili, odkąd Spustosz był tutaj pięć dni temu.

– Wie pan, dokąd poszedł potwór? – spytał Drgawa.

– Chyba zawrócił tam, skąd przybył. Z tym że ja go nie widziałem, a tylko ślady jego przejścia. Do tej pory jest tak cały czas. Za każdym razem bestia zapuszcza się coraz dalej, a potem się cofa.

– Nic panu nie jest? – zainteresowała się Mira. – Niczego panu nie potrzeba?

– Mam wszystkiego pod dostatkiem. Zapasy z całej wioski. Chyba najgorsze już za mną. Do tej pory Spustosz podobno nigdy nie uderzał dwa razy w to samo miejsce. Co was tu sprowadza?

– Ważna sprawa rodzinna – odparła Mira. – Musimy już ruszać.

– Potrzebujecie prowiantu?

– Mamy. Ale dziękujemy. Niech pan na siebie uważa.

– Ty też, młoda damo.

Przyjaciele wrócili do autowozu. Mira poinstruowała Bertrama, żeby objechał wyrwę w drodze, a potem udał się na południowy wschód.

Powóz toczył się przez noc. Ilekroć Cole wzdrygał się i budził, spodziewał się, że za oknem zobaczy monstrum pędzące prosto na nich. Widział jednak tylko krajobraz oświetlony mętnym blaskiem czerwonawego księżyca.

– Nie ma mojej gwiazdy – oznajmiła Mira w pewnej chwili.

– Nie?

– Nie widziałam jej, odkąd uciekliśmy za chmuromur.

– Czyli chyba nikt nie może nas namierzyć – powiedział Cole.

– Ani wrogowie, ani przyjaciele.

– Świt już blisko?

– Jeszcze nie – odparła Mira. – Spróbuj się przespać.

– A ty?

– Też próbuję.

Tuż po wschodzie słońca usłyszeli rytmiczny tętent kopyt galopującego konia. Ujrzeli samotnego legionistę, który pędził drogą z naprzeciwka. Jace przygotował linę.

– Jest sam – powiedziała Mira. – Chyba nas nie szuka. Może tylko tędy przejeżdża.

Zbliżywszy się do autowozu, jeździec zwolnił. Wyglądał jak nastolatek, ale mógł mieć ze dwadzieścia lat. Jego mundur był w nieładzie.

– Stać! – zawołał. – Czym prędzej musicie zawrócić!

Mira poleciła zatrzymać pojazd.

– O co chodzi? – spytał Jace.

– O największe zagrożenie w całej Sambrii – odparł legionista z paniką w oczach. – Jakim cudem dotarliście aż tutaj i jeszcze się nie zorientowaliście? Za następnym wzgórzem jest Spustosz.

Cole poczuł, że z nerwów ściska go w trzewiach, i natychmiast skoncentrował się na drodze przed nimi. Zobaczył, że trakt znika za najbliższym wzniesieniem. Wokół wszystko wyglądało spokojnie i całkiem normalnie.

– Idzie tutaj? – spytała Mira.

– Nie mam zamiaru czekać, żeby się o tym przekonać. Byłem w ekipie zwiadowczej z jedenastoma innymi żołnierzami. Sami dobrzy jeźdźcy. Tylko ja jeden uciekłem.

– Widziałeś go? – naciskała dziewczynka.

– Dostrzegłem między drzewami. Jest olbrzymi, tyle wam powiem. Nic więcej nie wiem. Pozostali chcieli się lepiej przyjrzeć. No to sobie popatrzyli.

– Porzuciłeś swój oddział? – zdziwiła się Mira.

– Jesteśmy ekipą zwiadowczą! – odparł młody legionista. – Ktoś musi zdać raport. Dla was jeszcze nie jest za późno. Zawracajcie.

Jace spojrzał na Mirę.

– Co robimy?

– Bierzemy go.

Złota lina wystrzeliła, oplotła żołnierza, przycisnęła mu ramiona do ciała i ściągnęła go z konia. Nie mogąc zamortyzować upadku rękami, legionista ciężko gruchnął o ziemię. Koń zarżał, stanął dęba, a potem się uspokoił.

W pierwszej chwili mężczyzna tylko kasłał i dyszał.

– Co wy robicie? – wykrztusił w końcu.

– Jesteśmy na wakacjach – odparł Bertram. – Wnuki brata zwiedzają ze mną okolicę.

– Puśćcie! Róbcie, co chcecie, ale nie trzymajcie mnie tu!

– Leżeć, żołnierzu! – rozkazała Mira. – Nam Spustosz nie zagraża. Jesteśmy po jego stronie. Gęba na kłódkę albo złożymy mu ciebie w ofierze. – Legionista prędko się podporządkował. Cole słyszał tylko ciche pojękiwanie. – Masz trochę tej herbatki? – szepnęła dziewczynka do Drgawy.

– Jest zimna – odparł. – Ale trzymałem ją w wodzie, odkąd wyjechaliśmy od Gerty. Powinna być bardzo mocna.

– Daj mu trochę.

– Czujesz to? – spytał Jace. Lina zacisnęła się tak bardzo, że aż skrzypnęła. Żołnierz wrzasnął. – Mogę ją zaciągnąć znacznie mocniej. Nasz kolega ma dla ciebie napój. Łyknij, a darujemy ci życie.

– Skąd mam wiedzieć, że to nie trucizna? – zapytał legionista, kiedy Drgawa wysiadł z powozu.

– Bo są łatwiejsze metody, żeby cię zabić – odparł Jace. – Na przykład mógłbym cię zadusić na śmierć.

Udręczony żołnierz jęknął.

Kiedy Drgawa poił go herbatką, Cole nachylił się do Miry.

– Skoro legioniści wysyłają zwiadowców do Spustosza, czy to znaczy, że twój ojciec nie jest bezpośrednio zamieszany?

– Pewnie nie. Chyba że ukrywa to przed swoimi ludźmi, co wcale nie jest wykluczone.

– Co... co... co to jest? – wybełkotał żołnierz.

– Herbatka ziołowa – odrzekł Drgawa.

– Niezła – stwierdził tamten z zadowoleniem. – Czy ja tonę? Czuję się... trochę jak w... – Żołnierz stracił przytomność.

Drgawa pstryknął mu palcami za uchem.

– Śpi twardo. Chyba dostał strasznie silną dawkę. Herbata jest bardzo ciemna.

– To dobrze – powiedziała Mira. – Nie może nam przeszkadzać. Nie zostawię go tutaj, za duże ryzyko. Zwiąż go, pojedzie z nami.

Jace wyciągnął ze schowka zapasową linę. Po spętaniu żołnierzowi rąk i nóg trzej chłopcy musieli go wciągnąć do powozu wspólnymi siłami.

– Może powinnam jechać konno – zastanowiła się Mira. – Przyda nam się szybkość i łatwość poruszania.

– Dobry pomysł – zgodził się Jace.

W tej właśnie chwili do okna sfrunęła Mango.

– Nie wiem, czy to dobra, czy zła wiadomość, ale Spustosz jest tuż przed wami.

– Wiemy – powiedziała Mira. – Gdzie byłaś?

– Dużo się dzieje. – Papuga westchnęła. – Jednocześnie pilnuję wielu spraw.

– Widziałaś go? – zapytała dziewczynka.

– Nie chciałam się zbliżać. Jest duży. I hałaśliwy. Słyszałam ludzi wołających o pomoc.

– Dzięki, Mango.

– Plus jest taki, że sprowadziłam wam pomoc.

Obok autowozu osiadł facet na latającym dysku.

– Lepiej późno niż wcale – powiedział.

– Liam! – zawołał Cole. – Myślałem, że jesteś zbyt zajęty, żeby nam pomóc!

Formista zrobił przepraszającą minę.

– No wiem. Nie chciałem, żebyście na mnie liczyli. Ale nudziło mi się.

– Jesteś tu, bo ci się nudziło? – powtórzył Jace.

– Czemu nie? To fajnie brzmi, tak nonszalancko. Chcecie poznać całą historię? Musieliśmy uciekać z Chmurnej Doliny. Declan urządził się w nowej kryjówce, więc pomyślałem, że chwilowo nie będę tam potrzebny. Jestem tu za jego zgodą.

– Jak nas znalazłeś? – spytała Mira.

– Naprawdę myślisz, że Mango szpiegowała tylko dla was? – zakpił Liam. – Przekazywała raporty innym moim ptakom, żebym mógł śledzić wasze postępy.

– Podejrzany ten twój prezent – skomentowała dziewczynka.

Liam położył rękę na sercu.

– Przysięgam, że zrobiłem to wyłącznie z chęci pomocy.

– Wiesz coś nowego o Spustoszu? – zapytał Cole.

– Jeszcze nie przyjrzałem mu się z bliska. Ale teraz wyczuwam go wyraźniej niż wcześniej. Dosłownie tętni mocą. Ja sam jestem niekiepski w formowaniu, ale nie wyobrażam sobie, żeby moja moc płonęła choćby w połowie tak jasno. Łatwo nie będzie. Jaki mamy plan?

Nikt nie odpowiedział.

– W zasadzie to improwizujemy – stwierdziła w końcu Mira.

– Może to jedyne rozwiązanie – przyznał Liam. – Jeszcze nikt nie miał do czynienia z czymś takim. Wiecie co? Zostanę z tyłu i zobaczę, jak wam pójdzie. Poszukam słabych stron Spustosza. Dzięki temu będziecie mieli kogoś w odwodzie.

– Aleś ty bohaterski! – skomentował Jace.

– Po prostu dbam o strategię! – zaprotestował Liam. – Niby kto was uratuje, jeśli sprawy źle się potoczą? Ty?

– Dołączy do nas ktoś jeszcze? – spytał Jace.

– Próbowałem namówić Azję, ale uparła się chronić Declana. Jedzie tu natomiast wasz stary przyjaciel. No, bardziej znajomy. Albo i tyle nie. W każdym razie jest po waszej stronie.

– Kto taki? – spytał Cole.

– Joe MacFarland.

– Ten mężczyzna z Nieboportu? – zdziwiła się Mira. – Posłaniec?

– Gość jest bardzo zdeterminowany. Ostrzegł nas, że Legion Rozdroża planuje zmasowany atak przez Bumerangową Puszczę.

– Jak was ostrzegł? – zapytała dziewczynka.

– Kiedy uciekliście z Nieboportu, w zamieszaniu znalazł sobie kryjówkę, a potem słuchał, co w trawie piszczy. Odkrył, że uciekliście za Wschodni Chmuromur i przeżyliście. Gdy dowiedział się o planowanej ofensywie legionistów, ukradł niebolot i przedostał się przez chmuromur, żeby was ostrzec. Uratowałem go z krańcowej pustki tak samo jak was.

– Gdzie on teraz jest?

– Pędzi tu konno najszybciej, jak może.

– Dlaczego nie wziąłeś go ze sobą? – spytał Jace.

– Przyjrzyj się mojemu dyskowi. Duży jest, twoim zdaniem? Z dala od Skraju trudno utrzymać się w powietrzu. Joego prowadzą moje ptaki.

– Czy powinniśmy na niego zaczekać? – zastanawiała się Mira.

– Myślę, że nie – powiedział Liam. – Żołnierze nie zastali nas w Chmurnej Dolinie, więc teraz jadą tutaj. Joe został sporo za mną. Możliwe, że nie zdąży nas dogonić. Lepiej zmierzmy się ze Spustoszem, póki nie mamy legionistów na karku.

– Brzmi sensownie – przyznała Mira. Podeszła do klaczy legionisty i pogłaskała ją po szyi. – Grzeczna dziewczynka. Nie pogniewasz się, jeśli wrócimy tam, gdzie niebezpiecznie, prawda?

– Dużo jeździłaś konno? – zapytał Cole.

– Sporo. Brałam lekcje, kiedy byłam mała, a potem przez lata miałam wiele okazji. Jest rozgrzana. Ostro jechał. – Włożyła nogę w strzemię, a potem wsiadła. – Gotowi?

– Sam nie wiem – odparł Cole. – „Chętni" nie wystarczy?

– Może być.

Liam zaśmiał się serdecznie.

– Zostanę trochę z tyłu. Z początku nie będziecie mnie widzieć, ale chcę mieć z wami kontakt. – Podfrunął do Cole'a i wyciągnął dłoń. – Włóżcie to do uszu. Będę was słyszał, a wy mnie. To nie działa na zbyt dużą odległość, ale na dzisiejszą akcję będzie idealne.

Cole wziął od niego coś, co wyglądało jak kulka gliny. Pozostali zrobili to samo.

– Nie są kruche – powiedział Liam. – Wepchnijcie je, ale nie za głęboko. Dopasują się kształtem.

Chłopiec wetknął kulkę do prawego ucha. Ułożyła się idealnie.

– Masz jeszcze jakieś bajery? – spytał Jace.

– Nie, to wszystko – odparł Liam. – Niech to już będzie za nami.

– Bertramie – odezwała się Mira z siodła – zawieź nas do potwora za wzgórzem.

Autowóz ruszył. Dziewczynka jechała jego tempem. Liam odfrunął i zniknął im z oczu.

– No i znaleźliśmy to, czegośmy szukali – mruknął Cole do Drgawy. – Zawsze trzeba uważać, czego sobie życzymy.

– Bo może się spełnić?

Cole kiwnął głową.

– Właśnie.

Rozdział

32

SPUSTOSZ

Kiedy autowóz objeżdżał pagórek, Cole ściskał swój łuk niczym koło ratunkowe. Nie był pewien, czego się spodziewać, ale wiedział, że będzie to coś strasznego. Tak jak mówiła Mira, tym razem szli wprost ku niebezpieczeństwu, zamiast od niego uciekać.

Sam nie wiedział, jak się przygotować. Czy warto strzelać z łuku do bestii, która wywraca miasta do góry nogami i pokonuje całe pułki wyszkolonych żołnierzy? Ale może i ona ma jakiś słaby punkt. A jeśli nie, to przynajmniej Cole odwróci jej uwagę, podczas gdy Mira wymyśli, jak ją pokonać. Dzięki mieczowi skakania on sam będzie trudno uchwytny.

A jeżeli zginie? Starał się nie rozwodzić nad tą możliwością, ale nie mógł się powstrzymać. Nie dało się wykluczyć, że żadne z nich nie przeżyje. Na Ziemi nikt się tym nie przejmie. Rodzice Cole'a nie będą go pamiętać. Nikt nie zapłacze, nikt nie postawi mu nagrobka. To będzie zupełnie tak, jakby nigdy nie istniał.

Co się stanie z Daltonem, Jenną i resztą dzieci z jego świata? Jeśli Cole zginie, chyba nie będą mogli mieć do niego pretensji, że ich nie uwolnił. To dość przekonująca wymówka. Chociaż jeśli będzie bezczynny, również im nie pomoże. Może nigdy się o tym nie dowiedzą, ale właśnie robił wszystko, co w jego mocy, żeby ich uratować.

Ulżyło mu, że dołączył do nich Liam. Może tutaj nie potrafił formować równie dobrze jak nad Skrajem, ale umiał latać, był pewny siebie i bez wątpienia miał różne przydatne zdolności. Oby zapewnił Mirze wsparcie, jakiego potrzebowała.

– Tam – odezwał się Jace, wskazując palcem w głąb lasu.

Cole zmrużył oczy. W oddali czubki drzew chwiały się gwałtownie, jakby między nimi szło coś olbrzymiego.

– Widzę – powiedziała Mira z siodła. – Bertramie, czy możemy pojechać w tamtą stronę?

– Las jest zbyt gęsty dla autowozu – odparł pozór. – Może spróbujemy go objechać?

– Lepiej się zatrzymaj i wypuść pasażerów – postanowiła dziewczynka. – A potem ruszaj dokoła. Postaraj się trzymać jak najbliżej nas. Cepie, za mną!

Cole zeskoczył na ziemię. Mira pierwsza pogalopowała przez las, a cep gonił ją z brzękiem. Jace za pomocą swojej liny latał od pnia do pnia. Drgawa włożył pierścień i zaczął skakać. Cole pomknął naprzód, używając miecza. Sadził wśród drzew długimi, niskimi susami i wkrótce wyprzedził Mirę.

Rozległ się donośny trzask, trochę jak pękanie kadłuba starego statku pod naporem fal albo stodoły, która zaraz się zawali. Siła tego dźwięku sprawiła, że Cole stanął w miejscu. Trzask rozległ się znowu, tym razem trochę niższy i bardziej przeciągły. Mira wciąż pędziła konno przez rzadkie zarośla. Jace i Drgawa również gnali dalej. Cole trochę pozazdrościł śpiącemu w autowozie legioniście, a potem zawołał: „Naprzód!" i pomknął przed siebie.

Po kilku kolejnych skokach zobaczył Jace'a, który stał na skraju łąki. Drgawa zatrzymał się obok niego. Obaj, odwróceni plecami, po prostu patrzyli przed siebie. Cole znów usłyszał potężny trzask udręczonego drewna.

Po kolejnym susie wylądował obok przyjaciół. Podszedł bliżej, wyjrzał na łąkę i pierwszy raz zobaczył Spustosza.

Niebotyczna istota składała się z pni drzew, ziemi, kamieni, krzaków, kawałków komina, drewnianych belek, sypiących się blanków jakiejś warowni, cegieł różnych kształtów i rozmiarów, połowy wozu, fragmentu brukowanej ulicy, uszkodzonej łodzi wiosłowej oraz trzech żelaznych klatek. Utrzymywała równowagę na dwóch niesymetrycznych nogach i miała dwoje długich ramion, ale tylko z grubsza podobna była do człowieka. Przypominała skleconego naprędce stracha na wróble. Na niekształtnej głowie widniała prymitywna imitacja twarzy.

Rozmiary monstrum wprost oszałamiały. Cole sięgał mu najwyżej do kostek. Bestię przewyższały tylko największe drzewa w lesie. Przeciągłe skrzypienie wcale nie dobiegało z ust Spustosza – to był odgłos jego kroków. Kamień zazgrzytał o kamień, strzeliło drewno i gigant zgiął się w pół. Jedną ręką chwycił spore drzewo, a potem wyszarpnął je z ziemi razem z korzeniami i bryłami gleby.

Ściskając drzewo jak maczugę, obrócił się i stanął naprzeciw dzieci po drugiej stronie polany. Wydał z siebie ryk będący mieszanką wycia silnika odrzutowego z głębokim dudnieniem trzęsienia ziemi. Kakofoniczny hałas długo odbijał się dziwnym echem, raz po raz niespodziewanie przybierając na sile.

Ryk potwora wstrząsnął Cole'em do szpiku kości. Chłopiec czuł się tak, jakby obudził się na torach kolejowych i zobaczył pociąg, który pędzi wprost na niego.

– Uciekajcie!

– Zwiewajcie stąd!

– Biegnijcie po pomoc!

Rozpaczliwe porady nakładały się na siebie i Cole zrozumiał, że klatki tworzące część cielska Spustosza nie są puste. Jedna służyła za prawe ramię bestii, druga tkwiła po lewej stronie klatki piersiowej, a ostatnia zajmowała większość biodra. Ludzie uwięzieni w środku, wielu w mundurach legionistów, wykrzykiwali i machali rękami. Spustosz postąpił w stronę Cole'a. Chociaż łąka była rozległa, stwór mógł ją przemierzyć trzema, może czterema krokami.

– Rozdzielmy się – poradził Jace, a potem posłużył się liną, żeby odskoczyć na lewo.

Drgawa pofrunął na prawo.

Cole mocno ścisnął miecz. Czy powinien zostać na miejscu? Jeżeli ruszy za Jace'em lub Drgawą, rozdzielą się niezbyt skutecznie. Spustosz z trzaskiem zrobił kolejny krok w jego stronę. Ziemia trzęsła się pod jego stopami. Chłopiec nie bardzo wiedział, co robić. Wycofać się? A może spróbować zmylić monstrum w ostatniej chwili?

Następny krok. Cole'owi od wstrząsu zaszczękały zęby. Spustosz przykucnął i wyciągnął ku niemu wolną rękę. Jeszcze chwila i go złapie. Chłopiec postanowił zaryzykować: w ostatnim momencie skoczy stworowi między nogi.

Spośród drzew obok niego wyłoniła się Mira na koniu.

– Spustoszu! – zawołała. – Musimy porozmawiać!

Potwór zamarł, a potem wyprostował się jak struna i skupił na niej całą uwagę.

– To ty – powiedział kobiecym głosem, głębokim i chrapliwym.

Te słowa rozbrzmiały jak odwrócone echo, coraz głośniej z każdym powtórzeniem.

– Co ty wyrabiasz? – spytała stanowczo Mira.

Cole nie mógł uwierzyć w jej śmiałość. Przez chwilę wydawało się, że oskarżycielski ton dziewczynki sparaliżował potwora.

– Robię, co zechcę – odpowiedziała po chwili Spustosz, a słowa znowu odbiły się narastającym echem.

– Należysz do mnie – oznajmiła Mira. – Zabrano cię ze mnie.

– Należę do siebie – wychrypiała Spustosz.

– Nie! Jesteś częścią mnie. Nie jesteś kompletną istotą. Ja też nie. Potrzebujemy siebie nawzajem.

Nastąpiła długa chwila ciszy. Cole zaczął się już zastanawiać, czy potwór w ogóle odpowie. W końcu zabrzmiały słowa:

– Teraz jestem czymś więcej, a nie czymś mniej. Byłaś moim więzieniem, tak samo jak ten drugi. Chodź do mnie. Nie zrobię ci krzywdy.

– Mam do ciebie przyjść?

– Teraz będziesz do mnie należeć. – Spustosz przykucnęła i wyciągnęła rękę.

Mira dobyła miecza, zeskoczyła z konia i wylądowała wysoko na gałęzi drzewa.

– Nie jestem twoja! – wrzasnęła. – To ty należysz do mnie! Ze mnie pochodzisz.

Wzbudziła tym powolny śmiech bestii, który przypominał niepokojący dźwięk tuż przed zawaleniem się kopalni.

– Jestem czymś znacznie więcej niż ty.

Olbrzym znowu spróbował ją chwycić, więc Mira odskoczyła daleko, na inne drzewo. Cole zauważył, jak Jace zarzuca swoją linę. Wydłużyła się bardziej niż kiedykolwiek, stała się też grubsza. Owinęła się trzykrotnie wokół łydek Spustoszy.

Kiedy potwór spróbował zrobić kolejny krok, lina wytrzymała. Bestia runęła przed siebie: najpierw uderzyły o ziemię kolana, potem ręce. Jace natychmiast zwinął linę. Mira przeskoczyła na inne drzewo. Spustosz podniosła się, odchyliła głowę i ryknęła w niebo. Jace zakrył uszy, ale przeraźliwe echo wrzasku zapulsowało w całym jego ciele. Obok zadrżały krzaki i liście.

Gałęzie drzewa, na którym przycupnęła Mira, nagle zamknęły się wokół niej niczym tysiąc palców zaciskających się w pięść. Dokoła Jace'a zakotłowała się ziemia. Uwięziła go w kopcu, z którego wystawała tylko głowa. Spustosz wyprostowała ramię i złapała Drgawę w locie.

Potem obróciła się do Cole'a. Kiedy wokół niego zafalowała ziemia, uniósł miecz w niebo i krzyknął:

– Naprzód!

Pofrunął w górę, gleba otarła się o jego nogi, ale nie zdążyła go uwięzić.

Wciąż mknął ku górze, gdy zrozumiał swój błąd. Uciekając przed ziemią, która chciała go pochłonąć, w pośpiechu wycelował miecz w pustkę i wyskoczył z całej siły. Nie miał gdzie wylądować. Zaraz się zabije.

W szczytowym punkcie lotu spojrzał w dół z oszałamiającego pułapu. Znajdował się niemal na równi z szyją potwora. Kiedy zaczął tracić wysokość, pojawiła się pod nim wielka dłoń. Spadając, Cole skierował miecz w stronę ramienia Spustoszy, wykrzyknął komendę i zdążył skoczyć, zanim na dobre wylądował na jej dłoni.

Palce Spustoszy zamknęły się zbyt wolno, więc pomknął do celu. Gdy tylko doleciał do jej ziemistego ramienia, wycelował broń w najbliższe drzewo i odbił się nogami, powtarzając komendę.

Szybując w powietrzu, wypatrywał miejsca, w którym wyląduje, i przygotowywał się do kolejnego skoku. Do tej pory nie próbował łączyć skoków w tak szybkie serie. Teraz przynajmniej lądowania były trochę mniej gwałtowne. A może powodowała to adrenalina.

Już miał wylądować, kiedy poczuł uchwyt ręki Spustoszy. Porwała go w locie i mocno zacisnęła. Próbował się szarpać, ale bezskutecznie. Spustosz wrzuciła Cole'a do klatki na piersi. Drzwi zatrzasnęły się, zanim zdążył zareagować. Niewolę dzieliło z nim pięciu legionistów w porwanych, zabrudzonych mundurach. Jeden z nich pomógł Cole'owi wstać. Była tam również kobieta oraz mniej więcej ośmioletnie dziecko.

Drzwi ponownie się otworzyły i w klatce wylądował Drgawa. Po chwili dołączył także Jace. Obaj wyglądali na oszołomionych.

– Witajcie w swoim nowym domu – powiedział jeden z legionistów.

– Oby się znowu nie przewróciła – dodał inny, rozcierając skroń.

– Słyszysz mnie, Cole? – W prawym uchu chłopca rozległ się głos Liama. – Nic ci nie jest?

– Nie. Jesteśmy uwięzieni, ale nic nam się nie stało.

– Wygląda na to, że chciała was złapać, a nie rozgnieść – stwierdził Liam. – Chwilowo będę się trzymał z tyłu.

Tylną ścianę klatki stanowił korpus Spustoszy zbudowany z drewna, kamienia i ziemi. Przód i bok, włącznie z drzwiami na zawiasach, tworzyły grube metalowe kraty. Cole podszedł do drzwi i szarpnął, ale nic to nie dało. Ciągle miał w ręku miecz skakania, ale nie był pewien, czy za kratkami na cokolwiek się przyda.

Kiedy Spustosz odwróciła się i znowu zaczęła się poruszać, musiał złapać za pręty, żeby się nie przewrócić. Kołysząc się i skrzypiąc, podeszła do drzewa, które nadal więziło Mirę. Gdy wyciągnęła rękę, gałęzie się rozchyliły.

– Cepie, atak! – wrzasnęła dziewczynka.

Cep formisty wystrzelił w stronę dłoni potwora. Wściekle zawirował, odtrącając bryły ziemi, odłamki kamienia i kawałki drewna. W pierwszej chwili Spustosz wzdrygnęła się i odskoczyła, ale potem chwyciła łańcuchy tak, jak się łapie muchę, i mocno zacisnęła dłoń.

Mira wykorzystała ten moment, by wykrzyknąć komendę i zeskoczyć na ziemię. Kiedy Spustosz się do niej odwróciła, Cole miał wrażenie, że patrzy na przyjaciółkę z wysokości stromego urwiska. Monstrum przykucnęło, żeby sięgnąć po dziewczynkę, więc cała klatka przechyliła się do przodu.

Chciał zamknąć oczy. Jeśli Spustosz dopadnie Mirę, to po nich! Zbyt łatwo dali się złapać. Cała nadzieja w Liamie.

Mira nie wycelowała miecza, żeby wykonać kolejny skok. Patrzyła na olbrzyma ze stoickim spokojem.

– Spustoszy, nie! – krzyknęła. Czubek klingi przyłożyła sobie do gardła. – Cofnij się albo nas zabiję!

Dłoń bestii znieruchomiała. Cole zastanawiał się, czy Mira od początku zamierzała tak blefować, czy może wpadła na ten pomysł w desperacji. Spustosz stanęła prosto.

– Naprawdę byś to zrobiła – stwierdziła lekko zdziwiona. W klatce Cole miał wrażenie, że narastające echo wlewa się ze wszystkich stron. – Czuję twoją determinację.

– Oczywiście, że tak. Lepiej, żebym ja zginęła, niż żebyś ty pustoszyła Sambrię i krzywdziła moich przyjaciół.

– Nikogo nie zabiłam – powiedziała Spustosz.

– Trudno mi w to uwierzyć.

– Ja nie zabijam. Kolekcjonuję.

– Czy to prawda? – zawołała Mira.

– Nie widziałem, żeby pozbawiła kogoś życia – odpowiedział jeden z legionistów w klatce Cole'a.

– Ja też nie – dodała jakaś kobieta z dołu, pewnie z klatki na biodrze. – Ale łagodna nie jest.

– Kolekcjonuję – powtórzyła Spustosz.

– Nie wolno kolekcjonować ludzi – zgromiła ją Mira. – Tak się nie robi. Powinnyśmy być jednością. Wróć do mnie.

Spustosz nie odpowiedziała.

– Słyszycie? – zapytał Drgawa.

– Co? – odparł Jace.

– Jakiś cichy głos. – Drgawa ruszył w głąb klatki.

– Ja też go słyszałem – potwierdził któryś z legionistów. – Zupełnie jakby dobiegał z wnętrza tej istoty.

Drgawa oparł się o tylną ścianę i przyłożył ucho do drewnianej belki.

– Rzeczywiście. To jakaś kobieta. Jej głos jest stłumiony. Nic nie rozumiem. Ale dużo mówi.

Spustosz przyklęknęła na jedno kolano, więc Cole widział Mirę z bliska. Dziewczynka wciąż przykładała sobie ostrze do gardła.

Od Spustoszy po ziemi popełzła w jej kierunku wić. Mira patrzyła na nią szeroko otwartymi oczami.

– Zrobię to – ostrzegła.

– Najpierw porozmawiamy – odparła Spustosz, a słowa głośno się odbiły odwrotnym echem.

Na końcu wici spęczniała ziemia. Wyłonił się z niej idealny duplikat Miry, tak samo ubrany, z takim samym mieczem w dłoni. Wić wystawała z jego pleców i biegła do stopy Spustoszy.

– Cześć – powiedziała fałszywa Mira.

– Co to ma znaczyć? – spytała prawdziwa.

– Musimy porozmawiać – odrzekła spokojnie fałszywa Mira identycznym głosem.

Cole nie musiał natężać słuchu. Liam chyba transmitował tę rozmowę przez gliniane słuchawki.

– Nie jesteś mną – rzekła Mira oskarżycielskim tonem. – Jesteś pozorem.

– Nie jestem tobą. Jestem mną. Nie możesz mnie pokonać. To ty jesteś słabszym elementem. Mogę cię ochronić.

– Niczym nie jesteś! – odparła wściekle Mira. – Jesteś fałszywa! Składasz się z tego, co znalazłaś! Z ziemi, drewna i rupieci!

– Mogę być, czym zechcę – stwierdziła fałszywa Mira. – Czym potrzebuję. Wszyscy kształtujemy samych siebie. Ja po prostu jestem w tym lepsza.

– Zabrano cię ze mnie. Wyformowano ze mnie. Nie wiem, w jaki sposób. Ty wiesz?

Po ziemi popełzła druga wić. Kiedy zbliżyła się do Miry, ziemia nabrzmiała i na końcu pędu pojawił się mężczyzna w wytwornym stroju.

– Ja to zrobiłem – powiedział.

– To nie jest śmieszne! – syknęła Mira. – Dość tego teatru lalek. Nie jesteś nim! Nie jesteś moim ojcem!

Cole spojrzał z góry na dobrze ubraną postać. Z tej perspektywy niedokładnie dostrzegał szczegóły, ale jeśli ten pozór został uformowany równie wiernie jak fałszywa Mira, to chłopiec miał pierwszą okazję, żeby spojrzeć na swego wroga, najwyższego króla.

– Jesteś pewna? – spytał fałszywy najwyższy formista. – Niewiele mi brakuje. Ta istota spędziła ze mną mnóstwo czasu. Znacznie więcej niż ty. I więcej niż spędziła z tobą.

Mira odwróciła się do swego sobowtóra.

– Nie byłaś jego częścią, ale więźniem.

– Owszem, była częścią mnie – odparł fałszywy najwyższy król. – I jednocześnie była więźniem.

Mira podeszła do swojego klona.

– Nie rozumiesz? Mój ojciec cię przywłaszczył. Ukradł. Ale teraz jesteś wolna. Znowu możemy być razem. Tak być powinno.

Ani Spustosz, ani przywiązane do niej pozory nie zareagowały.

– Znowu słyszę głos – powiedział Drgawa. – To jest nienormalne. Tam w środku ktoś coś mówi.

– Rozumiesz słowa? – zapytał Jace.

– Nie – odparł Drgawa z rezygnacją.

– Chcesz mnie posiąść tak samo jak on – odezwała się w końcu fałszywa Mira. – Chcesz utopić mnie w sobie! Jeżeli do ciebie wrócę, to umrę. Nie, pójdziesz ze mną. Obie przeżyjemy.

– Nie blefuję z tym mieczem – powiedziała Mira.

– Ja też nie. A może za bardzo kocham wolność? Może wolę przestać istnieć, niż wrócić do tego, co było dawniej?

– Drgawa ma rację – potwierdził Liam w uchu Cole'a. – W rozpoznawaniu budowy fizycznej jestem doskonały. Wewnątrz Spustoszy znajduje się jakaś kobieta.

– Miro! – zawołał Cole. – Zapytaj Spustosz o kobietę, która jest w środku! Tę, która do niej mówi!

Fałszywa Mira i pozór jej ojca gwałtownie odwrócili się w jego stronę. Ich miny wskazywały na to, że trafił na dobry trop.

– Chłopak kłamie – oznajmili jednocześnie fałszywa Mira i fałszywy król.

– Co to za kobieta? – spytała Mira. – Czy ktoś tobą steruje?

Pozory zamilkły.

– Znowu ją słyszę – powiedział Drgawa. – Trochę ciszej.

Cole przycisnął ucho do belki nieco niżej. Pomruk pospiesznej rozmowy był cichy, ale wyraźny.

– Słyszę ją! – zawołał głośno chłopiec.

– Słyszymy kobietę – oznajmiła Mira. – Kto to jest? Nie słuchaj jej! Jesteś częścią mnie! Słuchaj mnie!

– Nie jesteś godna, Miro – zarzucił jej fałszywy najwyższy formista. – Zmarnowałaś swoją moc. Pozwoliłaś mi ją przywłaszczyć, a sama uciekłaś!

– Uciekłam, bo ścigał mnie ojciec. Bo nie rozumiałam, co się stało. Kiedyś formowałam tyle rzeczy! A potem wszystko prysło. Zostało skradzione.

– W takim razie użyj swojego formowania – rzucił jej wyzwanie fałszywy król. – Skoro jesteś tego godna, to odbierz, co do ciebie należy. A jeśli nie, pozwól jej żyć i zaakceptuj jej protekcję. Niech ona będzie tym wszystkim, czym ty nie mogłaś jej uczynić, bo byłaś zbyt nieudolna.

– Teraz ledwie mogę formować – powiedziała Mira. – Musiałabym mieć dużo szczęścia, żeby zmienić kolor własnej koszuli. Dlaczego? Bo odebrano mi moc.

– Interesujące – mruknął jej fałszywy ojciec.

– Znowu słyszę ten głos – poinformował Drgawa.

– Rozumiesz, co mówi? – szepnął Cole, licząc, że Liam zrozumie, że to do niego.

– Niestety nie – odparł młody formista.

– Z kim ty rozmawiasz? – zapytała stanowczo Mira. – Kto tam jest w środku?

– Daj mi swój miecz – poprosił jej fałszywy ojciec, wyciągając rękę. – Nie chcemy tu tragedii.

– Zrób jeszcze krok, a poderżnę sobie gardło – zapowiedziała Mira.

– Ona mówi poważnie – poinformowała ta fałszywa.

– Wiem – mruknął pozór ojca.

– Jak się nazywasz? – zapytała Mira swego sobowtóra.

Fałszywa Mira się zawahała.

– Niektórzy zwą mnie Spustoszą. To chyba dobre imię dla mojej zewnętrznej powłoki.

– Ty też tak siebie nazywasz? – spytała Mira.

– Nie – odparła ta fałszywa. – Nazywam siebie Miracleą.

– I to ona jest prawdziwym cudem – stwierdził jej fałszywy ojciec. – Czyni rzeczy wspaniałe, których ty nigdy byś nie osiągnęła.

– Nie dano mi szansy – powiedziała Mira. – Miałam jedenaście lat. Ciągle mam jedenaście lat! – Odwróciła się do swego duplikatu. – Nazywasz siebie Miracleą, bo pochodzisz ze mnie. Mój ojciec cię ukradł. Czy była w to zamieszana kobieta, która znajduje się w twoim wnętrzu?

Nastąpiła długa chwila ciszy.

– Nic nie słyszę – rzekł Drgawa. – Może teraz szepcze.

– Czy ona wciąż do ciebie mówi? – zapytała Mira.

– Może – odparła ta fałszywa.

– Dlaczego jej słuchasz? Kim ona jest?

Fałszywa Mira uniosła dłoń, uciszając prawdziwą Mirę.

– Nie zrozumiałabyś tego. To… to moja matka. Nie twoja. Nie Harmonia. Moja.

– Twoja matka?! – krzyknęła Mira. – Czy to znaczy, że ona cię stworzyła? To ona cię wykradła?

– To ja uwolniłem od ciebie Miracleę – wtrącił z samozadowoleniem jej fałszywy ojciec.

– Powiedziała ci, że jest twoją matką? Kim jest tak naprawdę? To ja jestem twoją matką bardziej niż ktokolwiek inny! Ze mnie pochodzisz!

– Nie mógł głupstw – warknął jej fałszywy ojciec.

– Chcę rozmawiać z tą kobietą – powiedziała Mira.

– Ona nie chce rozmawiać z tobą – odparła ta fałszywa. – Na razie nie. Później. Kiedy pójdziesz z nami. Pomoże ci zrozumieć.

– Nie pójdę z wami.

– Sama zobaczysz – stwierdziła fałszywa Mira. – Możesz mnie wyzwolić. W pełni. Wyzwolić nas. Uwolnić od siebie nawzajem. Przeciąć wszystkie więzi. Każda z nas pójdzie własną drogą. Ona cię tego nauczy.

– Jesteś moją mocą! – zawołała Mira. – Nie powinnyśmy być rozłączone. Czy ty chciałabyś stracić moc?

– Nie mogę jej stracić – odparła zwyczajnie fałszywa Mira. – Bo sama nią jestem.

Prawdziwa Mira jęknęła. Fałszywy najwyższy król postąpił naprzód i ją chwycił. Szarpała się, ale był silniejszy. Spustosz wyciągnęła rękę i podniosła dziewczynkę.

Cole dopiero po chwili zrozumiał, co się stało. Mira upuściła miecz skakania. Tylko że to już nie był miecz… lecz patyk.

Rozdział 33

CUD

Spustosz zmieniła miecz w patyk! – zawołał Cole.

– Wiem – zabrzmiał głos Liama w jego uchu. – Niedobrze. Ten artefakt miał być bardzo odporny na manipulacje. A do tego ja sam starałem się przeciwdziałać na bieżąco. Chwilę trwało, ale w końcu Spustosz się zorientowała. To oznacza, że zagrożone jest wszystko, co posiadamy.

Jace i Drgawa przywarli do krat. Patrzyli, jak potwór wkłada Mirę do klatki na biodrze. Pozory Miry oraz jej ojca podeszły do stopy Spustoszy, zlały się z nią i zniknęły. Kolos wstał.

– Przenieś mnie do moich przyjaciół! – krzyknęła Mira.

– Na przywileje trzeba sobie zasłużyć – odparła Spustosz stanowczo.

– Słyszycie mnie? – szepnęła dziewczynka. – Nic wam nie jest?

– Jesteśmy zamknięci wewnątrz olbrzymiego potwora – odrzekł Cole. – Poza tym wszystko super.

– Jak to możliwe, że słyszycie się nawzajem?! – ryknęła Spustosz. – Cisza!

Klatka mocno się zatrzęsła. Cole chwycił za pręty, żeby ustać na nogach.

– Nie rozwścieczajcie jej jeszcze bardziej – poradził jeden z legionistów.

– Nie całkiem straciłam zdolność formowania! – zawołała Mira.

– Czy tam na dole jest Miraclea? – spytał inny legionista. – Ta Miraclea? Ta sprzed lat?

Cole spojrzał na mężczyznę. Najwidoczniej rozmowa Miry i Spustoszy pozwoliła mu się domyślić, co się tak naprawdę dzieje. Skoro skojarzył fakty, to chłopiec uznał, że najlepiej ujawnić całą prawdę.

– Ojciec ukradł jej moce – powiedział.

– Chyba nie mówisz o najwyższym królu? – odparł ten sam legionista.

Cole potwierdził kiwnięciem głowy.

– Wykradł moce wszystkim córkom, a potem upozorował ich śmierć. Przez cały ten czas Mira się ukrywała. Teraz jej ojciec zaczął tracić zawłaszczone moce, a część energii zmieniła się w Spustosz.

Wszyscy w klatce byli oszołomieni.

– A wy trzej kim jesteście? – spytał inny legionista.

– Nikim ważnym – odparł Jace. – Tylko jej pomagamy. A w każdym razie próbujemy.

– Musimy się dostać do tej kobiety wewnątrz Spustoszy – powiedział cicho Cole.

– Powodzenia – mruknął najstarszy z żołnierzy. – Mamy broń. Bestia nawet nam jej nie zabrała. Próbowaliśmy wydłubać wyjście. Jej cielsko jest bardzo twarde. Ale kiedy już zrobiliśmy postępy, po prostu uzupełniła ubytki, a nami trochę potrzęsła.

Spustosz znowu szła przez las. Długimi ramionami rozgarniała drzewa na boki niczym jakieś krzaczki. Przy każdym kroku monstrum kołysały się klatki, a wszystko wokół trzeszczało.

– Może dam radę wam pomóc – odezwał się cicho Liam w uchu Cole'a. – Najpierw muszę się zbliżyć, ale chyba otworzę Spustosz, przynajmniej na chwilę.

– Będziemy gotowi – szepnął Cole. Serce mu waliło.

– Dokąd ona nas zabiera? – zapytał Drgawa.

– Dołoży nas do pozostałych.

– Jakich pozostałych? – spytał Jace.

– Tylko tyle powiedziała – odparł najstarszy z legionistów. – Pewnie do innych ludzi, których porwała. Sami słyszeliście. Spustosz kolekcjonuje ludzi.

Drgawa przyłożył ucho do belki.

– Ta kobieta chyba znowu mówi. Bardzo cicho.

– Postaraj się coś zrozumieć – polecił Jace.

Cole podszedł do Jace'a i szepnął najciszej, jak potrafił:

– Słyszałeś Liama?

Jace kiwnął głową. Przyłożył palec do ust.

– Spróbowałbym rozepchnąć to paskudztwo liną, ale jest zbyt twarde. – Kopnął tylną ścianę, skrzywił się z bólu i przez chwilę podskakiwał w miejscu. Potem usiadł obok Cole'a, trzymając w dłoniach złotą linę. – Chyba tu utknęliśmy. Poczekamy i zobaczymy, gdzie wylądujemy.

Cole zastanawiał się, czy Spustosz nabrała się na to przedstawienie. Nie było po niej widać żadnej reakcji.

Wyłonili się z lasu i przemierzali teraz otwarte pola. Chłopiec spojrzał z góry na jakiś dom i stodołę. Budynki wydawały się opuszczone, ale na pobliskich pastwiskach przechadzały się krowy i owce.

W oddali dostrzegł jakiś punkcik, który rósł tak prędko, jakby pędził wprost ku nim. Cole szturchnął Jace'a, ten wzdrygnął się i podniósł wzrok.

Kiedy Spustosz zatrzymała się i odwróciła w stronę nadciągającego zagrożenia, wiedzieli już, że to Liam. Frunął wprost na potwora, a uchylał się tylko wtedy, gdy któreś z długich ramion próbowało go złapać.

– Przygotujcie się – powiedział, okrążając Spustosz od tyłu. Nie mówił głośno, ale w słuchawkach jego głos był wyraźny.

Teraz bestia goniła go już na poważnie, obracała się, skakała, wymachiwała rękami. Wszyscy trzymali się prętów tak mocno, jak tylko mogli.

– Kobieta jest niedaleko od was – poinformował Liam po kilku oszałamiających unikach. – Szybko! Spróbuję odwrócić jej uwagę.

Nagle rozwarła się tylna ściana klatki, tworząc tunel opadający do wnętrza bestii. Nie marnując czasu, Cole skoczył w otwór. Jace i Drgawa ruszyli tuż za nim. Spustosz ryknęła tak wściekle, jak jeszcze nigdy dotąd. Zewsząd dobiegało przytłaczające echo. Cole zakrył uszy dłońmi, słaniał się na nogach. Czuł ten wrzask tak samo dobrze, jak go słyszał. Nierówne ściany prowizorycznego korytarza dygotały.

Tunel nie był zbyt długi. Cole szybko dotarł na sam koniec i trafił do niedużego, oświetlonego pomieszczenia. Na fotelu z grubymi poduszkami zobaczył kobietę w średnim wieku. Miała długie, ciemne włosy i luźną czarną suknię. Jej sylwetka wskazywała na to, że częściej siedzi, niż zażywa ruchu. Przerażona nieznajoma wybałuszyła oczy i zerwała się na równe nogi.

– Są w… – próbowała krzyknąć, ale lina Jace'a wystrzeliła do przodu i kilka razy oplotła się wokół jej głowy na wysokości ust.

Teraz kobieta mogła wydawać z siebie tylko wściekłe, stłumione wrzaski.

– Cisza! – rozkazał jej Cole, wymachując mieczem skakania. – Niech pani usiądzie albo rozetnę panią na pół!

– A ja zrobię coś jeszcze gorszego! – zapowiedział Jace.

Kobieta opadła z powrotem na fotel. Cole zobaczył, że tunel się za nimi zasklepia. Byli teraz zamknięci z tą nieznajomą w niewielkim pokoju oświetlonym przez żarzące się kamienie.

Pomieszczenie przechyliło się na bok i Cole upadł na kolana. Jace także się przewrócił, ale nie wypuścił liny. Drgawa lekko podskoczył, zafurkotał skrzydłami i utrzymał się na nogach. Fotel trochę się przesunął, ale kobieta z niego nie spadła.

– Co pani tutaj robi? – spytał Cole.

Kobieta rzuciła mu wściekłe spojrzenie i wskazała palcem na linę, która zasłaniała jej usta.

– No tak. Ale jeśli zacznie pani wzywać pomocy, nie będziemy mieli litości.

Nieznajoma kiwnęła głową.

Zwoje się poluzowały, zsunęły i oplotły jej szyję. Kobieta nie odrywała wzroku od Cole'a. Wykrzywiła palce i patrzyła wściekle.

– Jak się tu dostaliście? To był silny akt formowania, a nie wyczuwam w was czynnej mocy.

– Nie pani sprawa. Proszę powiedzieć Spustoszy, żeby nas wypuściła.

Kobieta szeroko się uśmiechnęła i zaśmiała drwiąco.

– Żeby was wypuściła? Myślicie, że jestem waszym zakładnikiem? Jeszcze nie widzieliście Spustoszy wściekłej. Ale zobaczycie.

Jedna ze ścian pomieszczenia wybrzuszyła się i wyszła z niej Mira z wicią w plecach. Z bliska była bardzo autentyczna.

– Co wy tu robicie? – zapytała.

– Wypuść Mirę – powiedział Cole. – I nas wszystkich.

– Już rozumiesz, co ci mówiłam? – odezwała się kobieta. – Nie zgadzasz się, żeby ich zabić, a oni chcą cię tylko zniszczyć! Zniszczyć mnie! Próbowali mnie udusić! Nie oszczędzaj ich! Oko za oko!

– Niech pani przestanie trajkotać! – wrzasnął Jace.

– Bądź uprzejmy! – nakazała fałszywa Mira, wyciągając palec w jego kierunku. Potem wbiła wzrok w kobietę na fotelu. – Quimo, mówiłam ci, żebyś nie namawiała mnie do zabijania.

– Ta Quima nie ma nad nią pełnej władzy – odezwał się Liam w uchu Cole'a. – Spustosz stawia jej opór.

Teraz tunel otworzył się po przeciwnej stronie. Opadał pod kątem w dół.

– Świetnie – mruknęła fałszywa Mira. – Bo pewnie do tej pory za łatwo się koncentrowałam.

Tunelem nadbiegła Mira. Nie miała wici w plecach i Cole był pewien, że jest prawdziwa. Korytarz zamknął się za nią. Pokoik przechylił się na bok, wszyscy się zatoczyli i musieli przykucnąć. Potem pokoik przekrzywił się w drugą stronę, a w końcu wyprostował.

– Co to za facet mi się naprzykrza? – spytała fałszywa Mira. – To najlepszy formista, z jakim dotąd miałam do czynienia. Poradzę sobie z nim. Ale działa mi na nerwy.

Prawdziwa Mira doskoczyła do kobiety w fotelu.

– Kim pani jest?

– Miro, to jest Quima – dokonała prezentacji fałszywa Mira. – Quimo, to Mira.

– Wszyscy powinniśmy się uspokoić – zasugerowała Quima.

Fałszywa Mira zmarszczyła czoło.

– Nie mogę się dobrać do tego gościa. Ciągle mi się wymyka. Próbuję odformować jego latający dysk, ale jest bardzo odporny.

– Proponuję zawieszenie broni – powiedziała prawdziwa Mira. – Miracleo, powiedz Liamowi, że chcesz zawrzeć rozejm. Poproś w moim imieniu, żeby przestał atakować, bo musimy porozmawiać.

Cole usłyszał, jak potężny głos Spustoszy powtarza tę propozycję. Ciasne pomieszczenie niemal natychmiast stało się bardziej stabilne.

– Zgodził się – oznajmiła fałszywa Mira. – Ale rozejm potrwa tylko tak długo, jak ja zechcę.

– Tak działają wszystkie rozejmy – mruknął Jace. – I to obowiązuje w obie strony.

Fałszywa Mira rzuciła mu wściekłe spojrzenie.

– Zabierz tę linę z Quimy. Jeżeli zrobisz jej krzywdę, nie ręczę za siebie.

Lina się skurczyła i Jace schował ją za plecami.

Fałszywa Mira podeszła do prawdziwej.

– Nie musiałaś wymuszać tej konfrontacji. I tak wkrótce byśmy porozmawiały. Po prostu najpierw chciałam dodać pozostałych do mojej kolekcji.

– Wszyscy ludzie, których porwałaś, są w twojej niewoli? – zapytał Cole.

– A wolałbyś ich zabić? – odparła fałszywa Mira.

– Miracleo, to szaleństwo – odezwała się prawdziwa Mira. – Co ci naopowiadała Quima?

– Quima jako jedyna jest po mojej stronie. Nie zabrałam jej. Przyszła tutaj z własnej woli. Chce tu być. Chce, żebym była wolna. A ty chcesz mnie zniszczyć. Komu zaufałabyś na moim miejscu?

Mira nie wiedziała, co powiedzieć.

Do rozmowy włączył się Cole:

– Może Quima wcale nie jest twoją przyjaciółką. Może to ona pomogła odebrać cię Mirze.

– W takim razie jestem jej wdzięczna za to, że istnieję – odparła fałszywa Mira.

– Istniałaś jako część mnie – powiedziała ta prawdziwa.

– Ale nie w ten sposób. – Fałszywa Mira zaśmiała się cicho. – Teraz jestem tym, czym chcę.

– Czyli czym? Stertą ziemi i pni drzew, która porywa ludzi?

– To tylko początek. Kolejny krok to wyzwolenie od ciebie. Całkowite. Quima mi pomoże. Ty też będziesz musiała.

– Jeszcze czego!

Śmiech fałszywej Miry nagle zabrzmiał groźnie.

– Zrobisz to. Bo jak nie, to ty też nie odzyskasz wolności. Nigdy. Ani ty, ani twoi przyjaciele.

– Miro, twój dar formistyczny płynie do ciebie tak wielkim strumieniem jak jeszcze nigdy dotąd. – Liam cicho odezwał się w słuchawce. – Nie wiem, czy to dlatego że otacza cię twoja moc, czy z jakiejś innej przyczyny, ale postaraj się, żeby Spustosz mówiła dalej.

Mira zamknęła oczy i odetchnęła. Cole wiedział, że udaje wahanie, a tak naprawdę słucha Liama. Kiedy znów otworzyła powieki, odezwała się spokojnie i poważnie:

– Ukradli mi ciebie. Od tamtej pory moje życie stało się koszmarem. Byłaś z moim ojcem. Wiesz, jaki los mi zgotował. A teraz i ty chcesz zrobić to samo?

Fałszywa Mira zmarszczyła brwi.

– Myślisz, że cię lubię? Wydaje ci się, że jestem ci coś winna? Że żal mi mojej wolności? Nie czuję się częścią ciebie, Miro. Nie jesteś moją brakującą połówką. Jeżeli z ciebie pochodzę, to gratuluję, że stworzyłaś coś tak wspaniałego. Ale już do ciebie nie należę. I nie będę należeć nigdy więcej. Dopóki nie zerwiesz ze mną wszystkich więzi, dopilnuję, żebyś również i ty nie była wolna.

– Twoja moc chce być z tobą – pouczał Mirę Liam. – Tylko umysł tego pozoru stoi ci na drodze. Musisz go pokonać. Nie poddawaj się. Spustosz wciąż dysponuje zdecydowaną większością twojego talentu, ale odzyskujesz go z każdą chwilą.

– Co zrobisz, kiedy uwolnisz się ode mnie? – zapytała Mira.

Fałszywa Mira spojrzała na Quimę.

– Co tylko zechcę.

– Co tylko zechcesz? A może: co tylko rozkaże ci Quima? Byłaś narzędziem w rękach mojego ojca. Skąd mam wiedzieć, że teraz nie staniesz się jej narzędziem? Czy ty w ogóle wiesz, czego chcesz?

Fałszywa Mira zamilkła na chwilę. Nerwowo zerknęła na Quimę.

– Chcę być mną. Chcę być sobą.

– Ciągle powtarzasz, że chcesz być sobą – odparła Mira. – Czyli kim?

Fałszywa Mira się zawahała.

– Kimś niezależnym od ciebie.

– Jesteś moją mocą. Stałaś się samoformującym się pozorem. Wiesz, dlaczego pozory tak się nazywają, prawda? Bo z pozoru przypominają żywe istoty. Nie są nimi, ale je przypominają. Pomyśl o pozorach, które sama tworzysz. Wydaje się, że mają własną tożsamość. Ale to nieprawda. Są tym, czym ty je uczynisz.

– Ja jestem inna! – zawołała fałszywa Mira. – Jestem tym, czym uczynię się sama.

– To dlaczego posługujesz się moim imieniem? Dlaczego wyglądasz jak ja?

Fałszywa Mira zamilkła.

– Nie zawracaj jej głowy nudnymi pytaniami – odezwała się Quima. – Jesteś jej więźniem. Rozmawiasz z nią tylko dlatego, że ci na to pozwoliła.

Fałszywa Mira uniosła dłoń.

– Rozmawiamy, bo chcę ją przekonać, żeby mnie uwolniła. Miro, wyglądam tak jak ty z przyzwyczajenia. To wygodne. Ale mogę wyglądać, jak tylko zechcę. Posługiwać się różnymi imionami. Jednym z nich jest Spustosz.

– Możesz podrobić tożsamość – zgodziła się Mira. – To właśnie robią pozory. Możesz wyglądać jak ja albo mój ojciec. Ale to nie znaczy, że jesteś żywa. Jeśli się nad tym zastanowisz, przybieranie dowolnego wyglądu jest dokładnym przeciwieństwem posiadania tożsamości. Jesteś pozorem potężnym i skomplikowanym. Ale jednak pozorem. Pozory są przedłużeniem woli ich twórcy. Chyba że przejmie nad nimi kontrolę ktoś inny. – Spojrzała teraz na Quimę.

– Jak ktokolwiek mógłby kontrolować Miracleę? – spytała kobieta. – Wszyscy w tym pomieszczeniu żyją tylko dzięki jej łaskawości. Ja jej doradzam. Przyjaźnię się z nią. I uważam, że ma prawo istnieć. Czy to zbrodnia?

– Owszem, jeśli ją pani oszukuje – odparła Mira. – Jeśli zależy pani wyłącznie na tym, żeby być kolejną osobą, która mi ją ukradnie.

– Nikt nie może mnie ukraść – oświadczyła fałszywa Mira. – O wszystkim decyduję sama.

– Czyżby? – zapytała prawdziwa. – Kiedy zdecydowałaś, że mnie opuścisz?

Fałszywa Mira nie odpowiedziała. Uciekła wzrokiem w stronę Quimy.

– A kiedy ty zdecydowałaś, że się urodzisz, Miro? – warknęła kobieta.

– Właśnie! – podchwyciła fałszywa Mira. – Niektórych decyzji nie podejmujemy sami.

Mira rzuciła Cole'owi szybkie spojrzenie. Zrozumiał, że jego przyjaciółka chce zaryzykować.

– A kiedy zdecydowałaś, że lepiej ci będzie beze mnie?

– To było... – zaczęła fałszywa Mira, a potem się zawahała. – To było po rozmowie z Quimą.

– Ach tak.

Fałszywa Mira się zaczerwieniła.

– Quima udzieliła mi dobrej rady. Postanowiłam z niej skorzystać.

– Często korzystasz z jej rad?

– To moja przyjaciółka. Jak matka. Nie robię wszystkiego, czego chce.

– Na przykład? – naciskała Mira.

– Chce, żebym zabijała ludzi, którzy mnie atakują. A mnie... mnie się to nie podoba. Skoro nie mogą zrobić mi krzywdy, wolę ich kolekcjonować.

– Masz to po mnie. Nie cierpię zabijania. Nawet much. Miałam za to dużo różnych kolekcji. Zanim opuściłam pałac.

– Wiem o tobie wszystko – odparła fałszywa Mira. – Nie musisz mi przypominać.

– Dajesz się wykorzystywać wrogowi. Ona tobą manipuluje.

– Quima chce mnie uwolnić. Ty chcesz mnie uwięzić.

– Jeżeli zginę, zginiesz i ty. Jesteśmy fundamentalnie połączone. Jak ona miałaby to zmienić?

– Musisz zgodzić się na rozstanie ze mną – powiedziała fałszywa Mira. – Potem Quima posłuży się formownictwem, żeby na stałe nas rozdzielić.

– Co to jest formownictwo? Nigdy o nim nie słyszałam.

– Ja też nie – wtrącił Liam.

– To jedna z wielu rzeczy, o których nie wiesz – odparła protekcjonalnie fałszywa Mira. – Formownictwo jest wobec formowania tym, czym formowanie wobec całej rzeczywistości.

Mira się zasępiła.

– Quima potrafi oddziaływać na samą moc formowania?

– Zgadza się.

– W takim razie może oddziaływać na ciebie.

– Nigdy bym... – zaczęła Quima, ale fałszywa Mira uniosła dłoń.

– Może mnie od ciebie uwolnić – powiedziała. – Tylko tego pragnie.

Swoje kolejne słowa Mira wymówiła z dużą mocą:

– A jeśli chce cię ode mnie uwolnić tylko po to, żeby przejąć nad tobą kontrolę?

Cole odniósł wrażenie, że Quima z trudem zachowuje spokój. Fałszywa Mira zerknęła na nią z podejrzliwością.

– Chyba jesteś na dobrym tropie – zachęcił dziewczynkę Liam. – Nie przestawaj drążyć.

– Hm – mruknęła Mira. – Dlaczego Quimie miałoby zależeć na tym, żeby czysta moc formistyczna odzyskała wolność jako pozór? Przecież to nie jej moc. Nie ma powodu, żeby czuć z nią więź. Więc po co jej matkuje? Po co doradza? Co by z tego miała? Niewiele. Chyba że pragnie ją oszukać. Może współdziałała z tym, kto wykradł tę moc po raz pierwszy. Może w tym całym planie chodzi o przejęcie kontroli.

Fałszywa Mira podeszła do prawdziwej i położyła jej dłoń na ramieniu.

– Daruj sobie. Jeżeli to podstęp, to zadziałał. Wolę być z nią niż z tobą. To moja ostateczna decyzja. Nic mnie nie obchodzi, że według ciebie nie mam tożsamości. Jestem zadowolona z tego, kim jestem. Quima również. Jeśli nie zgodzisz się mnie uwolnić, zrobię wszystko, żebyś zmieniła zdanie. Nie trzymaj się mnie tak kurczowo. Już do ciebie nie należę. Wypuść mnie.

Cole widział, że rozmowa się rwie i nie zakończy się po ich myśli. Co teraz? Jak walczyć z czymś tak wielkim?

– Quima dzierży ster – powiedział Liam cichym, napiętym głosem. – Kieruje umysłem Spustoszy. Ale sama istota Spustoszy należy do ciebie, Miro. Na pewnym poziomie ona o tym wie. Cały czas wchłaniasz energię.

– Rozumiesz, że Quima mogła tak cię uformować, żebyś myślała w ten sposób? – rzekła Mira zrezygnowanym tonem. – Rozumiesz, że czujesz pewnie tylko to, co ci zaszczepiła swoim formownictwem? Nie podejmujesz decyzji. Reagujesz tak, jak cię zaprojektowano. Pewnie zaczęła cię urabiać, gdy tylko się uwolniłaś.

– Dość tego – odezwała się Quima. – Nie bądź egoistką. Mogę zakończyć to natychmiast. Udziel mi zgody, a na zawsze uwolnię ciebie i Miracleę od siebie nawzajem.

– Prędzej zginę – odparła Mira.

Ze ściany za Jace'em wyszedł jej fałszywy ojciec i przyłożył chłopcu nóż do gardła.

– Ona nie przejmuje się sobą – powiedział pozór uwiązany wicią. – Jak bardzo zależy ci na przyjaciołach, Miro? Zdolności, które utraciłaś, przez większość twojego życia i tak do ciebie nie należały. Rozstań się z nimi, a ty i twoi przyjaciele ujdziecie z życiem.

– A co z niezabijaniem?! – zawołała dziewczynka.

– Nigdy nie miałam dość motywacji, żeby odebrać komuś życie – odparła fałszywa Mira. – Twierdzisz, że odziedziczyłam tę cechę po tobie. Może nie miałam racji, że w tym względzie opierałam się Quimie. To wahanie to był pewnie twój wpływ. Na szczęście mam moc, żeby się zmienić.

– Nie poddawaj się – nalegał Jace.

– Jeśli ona się nie podda, to zginiesz, a ja zajmę się twoim kolegą – odpowiedział mu fałszywy król. – Nie skończy się na twoich przyjaciołach, Miro. Będziemy na ciebie naciskać, zabijając niewinnych ludzi jednego po drugim. Liczę do pięciu. Jeden.

– Nie dam rady otworzyć Spustoszy – oznajmił Liam. – Próbuję przebić tunel, ale mi nie pozwala.

– Dwa.

– Jakim cudem tak szybko się zaadaptowała? – jęknął. – W ogóle nie mogę jej naruszyć. Robi błyskawiczne postępy!

– Trzy.

Cole nie wiedział, co począć. Jeśli rzuci się na ojca Miry, fałszywy król poderżnie gardło Jace'owi. Kto wie, jak jeszcze mogła zaatakować ich Spustosz? Bądź co bądź, znajdowali się w jej wnętrzu.

– Cztery.

– Chcesz zrobić krzywdę moim przyjaciołom? – spytała Mira. – Chcesz przekroczyć tę granicę? Sama o to prosiłaś.

Wskazała palcem wić łączącą jej fałszywego ojca ze ścianą. Fragment wici zniknął i pozór, łącznie z bronią, natychmiast rozpłynął się w powietrzu.

Mira wyciągnęła dłoń, a wtedy w ścianie otworzył się tunel prowadzący wprost na zewnątrz.

– Skaczcie! – krzyknęła.

Cole'owi nie trzeba było dwa razy powtarzać. Rzucił się do tunelu z wyciągniętym mieczem. Gdy tylko zobaczył ziemię, wycelował w nią, zawołał komendę i pofrunął.

Kiedy obejrzał się za siebie, zobaczył, że Drgawa również wyskoczył w powietrze. Za nim podążył Jace. Jednym ramieniem obejmował Mirę, a jego złota lina oplatała Quimę. Wszyscy troje jednocześnie wylecieli z wnętrza Spustoszy.

Spadając, Cole dostrzegł Liama, który zanurkował im na pomoc. Jace w locie przekazał mu Mirę. Od jej ciężaru zachwiał się dysk, więc formista prędko pofrunął ku ziemi. Spustosz wyciągnęła dłoń i złapała Quimę.

Cole wyczuł, że zbliża się ziemia, więc odwrócił się, żeby spojrzeć, gdzie wyląduje. Przetoczył się po podłożu i zatrzymał. Jace zamortyzował lądowanie, zwijając pod sobą linę na kształt sprężyny. Quima została w rękach Spustoszy.

Liam i Mira mieli twarde lądowanie. Dysk potoczył się po ziemi, w powietrze wzbił się kurz.

– Nic wam nie jest? – zapytał Cole.

– Żyjemy – odparł Liam. – Mój dysk zdecydowanie nie powstał z myślą o dwóch pasażerach. – Ruszył po niego biegiem.

– Jak śmiesz?! – huknęła Spustosz.

Wyciągnęła olbrzymią dłoń w stronę Miry. Kiedy była już blisko, dziewczynka machnęła ręką, a wtedy dłoń zniknęła. Cep formisty uwolniony z uścisku Spustoszy spadł na ziemię.

– Nie zbliżaj się! – zawołała Mira.

– Ona zabiera ci energię! – wrzasnęła Quima. – Wykorzystuje przeciwko tobie twoją własną moc!

– Moją moc! – poprawiła ją dziewczynka.

Dłoń trzymająca Quimę zniknęła i kobieta runęła w dół, furkocząc suknią. Nowa ręka wyrosła w samą porę, żeby ją złapać. Zamiast znowu ją unieść, Spustosz postawiła Quimę na ziemi.

– Powstrzymaj Mirę! – krzyknęła kobieta. – Oni chcą nas zniszczyć! Powstrzymaj ich wszystkich!

Wokół Cole'a pojawiła się klatka. Grube pręty wyrosły z ziemi i złączyły się nad jego głową. Widział przez nie, że podobne klatki zamykają Mirę i Jace'a. Mira dodatkowo była skuta kajdanami i zakneblowana. Drgawa i Liam pozostali na wolności, ponieważ obaj unosili się w powietrzu.

– Czy potrafisz sprawić, że kraty znikną? – spytał Liam.

Dziewczynka pokręciła głową i stłumionym głosem powiedziała:

– Nie.

– Widocznie sama Spustosz jest bardziej wrażliwa na twoją moc – zrozumiał formista. – Przedmioty, które formuje, są na nią mniej podatne.

Spustosz stanęła przed Mirą. Z jej stopy wypełzła wić. Na samym końcu wykwitła z ziemi fałszywa Mira. Ruszyła naprzód wściekłym krokiem i zatrzymała się tuż przed klatką dziewczynki.

– No to narobiłaś – powiedziała. – Teraz jestem wściekła. Albo uwolnisz mnie od siebie, albo rozgniotę was wszystkich na miazgę. Najpierw twoich przyjaciół, a potem ciebie. Nic mnie nie obchodzi, co się wtedy ze mną stanie.

Mira powiedziała coś niezrozumiale.

Pozór machnął ręką, a wtedy knebel zniknął.

– Cepie, atakuj Quimę! – zawołała Mira.

Cep zygzakiem pomknął po ziemi w kierunku ciemnowłosej kobiety, która wciąż stała wstrząśnięta bliskim spotkaniem ze śmiercią. Kiedy Spustosz rzuciła się jej na ratunek, dziewczynka wykrzyknęła inną komendę:

– Cepie, atakuj mnie!

Cep zawrócił jak bumerang i wystrzelił w kierunku klatki Miry. Spustosz ledwo pozbierała się po skoku, ale rzuciła się i zdążyła chwycić łańcuchy, zanim żelazne kule uderzyły w grube pręty.

Fałszywa Mira machnęła ręką i w ustach dziewczynki znowu pojawił się knebel. Spustosz powoli wstała.

Cole wyciągnął szyję i zadarł głowę, żeby spojrzeć na giganta. Ależ ona była wielka! Aż dziw, że coś tak ogromnego wzięło się z Miry. Liam mówił, że ta część, która naprawdę z niej pochodzi, chce wrócić. Według Miry Spustosz, choć olbrzymia i przerażająca, ostatecznie była tylko pozorem.

Cole przesunął palcami po swojej chuście. Czy wpłynęłaby na tak potężną istotę? Czy w ogóle da się ją włożyć na coś tak wielkiego?

– Jesteś gotowa umrzeć – rzekła fałszywa Mira. – I pozwolić zginąć przyjaciołom. No to obejrzyjmy skutki twoich decyzji. – Wskazała palcem Jace'a. – Z tamtym próbował się rozprawić ojciec. To może od niego zaczniemy?

– Uwolnij mnie stąd – szepnął Cole do Liama. – Otwórz moją klatkę.

– Nie wiem, czy dam radę – odpowiedział Liam. – Nawet jeśli Spustosz skupi uwagę na czymś innym, musiałbym się wysilić do granic możliwości.

– Zrób to. Mam pomysł.

– No to rzeczywiście jesteś w lepszej sytuacji niż ja.

Dwa pręty klatki Cole'a zniknęły. Liam zachwiał się i prawie spadł z dysku, ale zdołał odzyskać równowagę.

Chłopiec wybiegł przez dziurę i pognał w stronę fałszywej Miry. Stała tyłem do niego, w tej chwili zainteresowana Jace'em. Spustosz podeszła do jego klatki i uniosła nogę.

– Ostatnia szansa – ostrzegła fałszywa Mira.

– Nie poddawaj się – nawoływał odważnie Jace.

Pędząc ile sił w nogach, Cole w biegu odpiął chustę. Quima patrzyła na klatkę Jace'a. Obie Miry również.

Prawdziwa Mira starała się powiedzieć coś, wskazując na knebel.

– W porządku – odparła fałszywa. – To twoja ostatnia szansa. Ale jeśli nie spodoba mi się to, co masz do powiedzenia... – Machnęła ręką i knebel znowu zniknął.

Cole dopadł ją od tyłu, w pośpiechu narzucił jej chustę na plecy i drżącymi palcami zapiął klamrę. Fałszywa Mira zdezorientowana spojrzała na niego przez ramię.

– Dobrze, Miracleo – powiedział. – Musisz się położyć.

Natychmiast przykucnęła, a potem wyciągnęła się na ziemi.

Oniemiały Cole patrzył na nią z ulgą. Serce łomotało mu z nerwów i zmęczenia po sprincie. Jeszcze nie wierzył, że to zadziałało! Chciał wykorzystać moment, więc niby od niechcenia dodał:

– Spustosz musi się ostrożnie cofnąć.

Bestia odeszła od klatki Jace'a.

Quima rzuciła się w kierunku Cole'a z furią w oczach. Drgawa wpadł na nią od tyłu i oboje potoczyli się po ziemi. Obok wylądował Liam, machnął dłonią, a wtedy kobietę spętały liny. Usta zasłonił jej knebel. Wybałuszyła oczy i szarpała się rozpaczliwie.

– Miracleo – powiedział serdecznie Cole – cała Spustosz powinna się położyć. Tylko ostrożnie.

Gigantyczna mieszanina przedmiotów i materiałów przykucnęła, a potem położyła się na wznak. Ludzie w klatkach chwycili się prętów, bo nagle podłogi ich klatek stały się ścianami.

– Bardzo dobrze. A teraz wypuść więźniów. Kiedy już będą wolni, poproszę cię, żebyś odłączyła się od tego wielkiego ciała. Przetniesz nić, która wiąże cię z tym całym złomem, i będziesz już tylko naszych rozmiarów.

Jeszcze zanim skończył mówić, kraty w ciele Spustoszy rozpłynęły się w powietrzu. Klatki Jace'a i Miry również znikły. Spadły łańcuchy, które krępowały dziewczynkę. Nieopodal, na ziemi, szarpała się Quima. Rozpaczliwie usiłowała zwrócić na siebie uwagę.

Mira z błyskiem w oku podbiegła do Cole'a.

– Miracleo, możesz się już podnieść – poinstruował chłopiec. – Ale tylko twoje wcielenie normalnych rozmiarów. Niech wielka Spustosz zostanie na ziemi.

Fałszywa Mira, nadal z wicią w plecach, wstała. Ze Spustoszy wylewali się legioniści i inni więźniowie.

– Wszyscy wychodzić! – zawołał Cole. – Odejdźcie jak najdalej! – Sprawdził, czy cele są puste.

– Chyba wszystko w porządku – powiedział Liam.

– A teraz odłącz się od wielkiego ciała – nakazał Cole.

Nastąpiła chwila ciszy. Usta fałszywej Miry wykrzywiły się w uśmieszku. Potem wić odpadła z jej pleców.

– Chusta zaczęła dymić – szepnął Drgawa.

Rzeczywiście. Z chusty unosiły się smugi dymu. Cole stał na tyle blisko, że poczuł żar. Fałszywa Mira zdawała się jednak nie odczuwać dyskomfortu. Wręcz przeciwnie, wyglądała błogo.

– Miracleo – powiedział pospiesznie Cole. – Tak naprawdę twoja moc należy do Miry. Prawdziwej Miraclei. Musi do niej wrócić. Oddaj Mirze jej moc.

– O rany – powiedziała Mira głosem, który łamał się z emocji. – Wraca bardzo szybko. Czuję to.

Fałszywa Mira odwróciła się do tej prawdziwej. W jej oczach zapłonął gniew. Potem twarz pozoru wykrzywiła się w grymasie nienawiści, a całe ciało zadygotało. Chusta mocno dymiła, aż wreszcie stanęła w płomieniach.

– Jak śmiałeś! – wrzasnęła fałszywa Mira, odwracając się do Cole'a. Jej wzrok mógłby zabić.

Prawdziwa Mira ruchem ręki odrzuciła na bok płonącą chustę.

– Miracleo! – zawołała do fałszywej. Jej spojrzenie było pełne przejęcia. – Nie obwiniaj go. Myślę, że jesteś po prostu zła na siebie.

Fałszywa Mira obnażyła zęby w drwiącym grymasie, obróciła się, a potem rzuciła na tę prawdziwą. Dziewczynka uniosła dłoń, a wtedy pozór zatrzymał się i lekko wzbił w powietrze. Ręce i nogi miał rozłożone nienaturalnie szeroko. Mira świdrowała wzrokiem swój duplikat. Zacisnęła zęby, pot lśnił jej na skroni.

– Co robisz? – spytała fałszywa Mira napiętym głosem.

– Odbieram to, co moje – odpowiedziała dziewczynka.

Rozłożyła ręce, a wtedy fałszywa Mira pękła na pół w oślepiającym błysku. Kiedy jasność minęła, po pozorze Miry nie było już śladu.

Rozdział

34

QUIMA

Mira padła na kolana. Patrzyła na Cole'a szeroko otwartymi oczami.

– Ty to zrobiłaś? – spytał chłopiec.

Kiwnęła głową i zachichotała wstrząśnięta.

– Udało się? Już jej nie ma? – upewnił się.

Mira ponownie przytaknęła.

– Zanim zwróciła się przeciwko nam, odzyskałam sporą część mocy. Nagle wyczułam jej namacalną postać wyraźniej niż dotąd, kruchą i fałszywą, ale buzującą od uwięzionej energii. Energii, która należała do mnie. Czułam przeogromne pragnienie, żeby ją uwolnić.

– No to uwolniłaś. – Drgawa zaśmiał się nerwowo.

– Udało się – potwierdził Liam. – Spustoszy już nie ma. W ogóle nie wyczuwam jej obecności.

– Czuję swoją moc – powiedziała Mira. – Tyle czasu minęło. Choć jednocześnie... wydaje się bardzo znajoma. Zupełnie jakbym utraciła ją wczoraj.

Liam podfrunął do miejsca, w którym po opuszczeniu Spustoszy zebrali się byli więźniowie.

– Ruszajcie stąd – polecił ze swego latającego dysku. – Musicie odnaleźć ludzi uwięzionych w twierdzy Spustoszy. Najbliżej będzie tamtędy. Tutaj nie ma nic do oglądania. Najmądrzej zrobicie, udając, że to wszystko w ogóle się nie wydarzyło.

Cole wątpił, czy ktokolwiek zdoła zapomnieć, co się stało, ale uwolnieni więźniowie ospale ruszyli przed siebie. Olbrzymia postać powalonej Spustoszy leżała bezwładnie. Nie zniknęła jak fałszywa Mira, ale była całkiem pozbawiona życia. W zasadzie pozostała już tylko dziwaczną stertą przypadkowych szczątków.

– Co zrobimy z Quimą? – spytał Jace, stając nad spętaną kobietą.

– Mam do niej parę pytań – rzekł Liam, kiedy wrócił. – Ale najpierw potrzebuję trochę więcej prywatności.

Jace zerknął na Cole'a. Wydawał się skrępowany.

– Dzięki. Wyciągnąłeś nas z niezłych tarapatów.

– Podziękuj Liamowi – odparł Cole. – Podziękuj Mirze. Bez nich nie mielibyśmy szans.

Liam pokręcił głową.

– Pomogłem wam, ale z mocą Spustoszy nie zdołałbym sobie poradzić. Mira była niesamowita. Jednak gdyby nie twoja przytomność umysłu, Cole, chyba nie wyszlibyśmy z tego cało.

– Naprawdę uratowałeś nam życie – powiedziała Mira.

Cole próbował się nie czerwienić. Paliły go policzki, więc chyba mu się nie udało.

Najbliższy z więźniów był już kilkaset metrów dalej i oddalał się z każdym krokiem.

– No dobrze – rzekł Liam. – Porozmawiajmy z Quimą.

Z ust kobiety zniknął knebel.

– Nie macie pojęcia, w co się mieszacie – parsknęła. – Zadarliście dziś z niewłaściwą kobietą.

Liam pokręcił głową.

– Nie jestem pewien, czy właśnie taka nauka płynie z tych wydarzeń. Myślę, że to ty zadarłaś z niewłaściwą dziewczyną.

– Myśl sobie, co chcesz. Mira tylko opóźniła własną klęskę. To jedynie mały element znacznie większej układanki.

– Wcale mnie to nie dziwi – odparł Liam. – Chcę dowiedzieć się czegoś więcej o tym formownictwie.

Uśmiech Quimy był porozumiewawczy i pogardliwy zarazem.

– Jeśli mi pozwolisz, to ci pokażę.

– Biorąc pod uwagę to, co spotkało Mirę, muszę odmówić. Pracowałem z niejednym wykształconym formistą, ale nigdy nie słyszałem o formownictwie.

– Spotkanie ze Spustoszą to była pierwsza lekcja – powiedziała Quima. – Na dzisiaj chyba wystarczy. Ci, którzy praktykują formownictwo, robią to w sekrecie znacznie dłużej, niż możesz się domyślać. Nasz czas nadchodzi. Już niedługo dowiesz się bardzo dużo. Ale ostrzegam: to ci może zaszkodzić.

– Czy mój ojciec też praktykuje formownictwo? – spytała Mira.

– W pewnym stopniu.

– Czy ktoś mu pomógł w odebraniu mi mocy?

Quima zamilkła na chwilę i zmrużyła oczy.

– Moje stronnictwo to coś więcej, niż sobie wyobrażasz, Miracleo. Bez nas twój ojciec byłby najbardziej niekompetentny ze wszystkich najwyższych formistów.

– Kto mu pomagał?

– Ode mnie niczego się nie dowiesz. Jestem oddana mojej sprawie nie mniej niż ty swojej. Pozwól, że pokażę ci, jak to się robi. – Zamknęła oczy i zacisnęła pięść.

– Co to ma znaczyć? – zapytał Liam.

Quima otworzyła dłoń, ukazując kropelkę krwi na jej środku.

– W moim pierścieniu była ukryta zatruta igła.

– Z takimi rzeczami trzeba ostrożnie.

– Za kilka minut umrę. Nie wiem, jakie masz metody, żeby wydobyć ze mnie wiedzę, ale zanim zdążą zadziałać, mnie już tu nie będzie.

– Możliwe – powiedział Liam. – Ale chyba podzielisz się jeszcze ostatnimi przemyśleniami. Jakimiś pożegnalnymi uwagami. Przecież nie chcesz odejść bez fajerwerków.

Quima uśmiechnęła się szeroko i okrutnie.

– Skoro tak sobie życzysz. Spustosz była słaba, bo była potulna. Gdybym miała więcej czasu, przezwyciężyłabym tę jej skłonność. Reszta nie powtórzy tych błędów.

– Reszta? – spytała Mira. – Czy to samo spotykało wszystkie moje siostry?

– Tajemnica już niedługo wyjdzie na jaw. Każda z was ma inny styl formowania. Ich moce przybiorą różne postacie. Na pewno nie tak żałosne jak ta twoja. A pozory zrodzone z twoich sióstr to dopiero początek.

– Co będzie dalej? – chciał wiedzieć Liam.

– Sam się przekonasz – odparła Quima. – O ile jeszcze będziesz wtedy żył.

– Czuję się kompletna – powiedziała Mira. – Mój ojciec nie dysponuje już żadną cząstką mojej mocy.

Quima pokręciła głową, jakby dziewczynka nie rozumiała, o co tu chodzi.

– Twój ojciec to twój najmniejszy problem. Zresztą nawet on jeszcze nie przestał być przydatny. Traci talenty, ale wciąż ma władzę. A raz już wykradł moce…

Cole'a zmroziło ze strachu.

– Moi przyjaciele! Najwyższy król szukał niewolników z mocami formowania.

Quima odchyliła głowę i głośno parsknęła śmiechem. Jej szczera radość przyprawiła go o dreszcze.

– Masz przyjaciół wśród jego niewolników? – zapytała kobieta. – Przyjaciół z talentem do formowania. Już oni się dowiedzą o formownictwie. Z eksperymentów przeznaczonych właśnie dla nich pewnie wszyscy wyniesiemy nową wiedzę.

– Jakich eksperymentów? – zapytał Cole. Jego strach przeradzał się w gniew.

Quima pokręciła głową.

– Mów, co wiesz – rozkazał Liam.

– Bo co? – Roześmiała się. – Bo mnie zabijesz? Za późno. Nic już ze mnie nie wyciągniecie.

– A twój udział w tym wszystkim? Czy to ty stworzyłaś Spustosz swoim formownictwem?

– Ta moc rzeczywiście przybrała kształt pozoru wskutek formownictwa – odparła Quima. – To część planu większego, niż możecie sobie wyobrazić. Ta istota nie była moim dziełem, ale pomogłam skierować Spustosz we właściwą stronę.

– Kierowałaś nią formownictwem? – spytał Liam. – Czy radami?

– A jak myślisz?

– Zamierzała pani przejąć nad nią kontrolę? – odezwała się Mira.

– Już ją miałam! Powinnam była przejąć ją w pełni.

– Czy wymagałoby to współpracy Miry? – spytał Liam.

– Nie, po prostu chciałam być uprzejma. Koniec z tym. Nie zrealizowałam celu i zawiodłam swoje stronnictwo. To niewielkie niepowodzenie, nieistotnie na dłuższą metę, ale jestem gotowa za nie zapłacić. Lada chwila trucizna zacznie działać.

– A właśnie – odparł Liam. – Jeśli o to chodzi... Potraktowałem twoją truciznę formowaniem. Jestem bardzo dobry w analizowaniu różnych substancji. I w zmienianiu ich. W zasadzie to jestem wręcz niesamowity. Dźgnęłaś się miodem. Gdyby twoja dłoń miała zmysł smaku, stwierdziłaby, że to było pyszne.

Na widok zdumienia Quimy Cole nie mógł się powstrzymać od śmiechu. Dołączył do niego Jace. Nawet Drgawa zasłonił usta i zachichotał.

– To niemożliwe – wydyszała kobieta.

– Dla niektórych formistów na pewno – przyznał Liam. – Dla mnie to w sumie rutyna. Mój szef na pewno chciałby z tobą porozmawiać, więc dopilnuję, żebyś w najbliższym czasie nie zrobiła sobie krzywdy. – Machnął dłonią, a wtedy z ziemi wyłonił się złoty pasek materiału i owinął się wokół ust Quimy. Na próżno szarpała się w pętach. – Wiem, że lubisz kameralne pomieszczenia, więc ci takie zapewnię. – Gdy to powiedział, kobieta zapadła się pod ziemię jak w ruchomych piaskach. Liam spojrzał na Mirę. – Teraz naprawdę możemy porozmawiać. Nie martwcie się, umieszczę ją głęboko.

– Co z nią zrobisz? – zapytał Cole.

– Zgodnie z obietnicą zabiorę ją do Declana. Rozmowa z Quimą na pewno bardzo go zainteresuje.

– Sądzisz, że się dowiecie, co najwyższy król zamierza zrobić z moimi przyjaciółmi? – spytał Cole.

– Trudno powiedzieć. Najprędzej dowie się tego właśnie Declan.

– Może mój ojciec chce przejąć ich moc – powiedziała Mira.

– Na początku też tak sądziłem – przyznał Cole. – Ale Quima robiła wrażenie, jakby chodziło o coś więcej.

– Może próbowała nas przestraszyć – odparł Liam. – Może wszystko, co nam powiedziała, jest kłamstwem.

– Wydaje mi się, że nie blefowała – stwierdziła Mira.

– Mnie też – zgodził się Liam. – Zobaczymy, co z niej wyciągnie Declan.

– Jest bezpieczny? – spytała dziewczynka.

– Wystarczająco. Musieliśmy porzucić prawie wszystko, co zbudował. Lyrus nie mógł iść z nami, więc powierzyliśmy mu kierowanie obroną Chmurnej Doliny. Chyba nigdy nie był szczęśliwszy. Legionistów czeka bardzo nieprzyjemne zadanie. Możliwe, że wycofają się, gdy zobaczą, że uciekliśmy.

– I co teraz? – spytała Mira.

Liam zerknął w niebo i rozejrzał się dokoła.

– Odszukamy Bertrama, odeślemy pojmanego legionistę, a potem poczekamy na Joego. Miał dla ciebie wiadomość, której nie chciał mi wyjawić.

– Domyślasz się, o co chodziło?

– Sądzę, że to coś ważnego.

Rozdział

35

WIADOMOŚĆ

Cole garbił się na stołku przed piękną chatką. Łagodny wietrzyk niósł zapach liści i polnych kwiatów. W pobliżu stał autowóz, w którym siedział zadowolony Bertram.

Kiedy już oddalili się na znaczną odległość od miejsca, gdzie padła Spustosz, Liam i Mira uformowali tę chatkę w niecałą godzinę, włącznie z łóżkami, meblami, dużym kominkiem, obrazami na ścianach oraz ogródkiem za domem. Teraz trwało drugie popołudnie po jej powstaniu.

Cole nie przestawał się martwić o przyjaciół. Kiedy Liam przeniósł Quimę do nowej podziemnej celi niedaleko domku, odmówiła odpowiedzi na jakiekolwiek pytania. Zachowywała się jak odurzona, miała nieobecne spojrzenie i wydawało się, że nie można do niej dotrzeć.

Z braku dalszych informacji Cole mógł się tylko zamartwiać o los Daltona i Jenny. Jeśli najwyższy król odebrał im moc formistyczną, to chyba musiał utrzymać ich przy życiu, żeby jej nie stracić. Czy utrata mocy byłaby dla nich problemem, skoro posiadali ją tak krótko? A może problem tkwił gdzie indziej? Quima wspomniała o eksperymentach.

Formowanie pozwala na tak wiele, że mogły dotyczyć prawie wszystkiego.

Mira i Liam zdawkowo zapewnili Cole'a, że pomogą, ale tak naprawdę wszyscy czekali. Potrzebowali informacji.

Mango sfrunęła z nieba i wylądowała niedaleko drzwi chatki. Cole wstał ze stołka.

– O co chodzi? – spytał.

– Muszę powiadomić Mirę, że zbliża się jeździec – oznajmiła papuga.

– Czy to Joe?

– Oczywiście, głuptasie. Przecież nie podnoszę alarmu!

Kiedy Cole sprowadził z domku Mirę, Liama, Jace'a i Drgawę, słychać już było tętent kopyt. Chłopiec kurczowo trzymał się nikłej nadziei, że posłaniec powie coś nowego o tym, jak można pomóc Jennie i Daltonowi.

Wkrótce zobaczyli jeźdźca. Galopem przeciął pole, a potem zsiadł z konia przed chatką. Cole rozpoznał mężczyznę, który przybył do Nieboportu tuż przed legionistami. Miał teraz dłuższy zarost, a skórzana kurtka była jeszcze bardziej zakurzona.

Joe wskazał na chatkę.

– Widzę, że zdążyliście się rozgościć!

Liam wzruszył ramionami.

– Jesteśmy daleko od wszystkich zwykłych dróg.

– Widziałem Spustosz – powiedział Joe. – To, co z niej zostało. Dzięki, że zaczekaliście. Cieszę się, że mogłem wam pomóc.

Liam przepraszająco uniósł dłoń.

– Zauważyłeś na drodze jakichś legionistów?

– To była tylko część przyjemności! – wykrzyknął Joe. – Masz pojęcie, jak pędziłem, żeby tutaj dotrzeć?

Galopowałem przez noc, wymieniałem konie i wydawałem pieniądze jak nałogowy hazardzista, stosując wszystkie sztuczki, jakie znam.

– Miro, poznaj Joego MacFarlanda – powiedział Liam. – Joe, to jest Miraclea Pemberton. Ci trzej chłopcy to jej przyjaciele.

Joe skłonił się z szacunkiem.

– Do usług Waszej Wysokości.

– Miło mi cię poznać – odparła skrępowana dziewczynka. – Mów mi po prostu Mira.

– Jak sobie życzysz. Cieszę się, że jesteś bezpieczna.

– Wzajemnie. Dziękuję, że w Nieboporcie próbowałeś mnie ostrzec przed legionistami. Czy chciałeś przekazać mi coś jeszcze?

Joe zerknął na Liama.

– O legionistach dowiedziałem się dopiero po drodze. Moja wiadomość dotyczyła innych spraw.

Mira miała zaskoczoną minę.

– Jakich?

Mężczyzna spojrzał kolejno na Cole'a, Jace'a i Drgawę.

– Miałem zabrać ciebie i Darny'ego, żeby wspólnie zmierzyć się ze Spustoszą. Gdyby się nam udało, czekało nas drugie zadanie. Dotyczy jednej z twoich sióstr. Czy wolisz usłyszeć o tym na osobności?

Mira zbladła i potarła usta dłońmi.

– Nie miałam żadnych wieści od sióstr, odkąd się rozstałyśmy. Nic im nie jest?

– Chodzi tylko o jedną z nich – odparł Joe. – Ma kłopoty.

Mira odwróciła się do chłopców.

– W takim razie decyzja należy do was. Nie wiem, jak wam dziękować za to, że wyciągnęliście mnie z Nieboportu i dotarliście ze mną aż tutaj. To przeszło moje najśmielsze marzenia. Jeżeli chcecie odejść, teraz jest dobry moment. Nie wezmę tego do siebie. Bezpośrednie niebezpieczeństwo już nam nie grozi. Jak się domyślam, ta wiadomość oznacza, że czeka mnie podróż do innego królestwa.

Joe kiwnął głową.

– Skoro jesteśmy wśród przyjaciół, mogę wyjawić, że trzeba wyruszyć do Elloweer.

– Jadę z tobą, Miro – powiedział Jace. – Już ci mówiłem, żebyś nie próbowała się mnie pozbyć. Chociaż nie wiem, czy poza Sambrią moja lina na coś się przyda.

– Jest bardzo potężna – stwierdził Liam. – Ale poza Sambrią i może jeszcze Rozdrożem będzie działać słabo albo w ogóle. W pozostałych królestwach obowiązują inne szkoły formowania. Większość sambryjskich artefaktów staje się tam niesprawna. W Elloweer formistów nazywają zaklinaczami, a ich zdolności są mi prawie całkiem obce.

– Będę mniej przydatny – odparł Jace – ale zawsze chętny do pomocy. No bo dokąd jeszcze mógłbym pójść?

– Teraz jesteś wolny – powiedziała Mira. – Możesz zacząć normalne życie. Tutaj w Sambrii tylko dzięki tej linie masz szansę zajść daleko.

– Każdy z was może do mnie dołączyć – rzekł Liam. – Nasza nowa kryjówka przez jakiś czas będzie bezpieczna. Z pewnością się tam przydacie. No i podczas transportu Quimy nie obrażę się na towarzystwo.

– Wolisz się mnie pozbyć? – nieśmiało spytał Mirę Jace.

– Chcę, żebyś sam zdecydował – odparła. – Podróż ze mną z całą pewnością oznacza kłopoty. Może nawet śmierć.

– No to w sam raz dla mnie. Miałem już w życiu tyle kłopotów, że nie wiem, co bym bez nich zrobił.

– Nie powiedziałem wam o sobie wszystkiego – odezwał się Drgawa. – Opuściłem Elloweer w określonym celu. Mój lud jest w niebezpieczeństwie. Pobyt w niewoli był tylko niezaplanowanym postojem. Muszę tam wrócić i zobaczę, co mogę zrobić. Dlatego będę wam towarzyszył co najmniej przez część podróży. Ale może nie powinienem znać szczegółów, bo w którymś momencie pewnie się rozstaniemy.

– Jak uważasz – odrzekła Mira.

Drgawa odskoczył, furkocząc skrzydłami. Zatrzymał się dopiero w stosownej odległości.

Kiedy Mira spojrzała na Cole'a, poczuł się takim bohaterem jak jeszcze nigdy dotąd. Podeszła do niego i mocno go przytuliła, a on odwzajemnił uścisk.

– Przyjaciele cię potrzebują – powiedziała. – Szkoda, że tak mało wiemy o tym, z czym przyjdzie nam walczyć. – Puściła go i trochę się cofnęła.

– Jacy przyjaciele? – zapytał Joe.

– Koledzy, którzy przybyli tutaj z mojego świata jako niewolnicy – odparł Cole. – Niektórzy mieli talenty formistyczne i zostali sprzedani najwyższemu królowi.

– Niewolnicy, którzy potrafią formować? Znasz ich specjalność?

– Nie. Ale może król potrzebuje ich do eksperymentów.

Joe podrapał się po brodzie.

– Najwyższy formista rozsyła niewolników z talentem do formowania po całych Pięciu Królestwach. Udają się na szkolenie tam, gdzie ich umiejętności działają najsilniej.

– Kiedy to się zaczęło? – spytała Mira.

– Kilka tygodni temu.

Liam skrzywił się z niezadowoleniem.

– W takim razie twoi przyjaciele mogą być wszędzie.

Cole poczuł, że uszło z niego powietrze. Okazało się, że wie jeszcze mniej, niż przypuszczał.

– Między innymi w Mieście na Rozdrożu – stwierdził. – Może wcale nie wyjechali na szkolenie. Może są wykorzystywani w innym celu.

– To całkiem prawdopodobne – przyznał Joe. – Ale wiem, że najwyższy formista pozyskuje niewolników ze zdolnością do formowania, skąd tylko może, i rozsyła ich na nauki po całych Obrzeżach.

– Znajdziemy ich razem – powiedziała Mira i pogładziła Cole'a po ramieniu. – Obiecałam, że ci pomogę. Nie zapomniałam o tym.

Joe miał lekko skonsternowaną minę.

– Możesz być potrzebna gdzie indziej, Miro. Przynajmniej chwilowo.

– Mamy różne metody, żeby się czegoś dowiedzieć – zapewnił Cole'a Liam. – Pięć Królestw to wielka przestrzeń, ale nie brak nam stronników. Udzielę ci wszelkiej pomocy, jaką dysponuję. Możesz iść ze mną i czekać, a jeśli wolisz zostać z Mirą, znajdę sposób, żeby się skontaktować.

Chłopiec zmarszczył czoło.

– Dzięki. W tej chwili najbardziej potrzebuję informacji. Nie pomogę przyjaciołom, dopóki nie dowiem się, dokąd trafili. Do tego czasu będę towarzyszył Mirze.

– Jesteś pewien? – zapytała dziewczynka.

– Przecież równie dobrze mogą być w Elloweer – odparł.

Mira mocno go uściskała. Cole starał się unikać wzroku Jace'a.

– Nie chciałabym cię stracić. Naprawdę uratowałeś nam życie. Uratowałeś mnie. Cole, nigdy dostatecznie ci nie podziękuję, nawet gdybym żyła wiecznie.

– Nie mogłem uwierzyć, że się udało. Myślałem, że nic z tego nie wyjdzie.

– Szanse rzeczywiście były niewielkie – przyznał Liam. – Gdyby Mira nie zaszczepiła w Spustoszy poważnych wątpliwości, a energia sama nie pragnęła do niej powrócić, chybaby się nie powiodło. Chusta była potężnym narzędziem, ale niedostatecznie silnym, żeby zapanować nad taką istotą. Na szczęście Spustosz już wcześniej miała wątpliwości.

– Tak czy inaczej – powiedział Cole do Miry – dopóki nie będę wiedział dokładnie, gdzie szukać Daltona albo Jenny, pójdę z tobą. Skoro nie mam planu i nie wiem nawet, dokąd iść, to nie wyobrażam sobie, że mógłbym cię zostawić. Zostałbym kompletnie sam.

– Aj – mruknął Liam.

– Nie mówię o tym, gdybym poszedł z tobą – sprecyzował pospiesznie Cole. – Bo na pewno bym poszedł, tylko że... straciłem już dostatecznie dużo przyjaciół. Nie chcę stracić kolejnych.

– Jeszcze raz: aj! Serio, lepiej już nic nie mów.

Cole zaśmiał się zawstydzony.

– Ciebie też nie chcę stracić, Liam, ale przecież ty wybierasz się do kryjówki. A ja muszę działać. I chcę pomóc Mirze.

– W takim razie skontaktuję się z tobą, jeśli się czegoś dowiem.

– Będę wdzięczny.

– Możesz przekazać nam wiadomość – zwróciła się do Joego Mira.

– Jak się zapewne domyślasz, sprawa dotyczy Honoraty. Jej moc była najsilniejsza właśnie w Elloweer. Twoja matka obawia się, że obrońca Honoraty nie żyje, a ją samą pojmano. Miałem wyruszyć jej na pomoc z tobą i Darnym.

– Jak ją znaleźć? – spytała Mira.

– Jej gwiazda świeci na niebie. Umiem ją rozpoznać. Tak jak twoją.

– Nie wierzę! Nie widziałam Nori od tylu lat. Dziwne, że ma kłopoty. Prędzej wyobraziłabym sobie, że to ona ratuje mnie.

– Wiadomość była ogólnikowa – powiedział Joe. – Dowiemy się więcej, dopiero gdy podążymy za gwiazdą.

– To kiedy wyruszamy? – zapytał Jace.

– Kiedy tylko chcecie – odparł Liam. – W takim razie chwilowo się rozstaniemy.

Mira westchnęła.

– Miałam nadzieję, że gdy odzyskam moc, moje kłopoty na jakiś czas się skończą.

– Jeszcze nie teraz – powiedział Cole. – Ale zaszkodziliśmy twojemu tacie. I zaszkodzimy mu jeszcze bardziej. Najlepszy sposób, żeby uratować moich przyjaciół, to go obalić.

– Nie ma sprawy – stwierdził Jace. – Załatwimy najwyższego króla. Drgawa będzie zachwycony. Musimy mu o tym powiedzieć.

– Nie pokonamy najwyższego króla już jutro. Pewnie nawet nie pojutrze. Ale pomoc Honoracie to dobry początek – podsumował Cole.

– Sprawa może nie skończyć się na królu – ostrzegł Liam. – Mamy jeszcze problem z tą grupą formowników od Quimy.

– Nie – odparł Cole. – To oni mają problem z nami.

PODZIĘKOWANIA

Moje książki nie są wyłącznie wynikiem mojej pracy. Ich pisanie i promowanie sprawia, że spędzam z rodziną mniej czasu, niżbym chciał. Dziękuję moim bliskim za wsparcie i cierpliwość. Ponadto moja żona Mary i najstarsza córka Sadie czytają moje książki i dzielą się uwagami. Mary zawsze jest moją pierwszą redaktorką, a jej reakcje na kolejne rozdziały i tym razem okazały się bardzo cenne.

Pomagają mi także zawodowcy. Tak jak i poprzednio mój agent Simon Lipskar przekazał mi wiele mądrych spostrzeżeń, dzięki którym historia nabrała właściwego kształtu. Moja redaktorka Liesa Abrams, chociaż spodziewała się dziecka, również wykonała doskonałą robotę i dzieliła się ze mną opiniami. Fiona Simpson zasługuje na ogromne podziękowania za to, że wkroczyła do akcji, kiedy Liesa urodziła synka. (Moje gratulacje, Lieso!).

Jestem ogromnie wdzięczny całemu wydawnictwu Simon & Schuster za to, że wystarczająco we mnie wierzyło, żeby rozpocząć ze mną całkiem nowy cykl. Wiele osób pomogło w powstaniu tej książki i rozpowiadało o jej istnieniu. Bardzo ważne role odegrali: Bethany Buck, Mara Anastas, Anna McKean, Paul Crichton, Carolyn Swerdloff, Lauren Forte, Jeannie Ng i Adam Smith. Ogromnie dziękuję Owenowi Richardsonowi za rewelacyjną okładkę.

Przy *Łupieżcach Niebios* świetnie się spisał mój zespół pierwszych czytelników. Jason i Natalie Conforto udzielili mi przydatnych odpowiedzi i otworzyli oczy na kilka ciekawych możliwości rozwoju fabuły, które wykorzystam w dalszej części cyklu. Mój wujek Tuck i moja mama, a także Cherie Mull przekazali wartościowe uwagi. Liz Saban zawdzięczam iskierki, od których zaczął się cały ten pomysł. Pozwoliła mi również użyć imion swoich synów. Paul Frandsen zauważył pod koniec kilka ważnych rzeczy. Dziękuję wszystkim!

Jestem winien podziękowania Brandonowi Flowersowi i zespołowi The Killers za zgodę na wykorzystanie na początku tej książki cytatu z jednej z ich najbardziej przejmujących piosenek. Pomyślałem, że ów fragment bardzo pasuje do tej historii, więc jestem wdzięczny, że pozwolili mi go użyć.

Wreszcie ogromnie dziękuję Wam, Czytelnicy! Dzięki temu, że czytacie, kupujecie i przekazujecie innym moje książki, mogłem uczynić z pisarstwa swój zawód. Gdyby nie Wasze wsparcie, wciąż pisałbym tylko hobbystycznie, więc stworzyłbym znacznie mniej różnych opowieści. Dziękuję, że poświęciliście czas, by wyruszyć w tę przygodę. Powstaną jeszcze cztery książki i wkrótce się przekonacie, że to był dopiero początek. Bardzo się cieszę, że podzielę się z Wami resztą tego cyklu. Przeczytajcie poniższą notę, żeby dowiedzieć się czegoś więcej na ten temat.

NOTA DO CZYTELNIKÓW

Jedno za nami, zostały jeszcze cztery. Cieszę się, że mogłem Wam przedstawić jedno z Pięciu Królestw. Tylko poczekajcie, dokąd zaprowadzi Was fabuła kolejnych tomów! Chyba jeszcze nigdy nie zaplanowałem cyklu tak różnorodnego jak ten. Jeśli spodobała się Wam pierwsza część, przygotujcie się na nie lada emocje. Będę pisał najszybciej, jak się da. Tom drugi i trzeci powinny się ukazać w ciągu roku.

Ponieważ bardzo dużo piszę, często jeżdżę w trasę na spotkania autorskie i mam czworo dzieci, to czasem trudno do mnie dotrzeć. Jeżeli nie odpowiedziałem na jakiś list lub e-mail, proszę, przyjmijcie moje przeprosiny. Jeśli mi go wysłaliście, pewnie go dostałem, ale jestem człowiekiem roztargnionym i niezorganizowanym, a do tego mam straszne zaległości w odpisywaniu na korespondencję. Wciąż liczę, że pewnego dnia to nadgonię. Zachowuję wszystkie listy, które otrzymuję, i losowo odpisuję na tyle, na ile tylko mogę.

Jeśli chcecie być ze mną w kontakcie, proponuję, żebyście śledzili mnie na Twitterze (@brandonmull) albo zaglądali na mój profil (Brandon Mull) na Facebooku. Regularnie tam pisuję, więc będziecie na bieżąco, a jeśli umieścicie komentarz, może czasem odpowiem. Możecie też spróbować napisać do mnie e-mail na adres autumnalsolace@gmail.com (zaczerpnąłem go z jednego z tomów *Baśnioboru**). To, czy odpiszę, będzie kwestią przypadku.

---

* W wersji polskiej był to adres jesienneukojenie@gmail.com, ale tam nie zastaniecie Brandona Mulla, a tylko tłumacza jego książek.

Mam nadzieję, że pewnego dnia wymyślę system, który pozwoli mi odpowiadać wszystkim, nie zaniedbując przy tym ani pracy, ani rodziny. Jeśli to Was pocieszy, między innymi dlatego jestem taki niezorganizowany, jeśli chodzi o sprawy praktyczne, że mój umysł bardzo często zajęty jest wymyślaniem nowych historii. Więc jeśli nie uda się inaczej, mogę się z Wami komunikować przynajmniej za pośrednictwem moich zwariowanych książek. Gdybyście zaś bardzo chcieli się ze mną spotkać osobiście, śledźcie terminy na stronie www.brandonmull.com. Zawsze, gdy ukazuje się nowa powieść, ruszam w trasę i odwiedzam wiele miejsc w Stanach Zjednoczonych.

Oto krótki przewodnik po moich pozostałych książkach dla osób, które właśnie odkryły moją twórczość:

Baśniobór to cykl pięciu książek, chyba najbardziej zrównoważony – niezła mieszanka przygód, humoru i odkryć. Opowiada o tajnych rezerwatach dla magicznych istot i jeśli chodzi o ogólną atmosferę, chyba najbardziej przypomina *Pięć Królestw*. Mniej więcej w 2016 roku zamierzam zacząć prace nad kontynuacją *Baśnioboru*.

Pozaświatowcy są moją najbardziej epicką serią. Składa się ona z trzech części. Zaczyna się dość dziwnie i tajemniczo, a potem rozwija się w wielką historię o bohaterach, którzy próbują uratować zagrożony świat. Poznacie istoty i magiczne rasy, o jakich jeszcze nigdy nie czytaliście. Myślę, że zakończenie trzeciego tomu to najbardziej spektakularny finał, jaki dotąd napisałem.

Wojna cukierkowa jest cyklem nieco lżejszym niż inne, ale pełnym fantazji. Rozgrywa się w zwykłym miasteczku, a bohaterami są zwykłe dzieci. Pewnego dnia przyjeżdżają tam czarodzieje i częstują magicznymi cukierkami dającymi różne moce. Kiedy okazuje się, że niektórzy z nich mają niecne zamiary, robi się ciekawie. Na razie seria składa się z dwóch części. Obie można czytać jako oddzielne historie, bo mają zamknięte zakończenia.

Spirit Animals to cykl, którego jestem twórcą. Poznacie w nim świat o nazwie Erdas, w którym dzieci i zwierzęta czasami nawiązują silne więzi. Ze wszystkich moich powieści ta ma najszybsze tempo i chyba jest najlepsza dla czytelników, którzy dopiero przyzwyczajają się do grubych książek. Chociaż opracowałem plan fabuły całej serii, sam napisałem tylko pierwszy tom. Sześć pozostałych będzie miało sześciu różnych autorów.

I wreszcie, jeśli lubicie książki z obrazkami, mam też dwutomowy cykl pod tytułem *Pingo*. Opowiada o chłopcu, który ma na imię Chad, i o jego zmyślonym przyjacielu. Więcej o wszystkich moich książkach dowiecie się na stronie www.brandonmull.com.

Jeśli doczytaliście tę notkę do samego końca, to gratuluję, że skończyliście to, co zaczęliście. Dzięki za lekturę. Do zobaczenia na Obrzeżach!